À PROPOS DU *ROUGE IDÉAL*…

« LE PORTRAIT QUE FAIT JACQUES CÔTÉ
DE LA VIEILLE CAPITALE
S'AVÈRE TOUT À FAIT ÉTONNANT,
COMME SI, LE TEMPS D'UN ROMAN,
QUÉBEC PRENAIT DES AIRS DE
NEW YORK OU DE CHICAGO. »
Le Soleil

« IL EST DIFFICILE DE LÂCHER CETTE HISTOIRE
MENÉE TAMBOUR BATTANT. […]
CÔTÉ TIRE BIEN SON ÉPINGLE DU JEU.
IL NOUS ENTRAÎNE DANS UN RÉCIT BIEN FICELÉ, AU
SUSPENSE RONDEMENT MENÉ. »
La Presse

« UNE ÉCRITURE IMPECCABLE,
DES DIALOGUES SAVOUREUX ET JUSTES
QUI SAVENT JOUER DE PLUSIEURS NIVEAUX DE LAN-
GAGE FONT DU *ROUGE IDÉAL*
UN POLAR PARTICULIÈREMENT EFFICACE
QUI SAURA À COUP SÛR PLAIRE
AUX AMATEURS DU GENRE. »
Le Devoir

« UNE INTR… …
À …

L…

...ET DE *LA RIVE NOIRE*

« LE LIVRE PARFAIT... ON ESPÈRE QUE
CE N'EST PAS LA DERNIÈRE ENQUÊTE
DU LIEUTENANT DUVAL. »
SRC – Le Téléjournal Québec

« ON SE LAISSE FACILEMENT SÉDUIRE
PAR LE RÉCIT, EFFICACE ET RYTHMÉ.
ÇA SE LIT TOUT SEUL, PRÉFÉRABLEMENT
D'UN TRAIT, ET LA FIN EST PEUT-ÊTRE
MOINS PRÉVISIBLE QU'IL N'Y PARAÎT. »
Le Devoir

« L'ACTION NE MANQUE PAS DANS CE POLAR
REMARQUABLE QUI SE LIT D'UNE TRAITE
ET OFFRE PLUSIEURS SCÈNES FORTES. »
La Presse

« LA RÉUSSITE DU ROMAN,
C'EST DE L'AVOIR SITUÉ À QUÉBEC,
À UN MOMENT SIGNIFICATIF DE SON HISTOIRE, ET
D'AVOIR FAIT DE LA VILLE ET DU FLEUVE DE VÉRI-
TABLES PERSONNAGES ET NON PAS
UN DÉCOR ORDINAIRE. AINSI, *LA RIVE NOIRE*
DEVIENT UN ROMAN SINGULIER
ET UN VÉRITABLE HOMMAGE À CETTE
VILLE UNIQUE CLASSÉE PAR L'UNESCO. »
Le Courrier de St-Hyacinthe

LE CHEMIN DES BRUMES

DU MÊME AUTEUR

Les Montagnes russes. Roman.
   Montréal : VLB, 1988.
Les Tours de Londres. Roman.
   Montréal : VLB, 1991.
Les Amitiés inachevées. Roman. (épuisé)
   Montréal : Québec/Amérique, coll. Littérature
   d'Amérique, 1994.

Salut l'indépendance ! Essai sociopolitique.
   Québec : Le Québécois, 2006.

Wilfrid Derome, expert en homicides. Biographie.
   Montréal : Boréal, 2003.

Nébulosité croissante en fin de journée. Roman.
   Beauport : Alire, Romans 034, 2000.
Le Rouge idéal. Roman.
   Lévis : Alire, Romans 063, 2002.
La Rive noire. Roman.
   Lévis : Alire, Romans 092, 2005.

LE CHEMIN
DES BRUMES

JACQUES CÔTÉ

Illustration de couverture : Bernard Duchesne
Photographie : Valérie St-Martin

Distributeurs exclusifs :

<u>Canada et États-Unis</u> :
Messageries ADP
2315, rue de la Province
Longueuil (Québec) Canada
J4G 1G4
Téléphone : 450-640-1237
Télécopieur : 450-674-6237

<u>France et autres pays</u> :
Interforum editis
Immeuble Paryseine, 3
Allée de la Seine, 94854 Ivry Cedex
Tél. : 33 (0) 4 49 59 11 56/91
Télécopieur : 33 (0) 1 49 59 11 33
Service commande France Métropolitaine
Tél. : 33 (0) 2 38 32 71 00
Télécopieur : 33 (0) 2 38 32 71 28
Service commandes Export-DOM-TOM
Télécopieur : 33 (0) 2 38 32 78 86
Internet : www.interforum.fr
Courriel : cdes-export@interforum.fr

<u>Suisse</u> :
Interforum editis Suisse
Case postale 69 – CH 1701 Fribourg – Suisse
Téléphone : 41 (0) 26 460 80 60
Télécopieur : 41 (0) 26 460 80 68
Internet : www.interforumsuisse.ch
Courriel : office@interforumsuisse.ch
Distributeur : OLS S.A.
Zl. 3, Corminboeuf
Case postale 1061 – CH 1701 Fribourg – Suisse
Commandes :
Tél. : 41 (0) 26 467 53 33
Télécopieur : 41 (0) 26 467 55 66
Internet : www.olf.ch
Courriel : information@olf.ch

<u>Belgique et Luxembourg</u> :
Interforum editis Benelux S.A.
Boulevard de l'Europe 117, B-1301 Wavre – Belgique
Tél. : 32 (0) 10 42 03 20
Télécopieur : 32 (0) 10 41 20 24
Internet : www.interforum.be
Courriel : info@interforum.be

Pour toute information supplémentaire
Les Éditions Alire inc.
C. P. 67, Succ. B, Québec (Qc) Canada G1K 7A1
Tél. : 418-835-4441   Fax : 418-838-4443
Courriel : info@alire.com
Internet : www.alire.com

Les Éditions Alire inc. bénéficient des programmes d'aide à l'édition de la
Société de développement des entreprises culturelles du Québec (SODEC),
du Conseil des Arts du Canada (CAC) et reconnaissent l'aide financière du
gouvernement du Canada par l'entremise du Programme d'aide au développement de l'industrie de l'édition (PADIÉ) pour leurs activités d'édition.

Gouvernement du Québec – Programme de crédit d'impôt pour l'édition
de livres – Gestion Sodec.

1er dépôt légal : 2e trimestre 2008
Bibliothèque nationale du Québec
Bibliothèque nationale du Canada

À la mémoire de Daniel Sainte-Marie

Toute ressemblance entre des personnages
et des personnes réelles ne serait que pure coïncidence.

TABLE DES MATIÈRES

PROLOGUE

Dans la cour arrière, le caniche tirait sur sa chaîne en jappant. Vincent sortit de l'atelier pour suivre la fin de la dispute. Sous l'abri d'auto, il regarda son père filer d'un pas enragé, suivi à distance par son grand-père qui, impuissant, essayait de le raisonner. Mais le père en colère se bouchait les oreilles. Avant de monter dans sa voiture, Alain Parent voulut en remettre et pointa un doigt menaçant derrière lui.

— Ça se passera pas de même, tabarnak !

Il monta dans la voiture, claqua la porte. En bordure du trottoir devant sa maison, le vieil homme regarda son ex-gendre démarrer en trombe. Les pneus laissèrent une longue trace sur le bitume. Déçu, il hocha la tête. Qu'il est dur de raisonner un homme en colère ! songea-t-il.

Il alla rejoindre ses petits-enfants dans l'atelier du garage à l'arrière de la maison. Vincent constata avec humiliation que les voisins avaient épié la dispute de leur fenêtre. Son regard croisa celui de son grand-père, qui arbora un sourire résigné.

— C'est pas grave ! dit-il en passant une main affectueuse sur son épaule.

Vincent baissa la tête de honte. Il avait assisté à de nombreuses scènes entre son père et sa mère, mais jamais son grand-père et son père ne s'étaient querellés dans le passé. Son père était un homme malade qui ne cessait de décliner.

Gilles Hébert gardait son calme pour ne pas troubler ses petits-fils. Les insultes qu'il venait d'encaisser de son ex-gendre ne devaient pas affecter leur projet de vacances. Il fallait poursuivre les préparatifs. Vincent, encore tétanisé par la scène à laquelle il venait d'assister, avait repris la sélection des accessoires de pêche. Sébastien, son cadet, continuait de clouer les bouts de bois que lui avait donnés son grand-père.

— Comment ça que papa était fâché de même ? demanda-t-il.

— Tanne-nous pas avec ça, répondit sèchement Vincent.

— Ah ! les jeunes, on se remet de bonne humeur !

Gilles Hébert jeta un coup d'œil dans le stationnement. La vue de sa douce Bertha l'aida à chasser les mauvais nuages. Avant l'altercation, on aurait dit un enfant qui s'apprête à étrenner un jouet. Cette roulotte, il l'avait achetée d'occasion – mais à l'état neuf, insistait-il en parlant de ce vieux rêve qu'il caressait depuis longtemps. Elle était impeccable : toute blanche, traversée par une large bande verte soulignée par deux lignes noires. Un peu plus bas, un beau trait orangé soulignait la tôle rutilante. La marque Appalaches était inscrite sur le côté et à l'arrière du véhicule. Nationaliste, il était fier de dire que c'était un produit du Québec.

Sa femme, qui détestait le plein air, avait toujours opposé son refus. Décédée un an auparavant, elle ne pouvait plus empêcher « son vieux » de partir à l'aventure. « C'est une maîtresse qu'elle trouverait acceptable », avait-il lancé à la blague à ses voisins.

Entrepreneur-électricien à la retraite, il avait de beaux projets devant lui. La mort de sa Yolande avait été une dure épreuve à surmonter. Pendant près de six mois, il avait été désemparé, incapable de se prendre en main. Mais la relation qu'il entretenait avec ses petits-fils avait fini par lui redonner goût à la vie. Il leur avait construit dans un arbre une cabane qui avait eu un énorme succès. Chaque semaine, il les sortait en ville ou à la campagne. L'achat de cette roulotte usagée, qu'il avait longuement mûri, lui redonnait l'énergie de la jeunesse, le goût de l'aventure. Une vraie aubaine, se vantait-il à tout venant, pâmé devant l'objet de sa fierté. Il se revoyait allongeant les 5000 $ à ce jeune père de famille qui venait de perdre son emploi et sa maison et qui lui avait arraché les billets de la main, sans façon, insulté de voir le vieillard marchander jusqu'à la limite de la décence. Hébert l'avait payé comptant pour ne pas souffrir des taux d'intérêt exorbitants qui sévissaient.

Gilles Hébert acheva d'attacher les gros miroirs latéraux sur sa Ford Mercury beige. Sébastien, en sortant du garage, éclata de rire en voyant les rétroviseurs.

— Grand-papa, on dirait que ta voiture a de grosses oreilles !

— Arrête don' de dire des niaiseries, grommela son frère.

Le vieux ricana et fit signe au plus jeune d'approcher. L'enfant alla au-devant du vieil homme, qui l'attrapa par une oreille.

— Je la tiens. Je vais l'arracher !

— Non, criait Sébastien à la blague pendant que son grand-père lui pinçait les oreilles.

Frison, debout sur ses deux pattes de derrière, tournoyait autour d'eux comme un chiot fou.

— Attends de voir ce que je vais faire de ton oreille.

— Non, grand-papa ! cria le gamin en riant.

— Tiens, la voilà ! dit Gilles Hébert en montrant le bout de son pouce entre deux doigts.

Le gamin, rouge de plaisir, toucha son oreille.

— Elle est encore là, grand-papa.

Vincent riait en regardant la scène. Son grand-père lui remit le lave-vitre et des essuie-tout.

— Tiens, ce sera à toi de laver les fenêtres de la voiture. Mais avant, c'est le temps de visiter la roulotte.

Gilles Hébert les invita à le suivre.

— Venez, on va installer les draps et les couvertures. Chacun prend ses responsabilités avant de partir. Toi aussi, les petites oreilles !

Le vieux avertit les enfants de poser un pied prudent sur le marchepied. Derrière eux, il consultait son inventaire. Il voulait vérifier s'il ne manquait de rien.

— Allez, on monte, annonça le grand-père.

— Oui ! cria Sébastien.

L'enthousiasme gagnait le plus jeune. Ils allaient monter pour la première fois dans la roulotte. Sébastien grimpa sur la banquette pliable qui servait de lit ou de fauteuil pour regarder la télévision.

— Non, non, je ne veux pas que tu fasses ça, l'avertit le grand-père.

— Arrête de t'énerver, ajouta son frère.

Un tapis brun aux motifs imprimés couvrait le plancher. À gauche de la porte, se dressait un petit comptoir avec un évier et juste à côté, à droite, un poêle au gaz propane et un petit réfrigérateur. Sébastien, descendu de la banquette, commença aussitôt à ouvrir les portes d'armoires.

— Touche pas à ça, lui dit l'aîné.

— C'est pas grave ! répliqua le grand-père.

Au-dessus du comptoir percé par un évier était suspendue une télévision. En face, une table était rivée au plancher avec deux bancs devant une grande fenêtre.

Contiguë à la cuisinette se trouvait une salle de bain avec un lavabo et même une douche. Les enfants n'en revenaient pas d'autant de commodités. Le grand-père s'assura qu'il y avait assez de papier hygiénique.

— Où y va notre caca, grand-papa, est-ce qu'y tombe sur le chemin ?

Vincent sourcilla et poussa une longue expiration pendant que le grand-père, imperturbable, répondait au plus jeune.

— Il y a un réservoir qui sert à recevoir l'eau de la cuvette.

— C'est comme une vraie maison, grand-père ! s'exclama Sébastien.

— C'est une maison mais sur roues ! On va où on veut.

À l'extrémité, on trouvait deux chambres séparées par un mince espace. Gilles Hébert avait accroché un rameau et un petit crucifix sur le mur du fond, au-dessus de la grande fenêtre. Sébastien tira sur les rideaux bruns qui servaient de cloison.

— Tire pas là-dessus, mon p'tit bon yenne, tu vas les arracher, lança le grand-père.

Au-dessus du lit de droite était superposée une couchette que Sébastien adopta aussitôt. Grand-père avait décoré la chambre des enfants avec des photos et leurs dessins.

Le plus jeune monta sur le lit, essaya de toucher le plafond et se laissa retomber lourdement sur le matelas. Son frère lui lança un regard irrité.

Après avoir installé les draps, les oreillers et les couvertures, Sébastien demanda à son grand-père s'il pouvait dormir dans la roulotte ce soir.

— Non, demain, mon gars.

— Enwoye, grand-papa !

— Non, à soir, je vous installe dans votre chambre.

— S'il te plaît, grand-père.

— Arrête d'insister ! gronda Vincent.

Vincent avait treize ans. Son frère aurait six ans dans un mois. L'entrée de Vincent dans l'adolescence et cet écart d'âge avaient créé un fossé entre lui et Sébastien. Ils ne jouaient plus ensemble comme avant ; l'aîné se braquait désormais contre le cadet. Cette distance volontaire avait été dure à prendre, car Vincent aimait Sébastien, mais il n'en pouvait plus de le traîner partout où il allait. Il s'était détaché, retraitant plus souvent dans sa chambre pour rêvasser aux filles, écouter de la musique, lire. Il participait à des sports d'équipe. Il excellait au baseball et surtout au hockey. Mais le dernier hiver avait laissé un goût amer. Lui qui sortait du pee-wee AA n'avait pas été sélectionné dans le club Bantam élite de Québec. Il était sûr de faire l'équipe l'année suivante, mais il avait l'impression de perdre une année et son orgueil en avait pris un coup. L'entraîneur avait misé sur son fils qui, aux dires de tous ses coéquipiers, était moins bon que Vincent mais plus agressif. Il vivait sa deuxième grande injustice après le divorce de ses parents.

Seb, comme on l'appelait, avait peu connu Alain, son père biologique, alors que Pierre, le nouveau copain de sa mère, jouait maintenant ce rôle d'une façon naturelle, ce qui n'était pas le cas pour Vincent, qui s'attachait difficilement à lui malgré les efforts du beau-père.

Puisque les enfants ne voulaient pas aller se coucher immédiatement, Gilles leur proposa de regarder la télévision. Mais la grève du baseball majeur faisait de la télévision un vrai plat froid en cet été. Fervent amateur de baseball, Vincent n'en pouvait plus d'attendre la reprise de la saison. Un été sans baseball, c'était comme un gâteau sans crémage. Le thème musical de la série *Bonanza* happa son attention. Il aurait préféré écouter *M.A.S.H.*, mais Sébastien ne comprenait pas l'anglais. Il tourna le poste au 22.

— Non, non, je veux *Bonanza* !

— Bon, écoute-la, ton émission plate.

Pendant ce temps, Gilles Hébert complétait les préparatifs en toute tranquillité. Il prit sur le comptoir la bouteille de Tum's et avala quatre comprimés. Toujours ces maux d'estomac qui s'acharnaient sur lui. Tout en s'activant, le vieil homme ne cessait de ressasser sa querelle avec son ex-gendre. Il avait été ferme. Sa fille, Marie, l'avait prévenu : « Si y vient, tu lui dis de s'en aller, tu ne discutes pas. Sinon, tu appelles la police. » Il avait agi selon les souhaits de sa fille, à qui il avait offert le plus beau cadeau possible : garder ses enfants pendant une semaine.

Vincent faisait tourner machinalement son cube de Rubik en repensant à la querelle familiale : la violence des propos de son père, les portes qui claquent, la voiture qui démarre sur les chapeaux de roues. Il comprenait que son père ait souhaité les garder durant le voyage de leur mère avec son nouveau copain. Mais elle avait déjà refusé sa demande quelques jours plus tôt. Elle s'était justifiée en disant que ce n'était pas juste une question de principes. Elle revenait sans cesse sur le jugement de la cour. Elle avait avisé son ex-mari qu'il devait se soigner avant qu'elle l'autorise à passer plus de temps avec ses enfants. Il avait été diagnostiqué maniaco-dépressif, PMD, comme disait sa mère. Il prenait désormais des pilules pour dormir et soigner sa dépression.

Vincent avait été atterré par l'intransigeance de sa mère. Il aurait aimé passer du temps avec son père pendant que sa mère faisait son voyage avec son beau-père. Il détestait les entendre utiliser l'expression

« voyage de noces » alors qu'ils n'étaient même pas mariés. Elle fréquentait Pierre Paradis depuis cinq ans et le début de leur relation avait coïncidé avec la fin de son mariage, une rupture que Vincent avait eu du mal à digérer. Le changement d'humeur de son père avait aussi transformé la sienne. Voir son père délirer, hurler et menacer sa mère n'avait aucun sens pour lui. Son paternel s'était toujours montré doux et affectueux auparavant. Vincent avait dès lors adopté un air plus grave, angoissé à l'idée de finir comme son père.

Il avait été convenu que les enfants passeraient une semaine en voyage avec leur grand-père. Devant son ex-gendre, Gilles Hébert était demeuré calme mais ferme, ne haussant jamais le ton, invitant le père à respecter la décision de son ex-femme. Il avait bien sûr menacé d'appeler la police s'il s'entêtait à ne pas quitter les lieux. Vincent aurait aimé intervenir, mais il était resté sans voix. Son père, qu'il ne voyait qu'une fois aux quatorze jours, sous surveillance, s'était alors effondré.

Il l'avait vu pleurer, s'affaisser comme un jeu de cartes. Les voisins d'à côté avaient été eux aussi les témoins de l'altercation. La vue de son père retraitant, triste et humilié, sous le regard des autres, avait dérouté sa bonne humeur.

Vincent tenta de chasser cette image de sa tête. Gêné, il ne pouvait discuter de cette chicane avec son jeune frère, qui avait très peu connu son père biologique. Du moins, il n'en gardait aucun souvenir. Sébastien n'avait qu'un an quand sa mère s'était séparée de son mari. Vincent savait que l'arrivée de Sébastien avait semé la discorde dans leur couple. Son père ne s'impliquait pas autant pour Sébastien qu'il l'avait fait pour Vincent. Le tout avait dégénéré. La séparation était devenue inévitable.

À neuf heures, Gilles Hébert alla verrouiller la porte de la roulotte. Il se retourna pour l'admirer une dernière fois.

— Chère Bertha, murmura-t-il.

Le lendemain serait beau, pensa-t-il. Il rentra dans la maison par la porte de côté qu'il verrouilla à son tour, puis poussa la tige du loquet.

2 VENDREDI, 24 JUILLET, 14 H 15

Duval repéra Louis Harel derrière le comptoir d'enregistrement de Québecair. Le Gros attendait en faisant tourner la figurine hawaïenne de son trousseau de clés. Deux autres policiers de Québec le devançaient dans la file. Tous s'envolaient vers le Mexique afin de participer aux Jeux mondiaux des policiers et pompiers.

Le lieutenant portait deux sacs de cuir en bandoulière. Il sortit son passeport et son billet de la poche intérieure de son veston. Il se dirigea vers Louis, qui déposait sa lourde valise sur la balance. Elle portait les souvenirs de destinations fétiches : Hawaï, Honolulu, Las Vegas, Miami, Orlando, Atlantic City, Memphis, Nashville. Elle racontait un peu ses amours : la série *Hawaï 5-0*, le goût du jeu, les plages, la musique d'Elvis et de Johnny Cash. Le poids de ses bagages excédait la limite permise et Harel paya en maugréant des frais supplémentaires. Dans un sac Adidas, il avait entassé son survêtement, ses poids et ses médailles. Harel s'était qualifié pour le lancer du poids. Il s'entraînait depuis à peine un an et il avait réussi le standard de cette discipline. Il passait ses journées à faire de la musculation, s'était même installé des poids et haltères dans son bureau. Il avait maintenant des cuisses à la place des bras, plaisantait Duval. Harel se gavait de protéines animales sous forme de viande rouge, de produits laitiers. Le lieutenant avait été le premier étonné de cette progression. Il n'avait jamais cru en cette possibilité, d'autant plus que le Gros avait failli mourir cinq ans auparavant et qu'il claudiquait encore. Duval se posta derrière son copain.

— Coudon, le Gros, pars-tu pour le Club Med?

— Je suis jamais allé au Mexique, pas question de passer juste une semaine à Cancún, scanda Louis.

— C'est pourtant ce qui nous attend.

Le lieutenant portait son complet de laine noir mais, à la place de l'habituelle chemise blanche, il s'était autorisé à arborer le t-shirt du marathon de Boston qu'il avait couru en mai dernier. En période de négociation syndicale, les policiers en uniforme et les enquêteurs avaient reçu l'ordre de l'exécutif syndical de sortir des conventions vestimentaires usuelles. Il détailla Louis de la tête aux pieds. Le Gros avait enfilé des sandales en cuir brun, un bermuda imprimé en polyester, un t-shirt vert de la SQ. Ses grosses lunettes Ray-Ban, en forme de gouttes de pluie, reposaient sur son crâne chauve.

— Le patron a dit qu'il fait quarante degrés. Je me ferai pas chier…

— Tu sais qu'il existe un protocole lorsqu'on voyage. Il faut avoir l'air de représenter notre corps policier.

Louis éclata d'un rire gras et moqueur.

— Depuis cinq heures, hier soir, j'chu'pus un enquêteur, Dany. Je suis un lanceur de poids pour les cinq prochains jours. J'ai mon t-shirt de la SQ, ma carte de la SQ, ma carte de membre syndiqué de la SQ… Mes vingt ans de service à la câlice de SQ à m… Ma tête de beu… Qu'est-ce que tu veux de plus ? De toute façon, on est dans une phase de négociation salariale. C'est ma façon de protester…

Louis toisa à son tour Duval de pied en cap, en montrant son désaccord.

— Toi, qu'est-ce que tu fais en veston ? Tu vas crever de chaleur.

— Au contraire, c'est de la laine. Ça respire.

Ils se connaissaient depuis bientôt dix ans. Duval avait été parrainé par Louis à son arrivée à Québec. Le Montréalais venait de perdre sa femme dans un accident de voiture. Il avait demandé à être transféré à Québec. Il voulait changer de milieu, quitter les bouchons de circulation, la violence de la métropole et le béton de son enfance. Il avait malheureusement retrouvé tout ça à Québec, mais il avait aussi découvert ce phénomène appelé Louis Harel, un Sorelois avec qui il allait faire équipe. Duval était considéré dans son métier comme un as enquêteur, un surdoué. Jamais n'avait-il rencontré un enquêteur aussi brouillon et incompétent que Louis Harel, mais sa bienveillance et son humour l'avaient racheté. Sans Louis, son arrivée à Québec aurait été insupportable. Duval vivait seul avec sa fille Mimi dans un nouvel environnement. Le Gros, comme il l'appelait, rendait le boulot plus acceptable même s'il songeait constamment à sa retraite, avait l'œil plutôt rivé sur son fonds de pension que sur les enquêtes, dont il tournait les coins rond.

Duval déposa son sac pour la pesée. Louis se pencha pour déposer quelque chose dans la pochette latérale.

— Qu'est-ce que tu mets dans mon sac ?

— C'est une médaille de saint Christophe bénite par le cardinal Léger. On sait jamais. On doit voler dans un DC-10 et Pouliot m'a dit que c'est l'appareil qui s'écrase le plus souvent.

— Crisse de Pouliot !

L'employée de Québecair esquissa un sourire amusé. Duval exhiba sa carte d'identité et elle lui remit son billet.

Avant de partir, Louis s'avança vers elle, en agitant l'index, comme pour lui faire une confidence. Peu intéressée, elle battait de ses longs cils graissés de rimmel, appréhendant déjà le commentaire sexiste.

— Un jour, j'ai dit à mon ex : « Chérie, j'aimerais te payer un voyage à un endroit où je suis jamais allé auparavant. » Elle s'est tournée vers moi avec un regard de lionne et m'a répondu : « Moé, je vas t'en faire faire un qui te coûtera pas cher et qui va me reposer. Enwoye dans cuisine, mon gros lâche ! Enwoye par là ! Ramasse ton assiette pis lave ta vaisselle ! Ha ! Ha ! » s'égosilla Harel, qui n'avait jamais porté les féministes dans son cœur.

Le visage de l'agente tourna vermeil, ses yeux se plantèrent dans ceux du Gros, dont le rire s'étouffa comme un moteur toussotant.

— À ce que je peux voir, monsieur, elle a décidé de ne pas vous accompagner !

— Avec toutes les beautés que j'ai vues dans le guide de voyage, c'est mieux de même.

Duval pinça les lèvres pour ne pas rire de son collègue. La femme regarda par-dessus l'épaule de Louis pour lui signifier de laisser sa place au passager suivant.

Ils se dirigèrent vers la porte d'embarquement.

Duval participait à ses troisièmes Jeux mondiaux des policiers. Il pratiquait le marathon depuis dix ans dans un esprit de participation. Il courait tout juste sous les trois heures. Sa forte corpulence avait réduit à jamais ses espoirs d'être un grand marathonien comme ses idoles Frank Shorter et surtout Gérard Côté, dont il envisageait d'écrire la vie, mais sans vraiment croire en ses possibilités d'y parvenir. La course à pied avait un effet bénéfique sur sa santé mentale et physique. Québec était une ville formidable pour courir, dénivelée et verte, contrairement à Montréal, où l'air malsain et les chauffards rendaient la course désagréable.

Son déménagement récent de Cap-Rouge à Québec, la négociation syndicale, la naissance de son fils Louis-Thomas et le début des nuits blanches avaient perturbé son entraînement, mais il ressentait une grande énergie malgré tout. Il montra sa carte d'embarquement à la préposée et il posa son bagage sur le tapis roulant.

3

Vendredi, 24 juillet, 17 h 00

Vincent avait entendu son grand-père vomir toute la nuit. Était-ce la querelle qui l'avait rendu malade ou son estomac fragile ? Tôt le matin, grand-père les avait appelés auprès de lui. Gilles leur avait dit qu'il se remettrait durant la journée, mais son malaise avait persisté. D'heure en heure, l'attente d'un départ avait fait place à la résignation.

Vincent entendit la voix faible de son grand-père qui le demandait. Il marcha rapidement jusqu'à la chambre. Le vieil homme était livide, perdu dans son grand lit à barreaux de cuivre. Une serviette humide reposait sur son front. Près du lit, une chaudière rouge avec du vomi leva le cœur du garçon. Le grand-père se força à sourire.

— Je me sens pas encore en grande forme.

— Est-ce que je peux t'aider ?

— Continue de prendre soin de Sébastien. C'est comme ça que tu vas m'aider. Prépare des sandwichs pour souper. Emmène-le au parc. Il y a un match de balle. Quand je me sentirai mieux, on partira. Pas ce soir, c'est sûr. Je suis pas bien.

— D'accord, grand-père. Inquiète-toi pas.

— Merci, mon garçon.

Avant qu'il quitte la pièce, son grand-père lui demanda de sortir la glacière de la roulotte et de remettre les denrées périssables au réfrigérateur.

— Je m'en occupe.

Vincent sortit expliquer à son frère qu'ils ne partiraient pas aujourd'hui.

— Pourquoi ?

— Grand-papa est encore malade.

— Demain ?

— Je sais pas.

Le benjamin afficha une moue désenchantée. Il s'était endormi et réveillé en pensant à ce voyage. Toute la journée, il avait espéré partir à l'aventure. Après avoir rangé les aliments et préparé des sandwichs au beurre d'arachide, Vincent décrocha les gants de baseball. Il enfonça la casquette des Expos sur la tête de son frère et lui lança sa « mite ».

— Viens, on va aller se pitcher la balle au parc, dit Vincent en moulant la balle dans le panier de son gant neuf pour ramollir le cuir.

Sébastien retrouva son sourire. Il aimait tant la compagnie de Vincent, son grand frère qui excellait dans les sports.

Alors qu'ils allaient traverser la rue, Vincent aperçut une voiture identique à celle de son père stationnée un peu plus bas. Il préféra ne pas en parler à Sébastien. La journée avait déjà été bien contraignante.

4

Vendredi, 24 juillet, 18 h 10

L'avion amorça sa longue descente au-dessus de la jungle qui sépare l'aéroport de Cancún de la mer des Caraïbes. Le pan de ciel bleu se mariait aux eaux turquoise. Duval rangea son guide Berlitz tout en mémorisant quelques formules en espagnol, tandis que Louis était plongé dans la biographie du mafieux Lucky Luciano. Peu à peu, le DC-10 perdit de l'altitude. L'avion tourna à cent quatre-vingts degrés et la mer, aigue-marine, réapparut dans le hublot du lieutenant. Louis ferma son livre et sortit sa médaille de saint Christophe. Il pencha la tête pour prier. Le train d'atterrissage toucha lourdement la piste. Le pilote inversa la puissance des moteurs et toute la carlingue trembla. L'appareil s'immobilisa près du terminal. Le capitaine annonça qu'il faisait quarante degrés Celsius à l'extérieur et souhaita de bonnes vacances à tous les passagers et des médailles aux policiers du Québec.

Louis fouilla dans la poche de Duval, qui se levait pour ramasser son sac dans le porte-bagages.

— Qu'est-ce que tu fais ?

Sous l'œil médusé de Daniel, Louis en extirpa une autre médaille de saint Christophe qu'il y avait déposée en douce.

— T'en accrocheras à tes poids aussi ! ricana Duval.

— Pas besoin, je les ai fait bénir.

Duval roula des yeux. Il exécrait les superstitions pieuses.

À la sortie de l'avion, une chape d'humidité enveloppait le corps et prenait à la gorge. Mais l'air saturé de parfum tropical sentait bon. Le lieutenant retira son veston.

— Je te l'avais dit que tu allais le regretter, ton veston en laine.

Duval fusilla du regard son collègue en craignant qu'il ne lui tombe sur les nerfs tout au long du voyage.

Les passagers descendirent directement sur la piste et marchèrent sur le tarmac jusqu'au bâtiment principal. L'aéroport en béton de deux étages, rectangulaire, recevait surtout des charters. Une dizaine de moyens et de gros porteurs étaient alignés devant le terminal. Un avion d'American Airlines affichait les couleurs de l'équipe américaine formée d'agents du FBI, du DEA et de policiers de plusieurs États. Des banderoles et des bannières en plusieurs langues souhaitaient la bienvenue aux athlètes.

Heureusement, le défilé aux douanes se passa allégrement. Derrière Duval, des policiers américains pestaient contre la grève des contrôleurs aériens de leur pays qui avait longuement retardé leur départ. Ils souhaitaient que Reagan soit ferme avec eux. Une fois de plus, Duval constata à quel point le mot policier sur un passeport faisait bonne impression au commun des mortels. Sans attente, les portes s'ouvraient devant eux.

Par contre, l'arrivée des bagages s'avéra interminable. Louis resta de bonne humeur, contrairement à son collègue. Le Gros avait les yeux ronds et son cou, pareil à une rose des vents, oscillait au passage de la faune féminine locale et internationale.

— T'as vu les femmes, ici, Dan? Les Mexicaines: regarde leurs dents, tellement blanches, la peau tannée et les seins rebondis, abondants…

— Contente-toi donc de surveiller ta valise au lieu de reluquer le derrière de toutes les femmes!

— T'es pas normal…

La valise gonflée à bloc de Loulou sortit du trou à bagages. Il souleva la lourde caisse et la déposa dans un porte-bagages roulant. Celle de Duval prit dix autres minutes à se montrer.

Puisque tous les gros hôtels de Cancún étaient occupés et que le comité canadien des JMPP s'était «traîné le cul», pour reprendre l'expression de Louis, ils allaient se retrouver dans une chambre à une cinquantaine de kilomètres de Cancún, à Playa del Carmen. C'étaient sans doute des représailles pour le référendum, pensa Duval.

Le chauffeur d'un minibus devait les attendre à l'extérieur. Sur un carton, Duval lut son nom, celui de Louis et de trois autres policiers de Québec, des bouseux en uniforme qu'il ne connaissait pas. L'homme porta leurs bagages et les déposa dans le coffre de la fourgonnette. En voyant qu'un policier de Sainte-Foy était de la délégation, Louis se pencha pour murmurer à l'oreille de Duval:

— Il participe à une épreuve de corruption…

Duval allongea un sourire.

— Est bonne…

Il faisait une chaleur torride. Duval spécula sur la difficulté de faire un bon temps dans ces conditions au marathon. Avec le vent soufflant de la mer et l'humidité, il lui faudrait un miracle pour égaler son temps record de 2 h 50 à Chicago. Le parcours était tout aussi plat mais très venteux. Ce serait ardu. Heureusement, l'air climatisé fonctionnait dans le minibus. La route étroite, endommagée, était bordée d'arbres tropicaux. Entre deux larges portions de forêt dense se dessinait parfois un complexe hôtelier. Duval s'épongea le front du revers de sa manche.

Le village de Playa del Carmen était ceinturé par la mer. La rue principale menait droit à la plage. À première vue, le hameau ne semblait pas un nid à touristes. Les Indiens, avec leurs traînées d'enfants, partageaient les rues avec les poules, les cochons noirs et les chiens galeux. Le taxi s'immobilisa derrière un chariot tiré par un âne. C'était le laitier. Il fit tinter sa sonnette. Des femmes à la peau tannée comme du cuir s'avancèrent avec leur pot à lait. Le livreur ouvrit un bidon et versa directement le lait dans les récipients qu'on lui tendait. Les gens flânaient devant les boutiques et les bijouteries. La plage avait été épargnée par les hôtels de luxe.

Le taxi se gara devant l'hôtel Los Molcas, situé près du quai où était amarré un traversier. Quelques marches en belles pierres menaient à l'intérieur. Les grandes portes coulissantes, toutes ouvertes, donnaient l'impression que le complexe hôtelier se fondait dans la nature. Duval allongea un billet de dix dollars. L'homme proposa de porter les bagages.

— T'as vu ?

Louis s'extasiait devant le bar-chaumière en plein cœur de la piscine. Sur la terrasse, il sourit de bonheur en zieutant les femmes qui buvaient du Piña Colada en bikini sur des chaises longues. Devant eux, la mer verte et bleue et ses vagues déferlant sur le rivage. Dans le hall de l'hôtel, *Corcovado* jouait en version musak.

Louis déposa sa réservation sur le comptoir.

— *Oh! The Policemen World Games,* s'emballa le réceptionniste. *How long…*

Au même moment, une plantureuse blonde en bikini jaune vif entra dans le hall et Louis riva son regard sur elle. Il n'entendit pas la question du préposé. Duval tapa sur le bras de son collègue.

— Hé, le Gros, il te demande combien de temps tu vas rester ici !

— *Two weeks*, dit Louis en se retournant.

Duval faillit s'étouffer.

— Louis, t'es pas sérieux ! On doit rentrer dans une semaine. Niaise pas.

— Tu rentreras tout seul. Moi, j'ai pas fait tout ce chemin-là pour revenir en me disant que j'aurais dû rester plus longtemps.

— *And you, sir?*

— *One week. We have a reservation.*

Louis jeta un regard découragé vers Duval. Une semaine, c'était trop peu pour lui.

◆

Duval ouvrit la porte-fenêtre. Ils avaient pris des chambres séparées, côte à côte, au cinquième étage. Chaque pièce, un studio avec cuisinette, était spacieuse. On aurait pu coucher au moins quatre personnes dans le lit. Du balconnet, la mer des Caraïbes offrait son décor et portait sa musique jusque dans la chambre. À l'horizon, le soleil à moitié immergé colorait le ciel à grands traits de pourpre et d'orangé. De biais, des touristes se pressaient sur le quai d'embarquement pour aller visiter l'île de Cozumel.

Après une douche salvatrice, le lieutenant, de mauvaise humeur, se rasa. Louis avait raison, il aurait dû emporter autre chose que des vêtements de travail. Décidément, pensa-t-il en rangeant son rasoir, sa crème à raser et sa brosse à dents, les résolutions étaient difficiles à tenir.

Il téléphona à la maison pour parler à Laurence, mais elle ne répondit pas. Elle était probablement couchée. Mimi, sa fille, avait promis d'aider Laurence durant la semaine. Il fréquentait Laurence depuis cinq ans. Ils s'étaient rencontrés dans un club de course à pied et ils avaient concrétisé leur union lors d'un marathon aux États-Unis. Les deux dernières années avaient été difficiles. Laurence avait fait deux fausses couches qui avaient eu des conséquences défavorables sur leur vie privée. Urgentiste, elle avait pris à partie un patient impoli, trop impatient d'être soigné. Elle faisait l'objet d'une plainte au Collège des médecins, mais ne regrettait pas son geste. Elle rayonnait depuis la venue au monde de Louis-Thomas, qui avait ramené cette harmonie du début de leur relation. Ils avaient vendu l'affreuse maison bourgeoise dont avait tant rêvé Laurence pour se racheter un petit cottage à Québec. Avec des taux d'intérêt frisant les 20 %, ils avaient été chanceux de se défaire de leur grosse cabane avec un mince profit. Le nouveau lieu avait chassé les mauvaises ondes de l'ancienne demeure que le lieutenant détestait tant. Afficher sa richesse allait contre ses valeurs, lui qui avait grandi à Rosemont et dans Hochelaga-Maisonneuve. En cette période de morosité économique, il se trouvait chanceux de vivre aussi bien.

La nouvelle maison qu'ils habitaient les avait rapprochés. La précédente, qui avait tout d'un fantasme pour Laurence, s'était avérée un cauchemar pour

Duval. Cet espace trop vaste avait rendu leur relation pénible. La distance que ce lieu avait créée entre eux se mesurait en mètres carrés inhabités et froids.

Puis ils avaient cherché une nouvelle résidence. Ni trop près ni trop loin du travail, mais assez proche pour s'y rendre à pied. Le nid serait près de la verdure. Les plaines d'Abraham répondaient à ce critère. D'un commun accord, ils avaient pris la décision de dénicher une maison assez grande pour élever une famille. Pas plus que deux! avait argué Daniel. Laurence avait acquiescé. Et l'hypothèque de la maison ne devait pas lui prendre plus du quart de son salaire mensuel en ces temps de récession où tout coûtait cher.

Il sortit de son portefeuille une photo de Louis-Thomas qu'il déposa sur la table de chevet. Il allait s'ennuyer. Le baptême devait avoir lieu dans deux semaines. Louis serait le parrain et la sœur de Laurence, la marraine.

Il prit son veston, mais le laissa finalement de côté.

Il alla frapper à la porte de Louis. De la musique mexicaine, trompettes haut perchées dans les aigus et claquements de maracas, jouait à tue-tête à la radio, avec la voix de Louis en contre-chant qui poussait des *Arriba Segnorita*!

Duval frappa à coups redoublés.

— Entre! cria Louis, bière à la main.

Frais rasé, le Gros avait enfilé son bermuda kaki et une camisole noire avec le logo de la SQ. Sa croix, bénite par le cardinal Léger, reposait bien au chaud dans sa toison pectorale. Il attacha sa montre de plongée sous-marine et son bracelet en or autour de ses poignets velus. Il admira dans le miroir les bras qu'il s'était forgés dans les derniers mois et son tatouage, une ancre, souvenir du temps où il était débardeur à Sorel.

— Dan, c'est vraiment au boutte! Je veux plus repartir. Écoute, tu diras au capitaine que j'ai pogné la tourista après ma compétition.

— Louis, pas question que je mente, voyons!

Après une bonne rasade de bière, le Gros se mit à hurler un pot-pourri de vieilles chansons de Luis Mariano: «La belle de Cadix a des yeux de velours, chi que chi que chi ha ha ha! Mexico... Mexiiii... co...»

Duval dévisagea Louis avec un rictus, hochant la tête de dépit, comme si son comparse était devenu fou, ou du moins à demi cinglé.

— Tu diras au patron que j'ai mangé un fruit et que ça m'a rendu malade.

— Tout le monde sait que tu ne manges jamais de fruits. Tu bouffes juste de la viande, des patates, des œufs et du gâteau.

— Tu diras que j'ai avalé des glaçons, d'abord, et que j'ai peut-être l'hépatite C, que je passe des tests.

— Pas question! Arrange-toi tout seul.

— Ça fait longtemps que j'ai pas fait de la plongée sous-marine. Les plus beaux coraux du monde sont ici, Dan. Cousteau passe ses étés ici. Je le comprends, avec toutes les belles créatures en dedans et en dehors des mers!

Duval voyait bien qu'il n'y avait pas de discussion possible. Pendant que Louis s'aspergeait d'eau de Cologne, il s'approcha de la fenêtre pour contempler le paysage. Au large, le traversier revenait de Cozumel. Le lieutenant pensa à sa compétition. Il tenait à se coucher à une heure raisonnable pour être en forme en prévision du marathon qui avait lieu, à son grand dam, une semaine plus tard. Il lui faudrait tenir compte de son alimentation alors que tout le monde ferait la fête autour de lui.

— Où est-ce qu'on va manger? lança Louis.

— On demandera au commis à la réception.

Louis ramassa sa canne, ses clés et ses lunettes. Il avait les jambes blanches comme de la porcelaine. Dire que ces jambes-là avaient cessé de se mouvoir près de trois ans auparavant, pensa Duval. Louis avait dû réapprendre à marcher grâce à un physio, à Dieu et à Dina Bélanger, la vénérée, à qui il vouait un culte. Les sœurs de Jésus-Marie considéraient cet accomplissement comme un miracle de celle qu'elles souhaitaient voir béatifier. Tout ça parce qu'une vieille religieuse avait collé une relique ayant appartenu à Dina sur le bandage de Louis.

Ils n'avaient pas fait un pas dans la rue que les marchands postés devant leurs boutiques de bijoux ou d'artisanat s'avançaient pour les apostropher.

— *Hey, sir, Canadian !*

— Comment ça qu'y sait ça, lui ? grogna Louis.

Le petit homme au teint foncé et à la moustache drue montra son commerce en essayant de les y entraîner. D'un geste élégant de la main, il désignait ses breloques.

— *Have a look ! Canadian price ! Not american price for you !*

D'une foulée à l'autre, les restaurateurs les conviaient à entrer dans leurs commerces.

— *Free drink for you, amigos !*

Louis accepta l'invitation en même temps que Duval la déclinait. Ils continuèrent leur route.

— *Do you speak english, french, italian ?* demanda un serveur.

Les odeurs de grillade qui s'échappaient d'un *steak house* faisaient saliver Louis. La rue n'était qu'une succession de petits commerces, boutiques d'artisanat, cafés, bureaux de change, épiceries, bars, terrasses. Les devantures des bijouteries éclairées par la lumière drue des néons faisaient reluire l'or et l'argent, qui semblaient couler comme une chute. Des imitations de masques mayas et des poteries s'étalaient dans une vitrine. Louis lorgna un commerce où l'on ne vendait que de la tequila tandis qu'une bijouterie, où l'on commerçait l'ambre, attirait le regard de Duval. Des insectes y gisaient, pétrifiés dans la pierre. Il pensa que ce serait un beau souvenir à rapporter à Mimi et à Laurence.

— Pour Mireille ou pour Laurence ? ironisa Louis.

— De quoi tu te mêles ? Tu sais que je suis père d'un petit enfant !

— Je suis même son parrain.

— Alors niaise pas avec ça !

Tout le monde savait au labo médicolégal que Mireille, la jolie biologiste judiciaire, avait fixé Duval sur la lamelle de son microscope et qu'elle aurait bien aimé le scruter plus en profondeur. Mais le réactif explosif de la jolie blonde ne semblait pas pressé de réagir au contact du lieutenant. Le lieutenant n'aimait pas les sous-entendus. Il craignait que la rumeur n'aboutisse aux oreilles de Laurence.

En voyant qu'il s'approchait pour regarder, le vendeur sortit du commerce.

— *Have a look !*

— *Later, later*, dit le lieutenant, exaspéré par la sollicitation.

Puis il pensa que ce serait bien d'acheter les cadeaux avant sa compétition. Il retourna à la boutique d'ambre. Colliers, bracelets, et c'en serait fini du magasinage.

PREMIÈRE PARTIE

L'ÉPREUVE

5

Finalement, le départ avait été décalé d'une semaine. Le dérangement gastro-intestinal avait duré beaucoup plus longtemps qu'à l'habitude. Mais Gilles Hébert se portait mieux ce matin. Les enfants, déçus, s'étaient occupés de lui tout au long de la semaine, faisant contre mauvaise fortune bon cœur. Vincent avait beaucoup pris soin de Sébastien tout en regrettant de ne pouvoir partir. Chaque jour écourtait le voyage. « Mais on restera plus longtemps la prochaine fois », avait promis le vieux. Il valait mieux se mettre en route tard en ce vendredi matin que pas du tout, pensait Vincent.

Comme sa fille avait prévu rentrer ce vendredi, Gilles Hébert laissa un message sur sa porte pour annoncer que « la grande aventure » avait été retardée et qu'eux seraient de retour à la maison le samedi, en début de soirée.

Hébert recula à basse vitesse sa Ford. Il rata à quelques centimètres près son alignement sur l'attelage de la roulotte, et cette imprécision obligea Vincent à le guider. Le garçon agita ses mains pour lui dire de recommencer. Après trois tentatives, le vieil homme parvint à télescoper les deux extrémités l'une dans l'autre. Le grand-père, qui ne perdait jamais le sourire, installa l'attelage de la roulotte sur l'attache de son véhicule. Il connecta ensemble les fils qui actionnaient les lumières, puis effectua un test de freins et de clignotants. Vincent confirma d'un geste que tout fonctionnait bien.

Gilles Hébert fit le tour de son équipage. Il constata de nouveau que la chaloupe était solidement fixée sur le toit de la voiture. Il s'assura ensuite qu'il avait tout le nécessaire, vérifiant la liste des articles : nourriture, coffre de pêche, lotion anti-moustiques… Il cochait chacun après s'être assuré qu'il se trouvait dans la roulotte ou la voiture. Autrefois, c'était Yolande qui veillait à ce que rien ne manque. Avec l'âge, il commençait à oublier des détails essentiels, ce qui donnait des situations cocasses, comme de sortir un sac d'ordures avant de partir en voiture et de le déposer dans le coffre, ou de poster une lettre sans timbre.

Sébastien l'accrocha par la manche.

— Grand-père, as-tu les guimauves ?

— Oui, je les ai. Inquiète-toi pas.

— As-tu des vers pour la pêche ?

— Oui, j'ai ça aussi.

— Toi, as-tu tes affaires ? demanda Vincent avec sarcasme à son frère.

— Pis toi ? maugréa Sébastien en dévisageant son frangin.

Le grand-père s'interposa entre eux.

— Pas de chicane !

Il leva un doigt en l'air en cherchant ce qu'il devait faire.

— Ah, je reviens, j'ai oublié ma carte du Québec sur le comptoir.

Après l'avoir ramassée, il alluma la lumière extérieure, s'assura que la porte avant était barrée. Il sortit par le côté de la maison, verrouilla la porte.

Il se sentait encore faible après ce trouble gastro-intestinal sans doute rapporté par Sébastien, qui avait été malade la semaine d'avant. Il souhaitait maintenant que Vincent ne soit pas touché par ce qu'il croyait être un virus.

Vincent monta devant et Sébastien derrière avec Frison, le caniche noir.

Le grand-père se glissa sur son siège, ouvrit la boîte à gants pour y déposer une enveloppe sous la lampe de poche.

— On va mettre de l'essence et c'est parti.

— Youpi ! crièrent les enfants.

Au démarrage de la voiture, *Band On the Run* jouait à la radio, promesse d'une belle aventure. La roue arrière de la grosse roulotte s'enfonça dans un nid-de-poule, mais en ressortit sans encombre. Vincent sentait bien la nervosité de son grand-père. C'était son premier grand voyage sans grand-maman Yolande. Il n'avait jamais roulé avec une roulotte derrière sa voiture.

Mais après le premier tournant, Gilles Hébert se sentit un peu plus rassuré. « Ça tourne bien ! La visibilité est bonne », conclut-il en regardant dans ses rétroviseurs alors qu'il s'engageait sur le chemin Sainte-Foy.

6

La température à Cancún frisait les trente-cinq degrés. Duval venait de franchir la borne du trente-neuvième kilomètre. Heureusement, le soleil n'était pas encore très haut et les hôtels et palmiers faisaient de l'ombre. Duval tourna la tête. Il pestait contre ce policier américain qui lui collait aux fesses et qui refusait depuis le départ de prendre le relais. Il se laissait tirer par Duval, qui lui signala de passer à nouveau, mais son concurrent refusa. C'était anti-sportif, contre l'esprit du marathon, pesta l'enquêteur québécois. Duval agrippa le verre d'eau tendu par un bénévole et s'aspergea. Il craignait le coup de chaleur. Son talon droit lui faisait mal depuis dix kilomètres. Le lieutenant commençait à s'inquiéter. Très souvent, le lièvre se faisait doubler à la toute fin. Il calculait qu'il devait être dans les dix premiers. Il n'avait cessé de remonter le peloton. Duval voulait terminer la course sous la barre des trois heures. Ce serait difficile.

— *Let's go*, Dan, t'es capable !

Sur le bord du chemin, des policiers québécois coururent quelques mètres pour l'encourager, frappant dans leurs mains. Duval se demandait comment intimider l'Américain. Puis un « *Fuck you, Gringos* » de la part d'un spectateur mexicain, sans doute indisposé par le drapeau américain sur la camisole du Yankee, mit de la pression sur ses épaules. S'il s'élançait tout de suite, il risquait de casser, de toucher le mur. « Pas question de me laisser devancer », ragea-t-il. Il pensa à bébé Louis-Thomas et sentit une force nouvelle le gagner. Et surtout, pas question de se laisser dépasser alors que les spectateurs se faisaient de plus en plus nombreux. Ils l'encouragèrent en le voyant accélérer.

— *Let's go, Tabarnacos! Beat the Yankee!* lui expédia un Mexicain qui avait vu son t-shirt du Québec.

L'Américain expédia un doigt d'honneur au spectateur. Duval en profita pour narguer son adversaire.

— *I don't understand why so many people hate Americans, but I know why I don't like you. You're not fair play.*

— *Shut up, you fucking frog!*

Cette insulte fut le ressort dont Duval avait besoin pour se donner des ailes. Il songea à son compatriote Gérard Côté, quatre fois gagnant du marathon de Boston, Côté qui avait passé la nuit à danser dans les bars de Boston après sa première victoire. Moins de deux kilomètres le séparaient de la ligne d'arrivée.

— *So try to follow me, in this case!* lui lança Duval en détalant.

Le lieutenant sentit que cette finale serait la plus ardue de sa vie.

L'Américain, surpris de se voir larguer de cette manière, refusa toutefois d'abdiquer. Il tenta de rétrécir l'écart, mais le lieutenant augmenta la cadence, sous les quatre minutes le kilomètre.

Dans la foule, il entendit Louis lui hurler ses encouragements.

— Lâche pas, Dan, l'Américain fait dans ses culottes! Y a de l'écume sur le bord de la gueule.

Le Gros, entouré de Mexicaines, portait son t-shirt officiel des Jeux mondiaux de la police. Il avait réussi le tour de force de monter sur le podium. La perspective d'un voyage, de draguer des « ségnoritas », comme il les appelait, avait décuplé ses forces. Alors que Duval pouvait nommer plusieurs grands marathoniens, qui pouvait se rappeler un seul lanceur de poids? Sans vouloir minimiser la performance de Louis, le lancer du poids apparaissait au lieutenant comme une discipline préhistorique alors que le marathon était lié à la Grèce antique. L'homme de Neandertal contre Aristote, pensa Duval. La finesse contre la brutalité.

Le lieutenant passa la borne du quarante et unième kilomètre. Il calcula son temps : deux heures cinquante-trois minutes s'étaient écoulées. Il sentit qu'il avait encore des réserves. Il augmenta sa cadence, distançant son concurrent. Mais il flairait l'Américain, toujours trop près ; à peine deux mètres les séparaient. Il continua de penser à Louis-Thomas. L'image de son fils tant désiré – deux fausses couches plus tard – lui donna un second souffle. Il songea à Patrick Kelly, l'éternel deuxième derrière Gérard Côté. Il se projeta en son compatriote.

Il franchit le quarante-deuxième kilomètre ; il ne restait que deux cents mètres avant de passer le fil d'arrivée. La sueur dégoulinait sur son visage. L'Américain lui soufflait dans le dos. Pas question de se faire coiffer par cet histrion antisportif. Il préférait la souffrance physique à la blessure d'orgueil. Duval songea à Laurence, à Mimi, sa fille, à petit Louis-Thomas, puis de nouveau à Gérard Côté qui, après sa troisième victoire à Boston, avait été envoyé par l'armée canadienne comme chair à canon sur le front européen. Il sentit la rage tendre ses muscles pour une dernière poussée.

Il lança son sprint final, largua l'Américain et croisa l'arrivée sous les applaudissements de la foule. Il ramassa une bouteille d'eau avec laquelle il s'aspergea, regarda son chrono : deux heures cinquante-sept minutes et quarante-six secondes. L'afficheur indiqua qu'il avait fini septième. Dans ces conditions, il allait se réjouir de son temps.

Il toisa pendant un long moment l'Américain, les mains sur les cuisses, qui fixait l'asphalte, le souffle court. Il releva la tête vers le lieutenant, qui n'allait pas rater l'occasion.

— *Is God an American?*

Détournant le regard, l'Américain répondit par un geste de la main. Puis la mélodie aiguë d'une trompette et les accords enjoués des mariachis imprimèrent un large sourire sur le visage de Duval. Un marathon en deçà de trois heures avec cette chaleur écrasante, c'était formidable.

7   VENDREDI, 31 JUILLET, 10 H 30

La roulotte tenait bien la route. Les huit cylindres de la Ford tiraient sans problème la charge. Gilles Hébert roulait à 80 kilomètres sur la route 175. Il avait constamment les yeux dans les grands rétroviseurs. Mais l'impatience des automobilistes se manifestait de plus en plus. Une colonne de voitures s'était formée derrière lui. Les conducteurs frustrés ne cessaient de le dépasser. Il avait été plusieurs fois klaxonné et la cible de gestes injurieux. Il se faisait couper, intimider.

— Les gens sont tellement imprudents, déplora Gilles Hébert.

Il commençait déjà à sentir la fatigue. Le soleil claquait fort dans le pare-brise. Il baissa les pare-soleil, sortit les lunettes fumées à monture transparente qu'il possédait depuis trente ans. Il fixa un instant les figurines de saint Antoine et de la Vierge Marie sur le tableau de bord. Il marmonna une prière, jeta un nouveau coup d'œil dans le rétroviseur.

Dans la voiture, les enfants restaient calmes. Vincent était passé à l'arrière pour jouer au Mille Bornes avec Sébastien. Sur le siège du passager, le chien, les pattes de devant sur le bord du châssis et la tête dehors, se faisait éventer.

— Enfin l'Étape ! murmura Hébert en apercevant la halte routière.

Le vieil homme signala longtemps à l'avance. Il était prudent, porteur de la charge la plus précieuse qui soit pour lui : ses petits-fils. Il rangea sa voiture sans trop de mal en effectuant un large cent quatre-vingts degrés. Il laissa une ouverture dans le haut des fenêtres pour le chien.

— Avez-vous faim, les enfants ?

— Un peu, répondit Vincent qui repensait, malgré lui, à la scène entre son père et son grand-père.

— Et toi, fripouille, as-tu faim ? dit Hébert en frottant les cheveux du cadet.

— Je veux deux hamburgers et des frites, répondit Sébastien.

Ils entrèrent dans le restoroute. Une chanson country de Johnny Cash, *Give My Love to Rose*, jouait à la radio. Ils s'installèrent sur une banquette en cuirette pendant que la serveuse, tout en rondeurs et grimée généreusement, s'approchait, menus à la main. Un vieux couple, assis de biais, ne cessait de leur sourire comme s'ils étaient des attractions, ce qui énervait toujours Vincent.

— Ce sont vos petits-enfants ? demanda la dame à Gilles Hébert.

— Oui.

— Y sont don' beaux.

— Merci.

Avant que le couple ne sorte les photos de leurs petits-enfants, Gilles Hébert se déplia difficilement pour aller aux toilettes. Ses os craquaient de partout. L'âge l'obligeait à soulager souvent sa vessie. Il en profiterait pour prendre ses médicaments. Mais là, il avait vraiment mal à la tête. La route étroite et montagneuse envahie par les poids lourds l'avait rendu nerveux. Il s'épongea le visage à grande eau et se rafraîchit devant la glace. Ses yeux bleus ne montraient pas l'angoisse qui le tenaillait en dedans. Il replaça ses fins cheveux blancs qui s'alliaient bien à son bronzage. Il bâilla, ce qui accentua ses rides. Il n'aimait pas son visage parcheminé. Certains jours, il aurait préféré ne plus se voir dans la glace alors que la vieillesse lui infligeait sa loi implacable.

Il se demanda s'il irait au camping à quinze dollars par nuit ou s'il ne se contenterait pas d'une place à la belle étoile qui ne lui coûterait rien. Il détestait l'idée de dépenser pour stationner sa maison roulante. Après tout, le territoire du Saguenay–Lac-Saint-Jean était vaste et il y avait partout des endroits pour s'installer. Il épargnerait là-dessus, à défaut de pouvoir le faire sur l'essence et la nourriture. « Damnée inflation », pesta-t-il.

Il sortit son flacon de petites pilules contre les montées gastriques. De l'autre côté de la cloison, il reconnut la voix du préposé à la pompe qui criait à un client de déguerpir avant qu'il n'appelle la police. Gilles Hébert comprit que l'homme avait essayé de voler quelque chose dans la machine distributrice, même s'il répétait que l'appareil ne lui avait rendu ni ses cigarettes ni sa monnaie.

Gilles Hébert remit son flacon dans sa poche. Il revint à la table.

— Y a eu une engueulade ? demanda-t-il à ses petits-fils.

— Pourquoi le monsieur criait, grand-père ? demanda Sébastien.

— Aucune idée, mon gars.

— Ça te regarde pas, dit Vincent à son frère.

Les garçons avalaient le club sandwich et le hamburger qu'ils avaient commandés. Vincent avertit son grand-père qu'il entendait Frison japper quand la porte du restaurant s'ouvrait. Gilles Hébert se demanda bien pourquoi, car son chien était toujours calme en voiture.

— Je vais aller voir ce qui se passe.

En arrivant près de la Ford, il trouva Frison fort agité. Il pensa que c'était à cause de la chaleur. Il avait pourtant garé le véhicule dans une partie ombragée du stationnement. Il ouvrit les vitres de cinq centimètres supplémentaires et ordonna à son chien de se calmer en ajoutant qu'il n'en avait pas pour longtemps.

Il retourna au restaurant. Le pavé était brûlant. Sur la route, le frein moteur d'un véhicule lourd le fit sursauter. Il essuya du revers de la manche les perles de sueur qui se multipliaient sur son front. Le stress de conduire l'avait épuisé. Il se demanda s'il avait fait une bonne affaire en achetant cette roulotte. Peut-être était-il trop vieux, après tout ? Mais il s'interdit de montrer sa détresse. Il ne fallait pas gâcher le voyage de ses petits-enfants, si court soit-il.

◆

Gilles Hébert avait pris la décision de ne pas se rendre au camping de Métabetchouan. En plus d'économiser ses sous, il se reposerait du calvaire de la route jusqu'au lendemain. Il se sentait accablé de fatigue, il n'aspirait plus qu'à prendre une bonne bière sur le bord d'un lac ou d'une rivière. Il ne cessait de se faire klaxonner et dépasser par des conducteurs enragés qui le coupaient dans cette côte qui n'en finissait plus.

Lorsqu'ils arrivèrent en haut de la colline, tout le monde se pâma. Hébert retrouva sa fierté de Jeannois en redécouvrant le grand lac de son enfance. Le lac Saint-Jean ressemblait à une mer intérieure reposant dans un écrin de verdure.

— Ça, c'est un lac, les enfants ! Grand-papa est né de l'autre bord, juste devant, à Péribonka.

— Comme Michel Goulet, rappela Sébastien.

— Tu répètes toujours ça, lui reprocha Vincent.

— Il a raison, dit Hébert en prenant la défense du petit. Il y a aussi un grand écrivain appelé Louis Hémon qui a vécu à Péribonka.

En apercevant l'affiche « Camping de Métabet-chouan–Plage de sable », il hésita mais poursuivit son chemin par la 169. Il admira le lac qui émaillait l'horizon. En voyant l'indication pour Saint-André, il se rappela avec nostalgie que l'endroit s'appelait « Saint-André de l'épouvante » dans sa jeunesse.

— La côte avant le village de Saint-André, les garçons, était si à pic que les attelages de chevaux, en hiver, arrivaient en bas à la belle épouvante, le mors aux dents. D'où le nom Saint-André de l'épouvante. On sait donner des beaux noms par chez nous.

— Pouviez-vous descendre en traîne sauvage, grand-papa ? demanda Sébastien.

— Ben non ! rétorqua Vincent d'un ton agacé.

— Ç'aurait été trop dangereux, mon garçon… répondit Gilles Hébert en regardant dans le miroir.

Il passa Desbiens et Chambord-Boucane, comme il aimait à le dire à cause des locomotives qui bouca-naient la vieille gare et le village dans son jeune temps. Ce lieu déclencha chez Hébert une vague émotive de souvenirs ; les framboisiers sur le bord de la voie ferrée, les départs pour Québec. *Déjà cinquante ans, ma Yolande, toi qui m'as arraché de mon coin de pays… C'est d'ici que je t'ai posté mes aveux d'amour…* Il lui parlait souvent ainsi dans sa tête en se faisant poète.

Il tourna à gauche sur la 155. Gilles Hébert croyait pouvoir retrouver l'endroit idyllique où il avait campé, cinquante ans plus tôt. Il n'y avait jamais remis les pieds, mais la mémoire de sa jeunesse allait l'y conduire.

En passant près de l'ermitage de Lac-Bouchette, il se sentit de nouveau empreint de nostalgie. Il pointa le doigt vers le vieux monastère à l'intention de Vincent. Il se rappela avec émotion cet épisode de sa jeunesse, peu avant son mariage. Il n'était jamais revenu ici. Un demi-siècle… Il se souvenait qu'il venait de terminer son cours classique. Aîné d'une grosse famille, il s'était laissé tenter par les ordres. Il se revoyait jongler avec cette idée lors de la retraite de fin d'année 1927, encouragé par le frère enseignant de Philosophie senior. Il était parti avec son baluchon à l'ermitage et y avait passé une semaine pour s'apercevoir qu'il ne voulait renoncer ni à Yolande ni à Dieu, puis qu'il pouvait demander la main de l'une sans perdre la grâce de l'autre. Le moine capucin qui lui avait servi de directeur de conscience l'avait bien accompagné durant sa démarche spirituelle. Il était ensuite parti dans les bois pour pêcher au bord de cette rivière au nom indien. Quel était son nom ? Il ne se le rappelait jamais d'une fois à l'autre, même s'il avait passé vingt ans dans la région. Il avait le mot Awichahanish en tête, mais ce n'était pas ça. Les noms indiens étaient si durs à épeler et à retenir. Tant d'années plus tard, il allait revoir ce coin de paradis qui l'avait transformé. Dans sa mémoire, le chemin forestier ne se trouvait plus très loin. Il se dit que les lieux marquaient de tendres blessures. Il regarda Vincent dans le miroir en lui décochant un sourire. Ce soir, le grand-père partagerait cette histoire avec son petit-fils. Il sentait bien que son Vincent était tourmenté ; il se confiait moins qu'avant. Ces deux journées en forêt lui offriraient l'occasion de s'ouvrir un peu plus.

Une vingtaine de kilomètres plus loin, il aperçut un panneau indiquant la présence du chemin de bois à deux kilomètres.

— On va passer une première journée ici, les enfants. Vous allez voir, il y a un beau lac, pas loin, et une belle rivière.

Un beau lac acide, une belle rivière malade, des lieux désertés, déplora-t-il en se parlant à lui-même.

Il actionna longtemps à l'avance ses clignotants. À nouveau, il fut troublé par le klaxon d'un camion de billots de bois qui le doubla dans un bruit d'enfer.

Il tourna enfin dans le chemin forestier, s'y engageant très lentement, trop lentement au goût des automobilistes qui s'impatientaient derrière lui.

— Les gens sont don' bêtes ! râla le vieil homme en secouant la tête.

Il s'enfonça enfin dans la forêt, soulagé d'être loin de la grand-route jusqu'au lendemain. Il allait là où les enfants avaient souhaité aller, dans la forêt sauvage, loin de toute civilisation. Pas de cabine d'accueil, encore moins de fonctionnaire du ministère de la Faune pour vous arnaquer de cinq piastres.

Il fallait maintenant trouver un endroit où passer la nuit. Derrière, les enfants étaient calmes, jouaient tantôt au tic-tac-toe, tantôt au bonhomme pendu. Il ne les avait pas entendus se plaindre. Le caniche dormait sur le siège du passager, sa balle de caoutchouc sous son museau.

Le chemin de terre offrait un espace réduit pour rouler. Il n'aurait pas fallu qu'il croise un autre véhicule. Il regarda sa jauge d'essence. Il aurait dû faire le plein à l'Étape. L'aiguille était juste en dessous de la ligne médiane. Le poids de la roulotte aspirait une bonne quantité d'essence supplémentaire. Raison de plus pour ne pas payer pour un emplacement de villégiature en ces temps durs. Quelques instants plus tard, il traversa le pont couvert de la rivière au nom indien qu'il trouvait si drôle quand il était jeune. Son père le lui faisait répéter pour s'amuser de sa prononciation enfantine et, à ce souvenir, le nom lui revint.

— C'est la rivière Ouiatchouan, les enfants. On est dans les rapides du Diable.

— Wow ! Elle est grosse, s'écrièrent ensemble les deux frères.

Il se rappelait avoir campé sur le bord de cette rivière et en avoir sorti de superbes truites arc-en-ciel. Il aurait souhaité s'arrêter là, près du pont, mais le dégagement ne le permettait pas et il ne put contempler très longtemps ce lieu marquant pour lui. Ces souvenirs, parmi les plus beaux de sa vie, se ravivaient, mais sans qu'il puisse en profiter, car il ne trouvait toujours pas d'endroit où garer son attelage. Après le pont couvert, il remarqua un croisement de chemin. Il hésita à s'y engager, mais sa mémoire l'y poussait. Mal lui en prit. Quelques minutes plus tard, il aurait voulu reculer, mais l'espace manquait. C'était vraiment étroit pour y rouler en automobile, pensa-t-il. Les branches grafignaient sa roulotte et sa voiture. Pourvu qu'elles n'abîment pas la peinture, craignit-il. La mâchoire serrée, il continua sa route. Le territoire lui parut aussi sauvage qu'à l'époque.

Il entrevit un lac à travers les branches. Ils franchirent un autre pont de bois au-dessus d'une rivière. Cette fois, ce devait être la rivière aux Iroquois ou la rivière à l'Ours, mais il n'en était pas sûr. Il avait chaud. Le dos de sa chemise était trempé.

La voiture et la roulotte s'enfonçaient toujours plus dans la forêt. La route redescendait vers le sud sur une dizaine de kilomètres en direction de La Tuque puis reprenait vers l'ouest. Sébastien demanda pour la première fois à son grand-père quand ils s'arrête-raient. Bientôt, répondit Gilles Hébert. Mais sa journée angoissante semblait ne pas vouloir s'achever. Il sou-haitait maintenant revenir sur ses pas, mais comment faire virer une roulotte de vingt-cinq pieds et une fa-miliale sur un chemin si étroit? Ses mains tremblaient légèrement sur le volant. Il additionna mentalement les kilomètres accumulés depuis qu'ils avaient quitté la 155. «Une trentaine et plus», murmura-t-il.

Un tamia rayé passa à toute vitesse devant la voi-ture, échappant de justesse aux roues du véhicule. Frison, qui faisait de nouveau la vigie, la tête sortie par la fenêtre, jappa après la petite bête terrorisée. Vincent, qui avait compris les craintes de son grand-père, cessa de jouer. Il observait le paysage.

Gilles Hébert jeta un coup d'œil dans son miroir. Les garçons ne disaient plus un mot, regardaient à l'extérieur. Pouvaient-ils ressentir son angoisse? Il cherchait du regard un endroit où il lui serait possible de reculer la roulotte et de s'installer pour la nuit. Mais la Ford montait et descendait sans arrêt entre les flancs des montagnes du parc des Laurentides sur ce chemin défoncé. Le vieil homme, qui roulait très lentement, craignait de manquer de freins dans ces longues descentes abruptes. Le poids de la roulotte, qui sollicitait davantage les freins dans les côtes, inquiétait le vieil homme.

— Hé, grand-papa, il y a quelque chose qui claque dans la roulotte, signala Vincent.

Par le grand miroir du côté des passagers, Hébert aperçut la porte de la roulotte qui brinquebalait.

— Voyons don' ! Mais comment ça que la porte de la roulotte est ouverte ?

— La porte ? s'étonna Vincent.

Gilles immobilisa le véhicule et sortit pour aller refermer la porte, complètement médusé.

— J'ai dû accrocher une branche qui aura forcé la porte à s'ouvrir, marmonna-t-il en revenant vers la voiture.

Il se glissa derrière le volant sans chercher plus loin la cause de cet incident. Quelques minutes plus tard, il remarqua que Vincent était assis au bout de son siège. Il voyait bien que son petit-fils cherchait aussi une solution, à le voir scruter l'espace de tous les côtés. Autour d'eux, le paysage était magnifique. On entrevoyait parfois une rivière à travers les feuillus. Ils traversèrent un autre pont de bois, puis Sébastien échappa la phrase que Gilles eut préféré ne jamais entendre.

— Est-ce qu'on est perdus, grand-papa ?

— Ah ! commence pas, toi… maugréa son frère.

— Ben non, Sébastien. On va bientôt arriver.

Gilles Hébert s'épongea le front du revers de la manche. De grands cernes de sueur mouillaient le tissu de sa chemise sous les bras, son ulcère le taraudait. En son for intérieur, le grand-père se traitait de tous les noms, et surtout d'avare. Par avarice plus que par sentimentalisme, il se mettait dans le pétrin. Yolande lui avait souvent reproché ce trait de sa personnalité. Elle ne le traitait pas de radin, mais le trouvait « près de ses cennes », « pingre », « pas dépensier », « économe », disait-elle selon ses humeurs.

Après trente-cinq minutes supplémentaires, il repéra à son grand soulagement une éclaircie près d'un superbe lac. Il y avait suffisamment d'espace pour faire demi-tour et reculer sa charge entre le lac et la lisière boisée.

— On a enfin trouvé le plus bel endroit qui soit !

— Est-ce qu'on va se faire des guimauves, grand-papa ? demanda Sébastien.

— Oui, on va prendre le temps de s'installer et on va faire des *marshmallows*.

Avant de descendre du véhicule, il regarda la jauge à essence. L'aiguille lui jouait de mauvais tours : elle indiquait le quart du réservoir. Puis il se rappela qu'il avait un jerrycan avec un gallon d'essence à l'arrière de la roulotte. L'anxiété qui l'avait rongé lui avait fait oublier ce détail. Il sourit. « Vieillir. Voilà ce que ça donne », pensa-t-il. Le réservoir lui permettrait sûrement de rallier la route, mais suffirait-il à le conduire jusqu'à un garage ? Il resta sur cette angoissante perspective.

8
VENDREDI, 31 JUILLET, 18 H 25

Les organisateurs avaient réuni les policiers au Centre des congrès de Cancún pour le souper de clôture. On leur avait préparé une ambiance toute mexicaine et hispanique. Les dix mariachis moustachus, coiffés de leurs sombreros, ne voulaient plus quitter la table de Duval et Harel. *La Cucaracha* se termina dans un grand vacarme. Les pompons suspendus aux énormes sombreros bondissaient dans tous les sens.

Le Gros sortit à nouveau quelques pesos qu'il donna au chef du groupe, celui qui jouait de la basse acoustique. *La Bamba* tonna et Louis s'agita.

— Écoute, Louis, ça fait cinq chansons qu'ils font à notre table. Laisse-les donc aller chanter ailleurs, dit Duval, embarrassé de toute l'attention qu'il recevait.

— Ils ont du fun, Dan ! Relaxe. Ça coûte moins cher qu'un juke-box.

Le trompettiste soufflait dans son perce-tympans à quelques centimètres de l'oreille du lieutenant.

Duval, qui sentait le poids du marathon dans ses jambes, frotta ses yeux fatigués. Au moins, Louis avait eu du flair. Cette brochette de bœuf mexicaine valait cent fois les semelles de botte de l'Ouest canadien, pensa-t-il.

Le Gros avala sa dernière gorgée de Corona. Le serveur se ramena aussitôt avec une bière décapsulée.

— *Gracias, señor, gracias*.

Louis enfonça la limette dans le goulot, comme on le lui avait recommandé. Duval demanda l'addition. Il se sentait fourbu, les jambes en feu.

Le trompettiste, à l'oreille vive, qui avait entendu Louis fredonner, reprit l'air de *La Belle de Cadix a des yeux de velours*.

Louis, que sa troisième place avait rendu fou de bonheur, se mit à chanter à tue-tête dans son espagnol de cuisine, au grand plaisir des mariachis et des policiers des quatre coins de la planète. Loulou laissa un généreux pourboire et se leva pour aller aux toilettes en claquant des doigts. Sa démarche chaloupée donnait une idée des consommations qu'il avait avalées. Les mariachis, en guise de reconnaissance, le suivirent à la salle de bain en entonnant *Tequila*.

Quelques minutes plus tard, le Gros rappliqua avec une bière. Il simula une face de malade qui sapa un peu plus le moral de son collègue. Puis il cala sa bière et flirta des yeux avec une policière qui arborait le drapeau allemand sur son t-shirt.

— J'aimerais ça, moi, fouler le sol allemand! conclut Louis en déposant lourdement sa bière sur la table.

9

Le ciel abricot et violacé modulait ses couleurs en se mirant sur l'onde. La surface du lac ressemblait à une nappe d'huile, à l'exception des vaguelettes que laissaient les truites en sautant pour gober les mouches. De longues sagittaires sur le point d'éclore sortaient la tête de l'eau, entourées de nénuphars. Sur le lac, un huard poussa sa plainte; des canards noirs volaient en rase-mottes.

— Ça c'est la belle heure, les ti-gars!

Après avoir fait cuire des hamburgers sur la cuisinière de la roulotte, le moment était venu de sortir le sac de guimauves.

Grand-père voulait leur montrer comment faire un feu de camp. Il oubliait que Vincent avait été dans les scouts. Il demanda aux jeunes de ramasser des branches. Partout où ils allaient, Frison les suivait. Vincent lança une branche et le caniche décampa pour la lui ramener. Le jeu dura de longues minutes.

Hébert laissa tomber les bûches qu'il avait trouvées. Les garçons s'approchèrent. Sébastien voulait aider à disposer le bois.

— Le feu doit respirer. On couche les bûches en laissant des espaces d'air, et avec les branches on fait comme un wigwam.

Le grand-père déposa dans le feu du papier journal et Sébastien l'alluma.

Le bois sec s'enflamma rapidement jusqu'aux bûches. Grand-père retourna dans la roulotte. Il s'alluma une bonne pipée et rapporta le sac de guimauves. Sébastien regarda le sac avec des yeux avides.

Le feu prit de la vigueur, s'éleva en crépitant. Vincent choisit trois branches assez longues pour servir de porte-guimauves. Il en remit une à Sébastien et l'autre à son grand-père.

Chacun fourragea dans le sac et piqua sa guimauve sur la branche. En silence, ils fixaient le blanc de la friandise qui dorait au-dessus de la flamme avant de la laisser fondre dans leur bouche.

— Attention de ne pas te brûler, Sébastien.

— Hey! Grand-père, regarde, des mouches à feu, s'exclama Sébastien.

Des lucioles voletaient au-dessus de leur tête.

— Ça brûle-tu, la lumière qu'ils ont dans l'péteux? demanda l'enfant en riant.

— Hé que tu fais simpe!... ironisa son frangin en reprenant l'expression favorite de son grand-père.

— Traite-le pas de niaiseux, Vincent, y peut pas savoir.

— Grand-père est électricien. Il doit connaître ça, se justifia Sébastien.

— Ben non, ça brûle pas, dit Vincent. Pis ça pique pas non plus, les mouches à feu. Pis ça marche pas à l'électricité ni avec des batteries...

— Explique-lui, Vincent, si tu sais comment ça marche...

— Ben, je le sais pas.

— Tu le sais même pas... gnan, gnan, gnan.

Agacé, Vincent se leva pour déposer une bûche dans le feu.

Une petite brise s'était levée. Le feu crépitait, le bois brûlé sentait bon. La longue flamme commençait à se refléter sur le lac. Les moustiques s'étaient mis de la partie pour leur picosser quelques bouts de peau. Il fallait les chasser de la main. Mais ce désagrément n'allait pas entamer la bonne humeur qui régnait et il restait encore de succulentes guimauves à se mettre sous la dent.

Avec encore une heure de quasi-clarté avant la nuit, Vincent eut l'idée d'aller en chaloupe sur le lac. Il songea un instant à prendre sa canne à pêche, mais il n'aurait pas le temps de la monter pour que cela en vaille la peine. Sans lui demander la permission, il prit les longues-vues autour du cou de Sébastien.

— C'est moi qui les avais ! maugréa Sébastien.

— Tu les utilisais même pas. Je vais faire un petit tour sur le lac, grand-papa. Je vais aller observer le couple de huards.

— Oui, mais porte ta veste de sauvetage.

— Oui, dit Vincent en passant la ganse de la paire de jumelles autour de son cou.

— Je veux y aller, moi aussi !

— Tu viendras demain.

— Enwoye ! implora le cadet.

— J'ai envie d'être seul.

— Ah, t'es plate !

— Je vais être tout seul si tu pars, Seb, dit le grand-père sur un ton bon enfant.

Avant de partir, Vincent grilla une dernière guimauve au-dessus de la flamme. Il la mangea en se dirigeant vers la chaloupe. Il laissa tomber sa branche au fond de la barque et s'empara des rames. Lentement, il s'éloigna en admirant les truites venir à fleur d'eau pour attraper des insectes.

— Va pas trop loin, Vincent, avisa le grand-père.

Le vieux regarda son petit-fils s'éloigner. Il proposa à Sébastien de chanter une vieille chanson de bûcheron du temps où il travaillait sur un chantier à Saint-Ludger-de-Milot. Mais voyant Vincent qui s'éloignait bien au-delà du milieu du lac, il s'inquiéta. Le relief de la rive l'empêchait de voir le garçon. Il se leva pour lui crier de revenir. L'écho de sa voix faisait un étrange cercle sonore. Un vent léger s'était levé. De l'autre côté du lac, les trembles à flanc de montagne se balançaient, faisant miroiter leurs feuilles argentées.

— Pas de danger, grand-père, répondit Vincent. L'eau est calme. Je me rends à la décharge au bout et je reviens.

— Je ne te vois plus !

— Mais je suis là, grand-papa.

Le lac aux rives en dents de scie avait au moins deux kilomètres de diamètre. Gilles n'aimait pas que son petit-fils soit seul et sans surveillance. Pas rassuré, il alla se rasseoir près du feu. Les braises rougeoyaient et le feu léchait les bûches. Il vida sa pipe et la glissa dans la poche de sa chemise à carreaux. Le chien se mit alors à japper. Hébert lui cria de se taire, mais le caniche continua.

— J'ai dit «La ferme, Frison» !

Le chien cessa d'aboyer, mais il se mit à geindre faiblement.

— Bon. Seb, je vais te faire ma chanson de chanquier.

Gilles Hébert allait piquer une guimauve sur sa branche quand un bruit dans la roulotte attira son attention. Sans doute un objet qui était tombé. Ou alors c'était un ours qui avait senti les denrées ? Il tourna la friandise au-dessus du feu, puis l'avala toute fondante. On l'avait prévenu de conserver la nourriture à l'écart et de bien fermer les portes de la roulotte et de l'automobile. Un ours affamé, lui avait-on expliqué, entrera où il trouvera son festin.

Il entendit un autre bruit. Son cœur battit la chamade. Le caniche se remit à aboyer. Hébert se leva pour voir.

— Reste ici ! ordonna-t-il à son chien.

Il s'agissait sans doute d'un raton laveur ou d'un petit rongeur, mais pas d'un ours. Il remit sa branche à Sébastien.

— Tiens ça. Je vais aller m'assurer que la porte de la roulotte est bien fermée.

Au moment où il allait se lever, une forme humaine apparut dans l'ombre ; Hébert comprit soudainement pourquoi Frison jappait ainsi.

— Mais qu'est-ce que… ? demanda le vieux sur un ton chevrotant mais avenant, tout en continuant à avancer.

Puis il aperçut l'arme dans la main ; consterné, impuissant, son cœur s'emballa, ses jambes flageolèrent. Il écarta ses mains tremblantes en signe d'apaisement.

— Écout…

Le coup de feu et son sinistre écho déchirèrent la nuit. Atteint au cou, Gilles Hébert s'affala, s'étouffant dans son sang. Dans un grand effort, il tourna la tête et, d'un geste désespéré de la main, indiqua à Sébastien de se sauver. Le chien jappa et fonça vers le meurtrier. Le désaxé tira à bout portant. Il atteignit le chien à une patte et Frison alla se réfugier sous la roulotte en couinant. L'homme s'avança d'un pas et acheva le vieux d'une autre balle à la nuque, qui éclata. Le sang gicla comme une fontaine.

Sébastien laissa tomber ses deux branches, courut vers son grand-père. « Grand-papa ! grand-papa ! » cria-t-il en se penchant sur lui. Mais en apercevant le visage éclaté de son parrain, il hoqueta de peur. Le sang coulait en glougloutant. Il secoua le vieil homme par le tissu de son chandail, mais le grand-père ne réagissait plus. Pétrifié, Sébastien regarda le visage au-dessus de lui.

— Pourquoi t'as fait ça ? hurla-t-il entre deux pleurs.

L'homme le contempla d'un regard malsain avant de se pencher pour l'attraper.

— Non ! Lâche-moé !

10   VENDREDI, 31 JUILLET, 20 H 30

La noirceur était tombée depuis un bon moment. La rue principale grouillait de jeunes aux cheveux longs avec des bandanas, habillés de vêtements amples en coton. L'ambiance était à la bohème. Louis s'immobilisa, frétilla des narines, flairant une odeur de pot qui se mélangeait à celle des fruits de mer. Les touristes argentés et basanés léchaient les vitrines. Les policiers costauds et athlétiques tranchaient avec l'autre faune locale et touristique. La plupart portaient les t-shirts offerts par leur délégation respective ou par le comité organisateur des jeux ; sauf Louis, qui avait fait fureur avec une parodie de t-shirt du FBI où, sous chaque lettre, on pouvait lire : Filles, Bière, Infidélités. Il lui fallait constamment traduire les trois mots.

Duval marchait lentement à cause d'une douleur tenace au talon. Louis, à ses côtés, portait une camisole qui laissait voir ses biceps bien gonflés et surtout sa médaille de bronze. Des passants le saluaient. Le Gros avait reçu beaucoup de publicité au cours de ces Jeux mondiaux. Sa guérison miraculeuse, sa foi inébranlable, le fait qu'il ait commencé à lancer des poids, et surtout sa personnalité colorée en avaient fait la vedette des Jeux. Sa tête chauve, son visage anguleux, ce sourire élastique plein de dents et ses yeux bleu acier avaient été vus à la télévision et dans les journaux. « *Vamos, Lazare!* » avait titré un journal de Mexico en citant Louis.

Devant un bureau de change, un cracheur de feu poussait sa longue flamme au-dessus de sa tête. À sa droite, un pseudo-shaman aux yeux brillants invitait les passants à se faire photographier avec son boa constrictor jaune et blanc. Il pointa le doigt vers le lieutenant Duval, qui déclina l'offre. Les serpents l'avaient toujours horrifié et longtemps poursuivi dans ses rêves. Pas question de payer pour enrouler cette sale bestiole autour de son cou.

Duval portait le poids des quarante-deux kilomètres dans les jambes. Son tendon d'Achille lui faisait mal. Ils étaient maintenant deux à claudiquer, ce qui attirait les regards.

Au coin d'une rue s'élevait une boîte de nuit en forme de hutte surmontée d'un toit de paille. À l'accueil, une hôtesse les invita à entrer en vantant le spectacle de flamenco, mais Duval se fit tirer l'oreille. Il aurait souhaité un endroit plus tranquille.

Louis s'interposa en poussant son ami à l'intérieur.

— Il est juste huit heures trente, Dany. On va pas aller s'emmerder à l'hôtel et regarder la télé. On va aller prendre une tequila.

— Je suis crevé.

— Juste une dernière… enwoye.

— D'accord, soupira Duval.

La jeune hôtesse les conduisit par l'escalier extérieur qui menait à l'étage. Elle les convia ensuite à une table près de la scène. En passant devant le bar, le Gros commanda deux tequilas. À son retour, il observa d'un œil scrutateur son collègue.

— T'as pas l'air content d'être ici. *Smile*, Dany ! La vie est courte et les femmes sont belles !

Duval ne répondit pas, balayant du regard la longue salle.

— Est-ce que tu pries, toi ? s'enquit le Gros à brûle-pourpoint.

— Oui, pour que tu te la fermes, au moins ce soir.

Louis reçut mal la remarque. Mais Duval en avait assez des charismatiques qui voulaient toujours rouvrir le débat sur la religion, le bonheur d'être pratiquant et le malheur de ne pas l'être.

Deux jeunes guitaristes, tout en noir, entrèrent sur scène avec leurs instruments. Ils s'assirent sur un tabouret pour accorder leurs guitares et réchauffer leurs doigts. La serveuse apporta les deux verres de tequila.

Duval porta un toast à la réconciliation.

— Excuse-moi pour tantôt. Je suis fatigué.

— Pas grave !

Puis les guitaristes s'agitèrent, percutant les cordes et la caisse de résonance de leur instrument. Leurs doigts couraient sur le manche comme des tarentules. Une danseuse entra en martelant du pied le plancher. Ses mains frénétiques faisaient claquer ses castagnettes en traçant de belles arabesques. Elle portait une robe noire au décolleté de dentelle qui découvrait sa poitrine abondante. Louis se mit aussitôt à taper des mains.

Duval se laissa envoûter par le spectacle, le rythme de la danse, et oublia ses douleurs. Au bout de trois chansons, la chanteuse le toisa du regard. Elle pointa un doigt sensuel dans sa direction en lui faisant signe de venir vers elle. Duval tourna son pouce vers sa poitrine pour s'assurer qu'il s'agissait bien de lui.

Louis éclata de rire.

— Ah non ! Il ne manquait plus que ça, pesta Duval.

— Ça, ça déconstipe !

— Va chier ! J'aimerais mieux avoir la tourista.

La danseuse aux yeux sombres et langoureux s'avança pour le cueillir à sa table d'un regard suggestif. Elle lui tendit un bras lascif en agitant ses bracelets étincelants. Duval refusa. Elle insista. Pas le choix. Il se leva en grommelant un juron. Son pied le faisait souffrir.

Louis tapait sur ses cuisses. Le lieutenant voulait mourir de honte et d'embarras. Il y avait dans la salle plusieurs policiers. Les spectateurs applaudirent. Le lieutenant enjamba la scène, salué par les guitaristes qui avaient continué leur fracas de cordes. La danseuse présenta Duval. Aveuglé par le projecteur, il plissait les yeux. Elle lui demanda d'observer ce qu'elle allait faire et de l'imiter ensuite. Duval se rappela que Gérard Côté avait passé la nuit à danser après sa première victoire à Boston. Lui n'avait récolté qu'une septième place dans un marathon pour policiers et il ferait un fou de lui en dansant le flamenco. La danseuse se mit à claquer hystériquement du talon contre le sol. En voyant les clous qu'elle avait sous les semelles, Duval s'inquiéta pour ses pieds endoloris. Il entendait clairement les gloussements du Gros à distance. Elle intima à Duval de l'imiter. Le lieutenant s'exécuta en martelant le plancher, peinant à suivre le rythme, ravivant sa blessure au talon. Heureusement qu'il avait écouté de la musique dans sa vie ! Il n'osait pas regarder les visages rieurs dans la foule. Il sentait les rigoles de sueur couler sous ses aisselles. La danseuse se montra ravie. Elle composa un rythme plus complexe et demanda à Duval de poursuivre. Il se tira tant bien que mal de la séquence. Elle lui enseigna alors comment bouger les bras dans les airs en une élégante arabesque. Satisfaite de la performance de son élève, elle acquiesça d'un signe de tête. Elle recommença à talonner le plancher, invitant le lieutenant à joindre le mouvement des mains à celui des pieds. Duval essaya de l'imiter, mais les rires du Gros en contrepoint le déconcentraient. Il parvenait difficilement à coordonner les deux mouvements. Il ressemblait à un pantin désarticulé qui piaffe d'impatience. Il se trouvait complètement ridicule. Tout l'acide lactique accumulé lui vrillait les muscles et il avait l'impression qu'on lui plantait un clou dans le talon. Les visages rieurs convergeaient vers lui avec des mines qui disaient toutes : « Je n'aimerais pas être à sa place. »

La séance de torture prit fin sur un accord percussif de guitares, de talonnades et de castagnettes à deux pouces de ses oreilles. La danseuse invita les spectateurs à applaudir chaleureusement son protégé.

— Encore ! hurla Loulou.

Duval le mitrailla des yeux.

— Ta gueule ! murmura-t-il.

En regagnant sa place, il reçut une tape dans le dos de la part de Louis et une bière, gracieuseté de ses collègues américains, qui le saluèrent en portant un toast à distance.

— Mes tabarnaks ! dit Duval en levant son verre.

— Bravo ! T'étais extra !

— Toi, mon Gros…

— Dan, y a deux filles qui t'ont sifflé pendant que tu dansais. À la table, là-bas. Les deux blondes. Sûrement des Américaines. Je me ferais pas prier pour le lancer du poids. On dirait du 36GG. La dernière fois que j'ai vu ça, c'était dans *Hustler*. Tiens, elles nous regardent. Ce que je te disais… *Smile*, Dany !

D'un air cool, Louis leva son verre dans leur direction.

— On se joint à elles ?

— Joins-toi toi-même ! Je bois ça et je vais me coucher. Je travaille lundi, moi.

Duval cala sa tequila et quitta la place sous les protestations de Louis.

— Dany ! Lâche-moi pas de même. Je parle pas anglais. Je vais avoir l'air fou.

— Bon, OK. J'en prends une autre et je décampe.

Le lieutenant regarda les deux poudrées. Elles lui décochèrent de larges sourires.

— On dirait deux *poodles* en rut.

— Ah ! Dan ! Laisse tomber ton anti-américanisme primaire…

— Allez, je te présente et je file.

— Je te rendrai ça.

11   Vendredi, 31 juillet, 20 h 40

Au loin, Vincent paniquait. Les détonations l'avaient fait sursauter. Étaient-ce des chasseurs ? Non, ce n'était pas le temps de la chasse. Des braconniers ? Puis il avait entendu son frère. Les mots « grand-papa… papa… papa » s'étaient répercutés d'une cime à l'autre,

puis « Fais ça... ça... ça » et « Lâche-moé... moé...
moé ». Puis son frère cria son nom à pleins poumons
et il entendit des plaintes et des gémissements. Vincent
rama de toutes ses forces. Mais que se passait-il ?
Pourquoi Sébastien suppliait-il ? Il aurait voulu se
boucher les oreilles. Il ne distinguait rien à cette distance à cause des arbres et des contours en dents de
scie de la rive. Une fois de plus, la voix de son frère
implorait quelqu'un : « Non ! Non ! Arrête... rête...
rête ». Vincent donnait tout ce qu'il pouvait pour
rejoindre le campement, mais il lui restait encore cinq
cents mètres avant d'accoster. Là-bas, Frison aboyait
bizarrement : on aurait dit des pleurs d'enfant. Vincent
poussait tellement fort qu'une rame sortit de son tolet.
Il la replaça rapidement, mais il avait déjà perdu
l'élan qu'il avait accumulé.

— Tiens le coup, Seb, j'arrive ! hurla-t-il.

Il entendit un affreux cri, puis : « Ça fait mal, arrête... rête... rête ».

Il y eut un autre cri étouffé, des toussotements et
plus rien. Une minute s'allongea sans que retentisse
la voix de Sébastien. Vincent ramait tout ce qu'il
pouvait.

À trois mètres de la rive, il se jeta à l'eau, qui lui
monta jusqu'à la taille. Il avança le plus vite possible. Il criait le nom de son frère mais n'obtenait
pas de réponse. Seul Frison aboyait.

Vincent s'approcha de la roulotte, la contourna. Il
entrevit les jambes recroquevillées de son frère. Celui-
ci gisait sur le ventre, les culottes baissées jusqu'aux
chevilles. Il portait des traces de lacération autour du
cou. À ses côtés, Vincent découvrit le corps de son
grand-père dans une mare de sang, le crâne éclaté.
Vincent sentit un long frisson le long de sa colonne.
Pris de tremblements, il était cloué au sol par la peur
et l'émotion. Il se pencha pour voir si Sébastien était

toujours vivant. Il aperçut entre les jambes de son petit frère des traces de sang. Il tenta de réveiller Sébastien, mais il ne sentait aucune réaction dans son corps pourtant chaud. Il murmura en vain le nom de son frère. Devait-il lui faire la respiration artificielle, comme on le lui avait appris chez les scouts ? Mais une forme fonça soudain vers lui. Après une feinte rapide, Vincent courut vers la gauche. Écoutant son instinct, il continua sa course à travers le bois.

L'homme s'élança à ses trousses et tira dans sa direction, mais rata sa cible mouvante. Il fit feu derechef. Pour Vincent, chaque coup de feu tonnait, comme amplifié plusieurs fois. L'homme, qui était maintenant lui aussi dans la forêt, actionna de nouveau son arme, mais toujours sans l'atteindre, les arbres servant de pare-balles. Puis Vincent entendit derrière lui un clic. Le barillet de l'arme semblait vide. L'homme le pourchassa encore quelques mètres puis renonça.

Vincent, lui, n'arrêta pas de courir jusqu'à ce qu'il débouche sur la partie est du lac. Il longea le bord, protégé par les arbres. Il ne pensait plus qu'à sauver sa peau.

Hors d'haleine, il arriva quelques minutes plus tard au bout du plan d'eau. Ses pieds s'enfonçaient dans le sol vaseux. Désemparé, il se demandait ce qu'il devait faire. Il aperçut alors de gros blocs rocheux. Une fente permettait de se réfugier entre eux. Il s'y glissa. Dans l'espèce de grotte où il se trouvait, il percevait le ruissellement des eaux qui allaient rejoindre le lac.

Il revint vers l'ouverture et, de son poste d'observation, il risqua un œil à l'extérieur. Des effilochures de brume se mouvaient lentement au-dessus du lac et masquaient ses contours. À travers ce voile opalin rougeoyaient au loin les restes du feu de camp. Vincent se rappela avoir entendu trois coups de feu avant que son frère se mette à crier et à pleurer, mais aucun après, alors qu'il ralliait la rive. Sébastien était-il mort? Son grand-père avait été assassiné de sang-froid, et son frère... Pourquoi? Qu'est-ce qu'ils avaient fait pour mériter un tel sort? Il savait désormais qu'il devait sauver sa vie. Il repensa à la porte de la roulotte qui s'était mystérieusement ouverte dans l'après-midi. Quelqu'un était-il monté à bord à ce moment-là?

Il sentit une goutte de pluie effleurer sa peau. Quelques instants plus tard, la pluie tombait dru. Vincent essaya de comprendre ce que faisait l'homme à cet endroit. Il se rappela avoir entendu avant les événements les jappements de Frison. Il se demanda si le chien avait senti que cet individu essayait de s'introduire dans la roulotte. Son grand-père avait dû aller voir ce qui se passait et il avait été abattu à bout portant.

Une voiture démarra; on appuya sur le klaxon, le martelant à coups répétés. C'est un fou furieux, pensa Vincent. Puis un long silence s'imposa. Le huard lança de nouveau sa plainte sur le lac brumeux. Soudain, une boule de feu s'éleva au-dessus du campement, suivie aussitôt du tonnerre d'une énorme explosion auquel se mêlait un terrible hurlement animal. Des flammes léchèrent le ciel, colorant la brume d'un rouge orangé. Du brasier s'échappait un long panache de fumée. Vincent comprit que la roulotte avait été incendiée.

Il s'enfonça dans sa grotte et se laissa enfin aller à pleurer. En proie au désespoir, il ne cessait de répéter: « Pourquoi? Pourquoi? C'est pas vrai! » Quelques minutes à peine avaient suffi pour faire basculer toute son existence. Les larmes coulaient sur ses joues, mais il ravalait ses pleurs pour ne pas alerter le malade qui était peut-être encore à sa recherche. Il s'entendait traiter son frère de niaiseux, ressentait de la culpabilité de ne pas avoir emmené Sébastien avec lui. Son cadet avait tant insisté et lui s'était obstiné à dire non. Les dernières paroles qu'il avait adressées à son frère avaient été des insultes. Mais qu'est-ce qui avait amené cet homme jusque-là ? Pourquoi avait-il agi ainsi ?

Vincent pleurait toujours quand il entendit un geignement à l'extérieur. Il sut aussitôt que c'était Frison. Le petit caniche noir était vivant ! Vincent en ressentit un grand soulagement. Il se propulsa hors de la grotte pour saisir le chien, qui se mit à lui lécher abondamment le visage. Il le porta à l'intérieur et, en le serrant contre lui, il constata qu'il saignait à une cuisse. Il posa sa main sur la blessure et le chien geignit de douleur.

Terré au fond de sa grotte, Vincent pleura longuement, le caniche blotti dans ses bras. La pluie continuait à se déverser à l'extérieur, mais la chaleur apaisante du chien le réconfortait. La nuit était définitivement tombée. La plus longue de sa vie. Le brouillard ne se dissipait pas et continuait de surgir du lac. Au campement, une flamme bleue et orangée, qui puait le propane, imprimait encore de sinistres lueurs sur la brume. La roulotte s'affaissait peu à peu, consumée par l'incendie.

12

La soirée se termina par un disco endiablé. Harel avait réussi à entraîner les deux policières sur la piste de danse. Leslie-Ann et Pam s'étaient laissé courtiser, charmées par l'accent des enquêteurs québécois.

Le contingent international de policiers se trémoussait au son de *Respect* d'Aretha Franklin. Les gros bras faisaient de l'effet sur la piste. Duval, en retrait, observait le spectacle, le sourire en coin. Louis se déchaînait. Sa médaille de bronze et sa croix, projetées dans tous les sens, brillaient sous les projecteurs. Il jouait son va-tout avec Leslie-Ann, une Texane blonde, au décolleté plongeant aux couleurs des Cowboys de Dallas. La blonde aux cheveux boudinés se collait à lui, le Gros se frottait contre elle. Le médaillé au lancer du poids lui servait sa danse du paon, la tête agitée, frénétique. Son crâne chauve, agité, perlait de sueur. Ses mains au-dessus de la tête montaient et descendaient comme celles d'un prêcheur possédé par Dieu ou par diable.

Duval l'observait comme une bête étrange. Louis dégageait une énergie hors du commun. Et dire qu'on avait prétendu qu'il ne marcherait plus jamais. Sa camisole était trempée. La scène pouvait paraître ridicule, mais Duval savait à quel point Harel tenait à rencontrer une fille. Depuis son divorce, il y avait eu Claudette, mais cette relation avait pris une tournure platonique. Privé de sa famille, le drame de sa vie, il se contentait de *one night stand*.

Staying Alive ramena une vague de policiers sur la piste de danse. Du doigt, Louis invita Daniel à venir rejoindre Pam, l'amie de Leslie, mais ce dernier déclina l'invitation. Avec ce qui venait de lui arriver, la danse était finie pour ce soir. Il ne cessait de se

faire taquiner par les policiers pour ses talents de
danseur de flamenco. Il ne s'en formalisait pas, même
si son orgueil en avait pris un coup. Alors que débutait
la pièce *Born to Be Alive*, Louis s'approcha de lui,
les poings près de la taille, en frappant l'air comme
un boxeur.

— Allez, Dan, viens danser !

— Non, je suis bien comme ça, dit Duval en lui
montrant sa Corona.

— Allez, Dany, déconstipe.

Il détestait quand Louis lui servait cette réplique.

— Sa chum de fille, là-bas, aimerait bien danser
avec toi, poursuivait le Gros.

— Moi, j'ai peut-être pas envie.

— Défonce-toi, Dany, ça repassera pas.

— Écoute, Louis, va danser et câlice-moi la paix.

Les bras en l'air, Louis retourna danser avec Pam
et Leslie.

Duval sortit prendre sa navette pour rentrer à l'hôtel.

◆

Duval ouvrit la porte-fenêtre pour écouter mugir
la mer. Il se détendit en écoutant les nouvelles à la
BBC : un des grévistes de la faim de l'IRA venait de
rendre l'âme à la prison de Maze. Duval suivait avec
intérêt et tristesse la saga des grévistes irlandais. Mourir
d'inanition pour une cause politique dont vous ne
sauriez jamais le dénouement le démoralisait. Le
gréviste s'appelait Lynch, comme sa grand-mère ma-
ternelle. Il ferma la radio. La fatigue du marathon le
convia vite aux marges du sommeil.

Au milieu de la nuit, il se réveilla au son de *La
Bamba* que chantait le Gros à tue-tête, accompagné
d'une voix féminine. Louis avait fait mouche avec
l'une des deux policières américaines, sinon avec les

deux, à en juger par le boucan. Les gémissements étaient sans équivoque. On aurait dit le passage d'un ouragan de force 4. Puis le son apaisant des vagues revint.

Duval pensait à Laurence, à Louis-Thomas et à Mimi. Il avait hâte de rentrer, de retrouver Bella, sa rutilante Ducati. Il s'ennuyait de sa routine. Après quelques jours, il avait toujours hâte de retourner chez lui, même quand il était dans un congrès de policiers ou de criminologues dans une ville excitante.

L'avion ne décollait qu'à quatre heures de l'après-midi de l'aéroport de Cancún. Il était à peu près sûr que Louis ne reviendrait pas à Québec avec lui. Tout en pensant à tout et à rien, le lieutenant suivait le déplacement d'une araignée sur le crépi du plafond. Un papillon de nuit s'était pris dans sa toile.

13   Samedi, 1ᵉʳ août, 2 h 05

Le feu avait brûlé pendant une heure. Vincent avait écouté les flammes crépiter, dévorer la roulotte réduite à une carcasse, le froissement des matériaux qui s'affaissaient le faisant sursauter. Pendant plusieurs minutes, l'homme avait poussé d'étranges cris, en proie à une rage indomptable, à un désordre mental évident.

Vincent serrait contre lui le petit caniche noir. Il se doutait bien que l'homme traînait toujours dans les parages. Il avait aperçu à travers le bois les phares d'une voiture. Vincent avait décidé qu'il valait mieux pour sa sécurité rester dans son refuge. Pendant tout ce temps, il avait entendu le véhicule opérer plusieurs allers-retours frénétiques. L'assassin voulait sans doute lui couper la retraite et lui faire subir le même sort qu'à son frère. Tout ce temps, Vincent était tiraillé par l'idée d'aller chercher Sébastien. Celui-ci avait peut-être survécu ? Vincent n'avait pas eu le temps de lui faire le bouche-à-bouche... Sans s'en apercevoir, il glissa dans un grand *black out*; il s'évanouit. Durant ce moment d'absence, il rêva. Il aperçut un ciel gris orageux défiler à grande vitesse, il vit pleuvoir du sang à torrents, qui se répandait dans une rivière rouge et coulait jusqu'à un lac pourpre. Un couguar fuyait un chasseur. Le fauve bondissait de pierre en pierre, courait d'un point à l'autre jusqu'à rejoindre Sébastien, qui le caressait...

Il se réveilla brusquement en s'entendant pousser un cri. Le caniche lui léchait le menton. À l'extérieur, les premiers oiseaux avaient commencé à pépier.

— Frison !

Le chien geignit. En le caressant, Vincent sentit sur le pelage un liquide qu'il ne pouvait voir à cause de la noirceur. Il posa son index sur le bout de sa langue. Le goût cuivré du sang ne faisait aucun doute. Le chien poussa une plainte quand Vincent s'avisa de chercher sa blessure.

— Inquiète-toi pas, on va te soigner, Frison, murmura-t-il à l'oreille du chien.

Le tonnerre roulait au loin. Sa montre aux chiffres phosphorescents indiquait trois heures quarante-cinq. À nouveau s'imposa à lui le besoin viscéral de vérifier si Seb était en vie. Il voulait croire en cette possibilité. Son rêve avait attisé ce désir. La clarté allait bientôt poindre à l'horizon. Il devait retourner au campement.

Il le devait à son frère. Sinon, il s'en voudrait pour le restant de sa vie.

Une pluie fine recommença. L'odeur de bruine et de carbonisation parvenait jusqu'à lui. L'averse couvrirait ses pas, lui permettrait de se mouvoir dans l'ombre sans être repéré. Cette pensée apaisa son tumulte intérieur. Il pensait à Sébastien et à son grand-père. Il se remémorait les coups de feu. Pourquoi ? se demandait-il encore et encore. Pourquoi ? Il aurait tellement aimé être avec sa mère. Puis une pensée hanta son esprit. Il en ressentit aussitôt de la culpabilité. Sa mère avait beau dire que son père était malade, aurait-il pu en arriver là ? Il chassa cette idée de sa tête. Impossible : son père n'aurait pas pu commettre un geste aussi extrême !

Quand il se sentit plus apaisé, Vincent chuchota à l'oreille de Frison qu'il allait voir où se trouvait Sébastien. « Toi, tu restes ici, je vais revenir. » Il sortit la tête de sa cache et se laissa glisser à l'extérieur le long de la paroi rocheuse. La tête du chien apparut dans l'ouverture au-dessus de lui.

— Non, Frison, tu restes ici !

Sans bruit, Vincent se glissa dans le lac. L'eau était chaude sur le bord et la pluie, davantage. Il suivit la rive en remontant jusqu'à l'emplacement de la roulotte, qui était à environ trois cents mètres. Seule sa tête dépassait de l'eau. Lentement, sans éclaboussures, il progressa comme un fauve. Parfois, le sol boueux se dérobait sous ses pieds et il nageait. L'odeur de brûlé, avec ses relents de caoutchouc, de plastique et de BBQ, lui levait le cœur. Il sentit quelque chose lui agripper la peau. Ah non ! Maudite sangsue ! Il était incapable de s'en défaire. Il lui faudrait attendre d'être sur la rive pour s'en débarrasser. Le sol était vaseux, visqueux. Il détestait cette sensation. Arrivé à la hauteur du campement funeste, il sortit de l'eau sans bruit. Il arracha un de ses cheveux, comme on le lui avait montré chez les scouts, le fit glisser sur sa peau et retira l'affreuse larve qui se gorgeait de son sang. Il la relança à l'eau près de nénuphars aux fleurs jaunes. L'odeur nauséeuse de gaz et de matières carbonisées le chavirait.

Ses souliers faisaient un chuintement à chaque pas. L'homme pouvait-il l'entendre? se demanda Vincent. Dissimulé entre la mince lisière d'arbres et le lac, il voyait clairement le campement. Il ne restait plus que la plateforme et la moitié des murs de la roulotte.

Une branche craqua un peu fort sous son pied et il s'arrêta net alors que son cœur battait lourdement.

En se faisant le plus discret possible, il se rapprocha à pas de félin. Les croassements d'une corneille faisaient contrepoint aux coups sourds de son cœur. Il se blottit contre un arbre. Les premières lueurs du jour lui permettaient d'observer les alentours. Beaucoup de chaleur se dégageait des débris fumants. L'odeur de carbonisation prenait à la gorge. Il aperçut sur le sol, près des braises du feu de camp, le sac Kraft. Deux branches piquées d'une guimauve reposaient à terre. Il se pencha, ramassa le sac de friandises et le fourra dans sa poche arrière.

Il ne voyait pas la voiture, mais il entendit soudain l'homme qui tentait en vain de syntoniser une station de radio. La musique jouait avec un affreux bruit de fond. En se guidant sur le son, Vincent finit par distinguer la Ford de son grand-père, plus loin dans le chemin de bois, et la faible lueur d'une cigarette dans l'habitacle.

Vincent aurait eu envie de chuchoter puis de crier le nom de son frère, mais il se retint. Il arriva à la hauteur de la carcasse. Elle dégageait une intense chaleur et de la fumée. On ne distinguait plus que la moitié des lettres Appalaches: tout ce qui restait du rêve de grand-père Gilles. Vincent jeta un coup d'œil à travers ce qui avait été une fenêtre. Il avait de la difficulté à voir à cause de l'accumulation de débris empilés. Il lui fallait contourner la roulotte par l'arrière et regarder par la porte de côté.

Il avançait en rampant, les sens en alerte. Il regarda partout autour pour vérifier s'il ne voyait pas son frère. Mais non. Soudain, la vue de la casquette de Sébastien sur le sol lui brisa le cœur. Il louvoya pour la ramasser. Arrivé de l'autre côté de la roulotte, il avança jusqu'à la porte. Il eut un violent mouvement de recul en découvrant les silhouettes encore fumantes. Il n'aurait plus à chuchoter le nom de son frère ni celui de son grand-père ; ils reposaient l'un dans l'autre, méconnaissables. Il vomit.

Dans le chemin, les phares du véhicule s'allumèrent en position haute, une porte claqua. Une silhouette se découpa devant la voiture. Vincent ne pouvait distinguer le visage de l'homme à cause des phares qui l'aveuglaient. La personne lui parut ivre car elle titubait. Dans les faisceaux lumineux, des centaines de moustiques virevoltaient. Vincent resta figé un instant, entre le désir de sortir Sébastien de là et l'envie de fuir. Mais qui était cet homme qu'il ne pouvait voir ? Ce ne pouvait être qu'un monstre indescriptible. Comment avait-il pu commettre une pareille atrocité ?

L'homme pointa vers Vincent un doigt menaçant que ce dernier confondit avec un pistolet. Le garçon s'enfuit à toutes jambes dans la forêt.

L'homme se lança à ses trousses, mais perdit l'équilibre et s'étendit à plat ventre. Il se releva avec difficulté, visiblement ivre. Vincent, qui s'était retourné un instant, se dit qu'il avait dû boire les bières de son grand-père. Il déguerpit vers son abri de pierre avec l'assurance de ne pas être suivi. En état d'ivresse avancée, le fou ne pouvait le rattraper.

Frison l'attendait, incapable de retenir des geignements de joie et de douleur à la fois. Vincent
étreignit le caniche qui tremblait et lui ordonna de ne
pas faire de bruit.

Il s'aperçut que le sac de guimauves était toujours
dans sa poche. Il en sortit une, qu'il donna à Frison.
Le chien l'avala d'une bouchée. Vincent en goba une
à son tour. Frison en voulut d'autres. Vincent avait à
peine le temps de sortir une guimauve que le chien
l'avait déjà engloutie et mordillait le sac pour en
obtenir une autre. Mais le garçon replaça le sac dans
sa poche, car il fallait rationner les vivres.

Il se sentit mal dans ses vêtements mouillés, mordu
par l'humidité, transi.

Maintenant qu'il avait la conviction qu'il ne pouvait plus rien pour son grand-père et son frère, son
seul but était de rester en vie. Et l'unique moyen d'y
parvenir était de demeurer le plus loin possible de la
machine à tuer. Il devait aussi éviter de s'enfoncer
dans la forêt et de s'y perdre. Ce qu'il avait vu faisait
peur : ce monstre enragé n'aurait aucune pitié, il était
résolu à le tuer.

Il entendit le moteur tourner à haut régime. La
voiture roula à fond de train sur le chemin pour faire
demi-tour un peu plus loin. Les phares et les feux
arrière étaient visibles du refuge de Vincent. Le meurtrier actionna le klaxon et poussa un cri démentiel
ponctué d'un rire qui ne voulait plus finir. Il éteignit
le moteur. Plus aucun bruit. L'accalmie.

Seul l'éreintant « croa croa » d'une corneille rom-
pait le silence de la forêt. Frison s'était endormi sur
le garçon. Le jour lançait ses premières lueurs mais
il était gris, le ciel couvert de nuages et porteur
d'averses. Vincent commençait à distinguer l'intérieur de son refuge, dans lequel des gouttes d'eau
tombaient en glougloutant. En fait, il se trouvait dans

une sorte de galerie rocheuse. Où menait-elle ? Il décida d'aller explorer l'endroit. Sous lui, un ruisseau était audible. Plus avant dans l'anfractuosité, il devint visible. Gonflé par les eaux de la nuit, sa rumeur n'avait cessé de s'amplifier. Plus haut, le ciel se profilait entre de longues arêtes rocheuses. Vincent n'entendait plus la voiture, mais il savait qu'elle n'était pas loin. Était-ce le bon moment pour filer ? Se rappelant les nombreux kilomètres que grand-père avait faits pour les amener ici, il hésita. Le chemin était trop long, le secteur inhabité. Il ne connaissait pas la région, ne possédait pas de carte. Sortir de ce piège serait en soi un exploit, échapper à l'homme sans visage aussi. Il décida de se terrer ici en attendant les secours. Quelqu'un finirait par trouver la roulotte, pensa-t-il.

Pour se redonner confiance, il fit l'inventaire de ses forces. C'est ce que lui avait enseigné le chef des scouts. Se persuader qu'il était fort, qu'il était bon. À l'école, il réussissait bien dans toutes les matières. Il excellait dans les sports d'équipe et individuels, même s'il n'avait pas fait le Bantam AA l'hiver dernier. Il était grand pour son âge, fort physiquement. Il avait acquis beaucoup de maturité avec le divorce de ses parents. Il se dit qu'il passerait au travers pour faire arrêter l'homme. Il serait impossible pour le monstre de venir jusqu'à sa tanière. Et s'il y arrivait, Frison le sentirait approcher et avertirait Vincent. S'assoupir. Reprendre des forces. Sa vie en dépendait. La possibilité de revoir ses parents aussi. Il voulait vivre pour tout raconter. Il s'endormit en pensant qu'il survivrait, qu'il le devait à Sébastien et à son grand-père.

14   SAMEDI, 1ᴱᴿ AOÛT, 7 H 00

Après la douche, Duval se brossa les dents et s'habilla en vitesse. Il téléphona dans la chambre de Louis. Après tout, le Gros avait pu changer d'idée.

Le combiné fut décroché, puis il y eut un long silence et :

— Ça doit être Dany, entendit-il maugréer.

Une voix féminine, éraillée par la fumée de cigarettes, répondit alors, ce qui décontenança Duval.

— *Hello, Dany… You're such a good dancer*, s'égosilla-t-elle avant de laisser aller un grand rire.

Louis s'esclaffa à son tour et reprit le combiné.

— Salut, mon Dan. Fais comme si j'étais pas là aujourd'hui.

— Tu ne vas pas me niaiser de même ?

— Tu appelles Dallaire et tu lui demandes de t'envoyer quelqu'un. J'ai la tourista.

— La tourista dans ton lit, tu veux dire…

Louis émit des pets vocaux et feignit de vomir. Le rire de la femme était audible à travers la cloison.

— Tu lui dis que je chie partout, que je vomis sur tout, que je suis malade comme un chien et que l'avion ne me fera pas de bien.

— Ce qui te ferait du bien, ce serait une bonne douche pour te dégriser.

— Fais ça pour moi, Danééé. En passant, t'as manqué une belle occasion de t'envoyer en l'air. Tu devrais voir le beau bébé-police que j'ai à côté de moi.

Duval raccrocha en claquant le combiné.

— Gros crisse d'innocent! jura-t-il. Puis il hurla: « Gros tabarnak de nono! » pour être entendu de l'autre côté.

Il laissa glisser longuement une main dans ses cheveux. Après avoir mis dix minutes à décolérer, il passa dix autres minutes à tenter de comprendre comment composer un interurbain. Il voulait téléphoner au patron pour lui raconter un mensonge sur son répondeur. Combiné à la main, il ouvrit le rideau et la pièce fut inondée de lumière. Il se ravisa alors et raccrocha. Il sortit s'accouder sur le balcon. Deux albatros planèrent au-dessus de l'hôtel vers la mer qui modulait ses couleurs. Le vent chaud et doux l'invitait vers le croissant chaud, devant. Il irait déjeuner et nager avant de se diriger vers l'aéroport.

Le matin apaisant et ensoleillé conviait à une longue marche. Mais son talon lui faisait plus mal que la veille et il s'arrêta dans le premier resto. Sur les terrasses de Playa del Carmen, les touristes prenaient le petit déjeuner sous les palmiers. Les commerçants relevaient les grilles de protection devant leurs vitrines. Un homme s'avança vers Duval pour lui proposer une excursion à Tulum, mais le lieutenant refusa d'un signe de la main. Cette sollicitation allait le rendre fou. C'était pire que les Témoins de Jéhovah, songea-t-il. Une vieille dame portant un enfant sur le dos et un autre dans les bras tendit sa main vers lui pour l'aumône. Il ne put résister. Il fouilla dans sa poche et lui donna toute sa monnaie.

Il aperçut la bicoque du poste de police local. Une voiture sortait, sirène hurlante, du stationnement. La même routine ici que chez nous, pensa-t-il.

◆

Le lieutenant rentra chez lui en début de soirée, heureux de retrouver les odeurs familières de la maison et, surtout, les gens qu'il aimait et qui lui procuraient cette chaleur. Laurence soupait avec Mimi. Cuillère à la main, sa fille donnait la purée à Louis-Thomas. Bébé s'agita en voyant son père, tendit les bras vers lui. S'il avait pu parler, il lui aurait demandé où il était parti tout ce temps. Laurence s'approcha pour enlacer son mari.

— Salut, ma brune ! dit-il en l'embrassant.

— Salut, champion !

— T'es fine. Septième dans un marathon de la police. Pas fort, le bonhomme ! Ça fait vingt ans que je cours… Le gros Louis, en moins d'un an, ramasse une médaille de bronze !

— Entre le marathon et le lancer du poids, il y a un monde.

— Quelques millénaires d'évolution…

Mimi s'esclaffa. Le lieutenant s'était toujours sous-estimé comme athlète. Il se voyait comme un vrai escargot dans son sport. Il sortit une médaille de sa poche, celle que tous les coureurs avaient reçue pour leur participation. Elle irait retrouver l'arbre de Noël, le nom qu'il donnait à sa collection de récompenses.

Il s'avança vers son fils, dont la bavette ressemblait à un tableau de Jackson Pollock. Il boitait, ce qui lui arrivait après chaque marathon. Il éprouvait une douleur musculaire qui durerait quelques jours au plus. Il avait l'impression qu'une mèche taraudait son tendon d'Achille. Il se pencha pour embrasser Louis-Thomas.

— Salut, mon gros ourson.

Bébé laissa une belle empreinte orangée sur le t-shirt de son père. Duval fit la bise à sa fille. Il esquissa un geste pour prendre la cuillère, mais Mimi l'arrêta.

— Non, c'est moi qui nourris frérot !

Mimi terminait ses études en musique au conservatoire. Pendant les années de veuvage du lieutenant, elle avait été pour lui un soleil et une raison de vivre. C'était sa grande, comme il l'appelait, une fille altruiste, pleine de projets. Elle occupait un petit appartement dans Saint-Jean-Baptiste. Il avait trouvé cette rupture difficile, mais il comprenait qu'elle veuille voler de ses propres ailes.

— T'as faim ? s'enquit Laurence.

— Non, j'ai mangé dans l'avion.

Après le dessert, Louis-Thomas tendit ses petits bras potelés en direction de son père. Le lieutenant s'avança en claudiquant pour le sortir de sa chaise haute. Il lui fit deux grosses bises et bébé manifesta sa joie en maculant le visage du lieutenant de compote de fruits. Laurence alla chercher une serviette pour le débarbouiller. Duval déposa un sac sur la table et demanda à Mimi de l'ouvrir.

— Des petits cadeaux pour toi et Laurence.

En entendant le mot cadeau, Mimi se hâta de fourrager dans le sac.

— Ah, papa, t'aurais pas dû !

— Ben oui, riposta Laurence en riant : laisse-le nous gâter.

Mimi, fébrile, sortit un coffret de bois et remit l'autre à Laurence.

Elles ouvrirent leur boîtier en même temps et un sourire radieux éclaira leurs visages. Laurence parut ravie de son pendentif d'ambre et Mimi se pâma devant son bracelet. Elles se retrouvèrent devant le miroir toutes les deux pour admirer leurs bijoux.

— Je m'excuse pour l'originalité, mais…

— Wow, c'est superbe ! s'exclama Mimi.

— Ça va bien vous faire, vous avez toutes les deux le teint foncé.

Mimi observait avec fascination les insectes qui étaient incrustés dans la résine depuis plusieurs milliers d'années. Laurence apprécia un peu moins cette découverte.

— Puis quoi de neuf, ici ?

— Le Festival d'été achève. Je pourrais faire venir la gardienne demain soir et on irait à un spectacle. Qu'en penses-tu ?

— Oui. Bonne idée.

Mimi proposa de donner le bain à bébé pendant que son père discuterait avec Laurence. Duval remercia sa fille et lui glissa deux billets de vingt dollars pour avoir aidé Laurence, mais elle les refusa du revers de la main.

— S'il te plaît.

— Non, je fais ça gratuitement. Si tu veux me faire plaisir, viens à mon concert, jeudi soir, au pavillon Casault, à huit heures. Madame Marino va être là avec Francis.

Elle lui remit un billet.

— C'est dix piastres.

L'argent amassé irait à la Croix-Rouge libanaise. Beyrouth s'enfonçait chaque jour un peu plus dans la guerre civile. Un raid israélien venait de faire trente morts au Sud-Liban. Le bilan des morts s'alourdissait le soir au téléjournal : femmes, enfants, civils innocents. Outrée par le conflit, Mimi et ses amis s'impliquaient dans un collectif antiguerre… Le Liban devenait une morgue à ciel ouvert.

— Je serai là.

Elle s'éloigna de son père pour éviter qu'il la supplie de prendre l'argent.

Après avoir changé la couche de bébé, Mimi le remit à Laurence, qui l'allaita. Duval proposa d'aller reconduire sa fille en voiture, mais elle était venue sur l'ancien vélo de sa mère. Laurence la remercia pour sa présence des deux derniers jours à la maison.

Pendant qu'elle allaitait, Laurence avisa son mari que le rédacteur de la revue *Sûreté* avait appelé pour lui rappeler la date de tombée de l'article qu'il avait promis.

— Vendredi ? Ah non ! Pas encore du travail.

— Qu'est-ce que tu dois écrire ? demanda Mimi.

— Comme ça fait vingt ans que je suis dans la SQ, on m'a demandé d'écrire un texte sur le métier. J'ai le titre : « Vingt ans plus tard ».

Pas très original, pensa-t-il, à voir la moue de Laurence et de Mimi.

— J'ai plein d'idées, mais ça se tient pas. Je vise à gauche, tire à droite et au centre. Un paquet d'anecdotes, comme un sac de bonbons mélangés.

— Tu devrais rédiger ton article en abécédaire.

— C'est quoi, cette patente-là ?

— Pour chacune des lettres de l'alphabet, tu développes un thème, une idée.

— Qu'est-ce que tu fais avec les lettres W, X, Y, Z ?

— Tu cherches…

Duval pensa que ce raccourci lui permettrait d'écrire les idées qu'il avait notées dans l'avion.

Avant de se coucher, il fit couler un bain dans lequel il versa du gros sel, ce qui l'aidait à soulager ses raideurs musculaires. Il mit le rhéostat à faible intensité et se glissa dans le bain chaud. Comme il lui arrivait souvent après un marathon, il creva l'ampoule qu'il avait sous l'ongle de son gros orteil. Il tira d'un coup sec et l'ongle se détacha sans trop de mal.

Pendant que Laurence chantait des berceuses à leur enfant, Duval songea qu'ils étaient ensemble depuis plus de cinq ans. Il faudrait bien fêter ça, ces noces de tôle. Il réfléchit à des projets qui pourraient plaire à Laurence. Il écarta l'idée d'un voyage à cause du bébé. Pendant quelques années, il leur serait impossible de réaliser tout ce dont ils avaient rêvé dans le passé. Il pensa à l'inviter à L'Astral, le restaurant rotatif situé au vingt-huitième étage de l'hôtel Loews-Concorde. On y bénéficiait de la plus belle vue sur Québec.

Des élancements, telles des vrilles, lui perçaient la chair. Il grimaça de douleur. Il lui faudrait un massage sportif pour passer à travers la semaine.

Daniel et Laurence venaient d'emménager dans cette nouvelle maison. Ils avaient passé un an dans une résidence cossue d'un quartier bourgeois de Cap-Rouge. Le lieutenant s'y était ennuyé pour mourir. Ce n'était pas son milieu. Il avait souhaité racheter sa première maison à Québec avant que la nouvelle propriétaire ne la détruise à force de la transformer. C'est dans cette résidence qu'il s'était reconstruit après la mort de sa femme. Louis avait réussi à convaincre la nouvelle propriétaire de revendre le cottage, mais lorsque Duval avait proposé à Laurence d'aller y vivre, elle avait refusé net. Heureusement, il avait pu sauver un vieux vitrail de la rénovation pour une bouchée de pain. Le couple avait pris la décision d'acheter une maison pour laquelle ils auraient un coup de cœur. Ce fut la vingt-troisième résidence visitée. Elle avait trois étages, une jolie rotonde en briques orangées surmontée d'un toit versant.

En sortant du bain, il réfléchit à ce qu'il pourrait inscrire à la lettre A dans son abécédaire. Tout en se rasant, il eut un moment d'inspiration. Il se dirigea à son bureau de travail.

A – Ambulance / Absurdité du métier.
1963. Je suis patrouilleur. Je me rends sur la scène d'un grave accident de circulation sur la route transcanadienne à la hauteur d'Upton.

Un face à face violent. J'arrive en même temps que la première ambulance, un de ces monstres qui ressemblait à un vaisseau spatial avec ses ailes arrondies. Presque au même moment, un autre ambulancier, une Cadillac rouge et blanche, se positionne tellement près de la porte arrière que l'autre ne peut plus ouvrir la sienne. À l'époque, c'était premier arrivé, premier à se servir. Engueulade. Invectives. Les Classels – c'est le nom qu'on leur donnera à cause de leur costume blanc des pieds jusqu'au menton – en viennent aux coups. Comme si ce n'était pas assez, un troisième ambulancier arrive en fou et bloque la porte de la seconde ambulance. Pendant ce temps, dans les deux voitures impliquées, gît un couple âgé. La femme semble morte. L'autre véhicule compte un couple et un enfant. Le père, qui n'avait pas de ceinture de sécurité, a été expulsé de la voiture, la femme gémit et l'enfant est blessé gravement. Alors que les survivants des voitures ont besoin d'assistance, les six secouristes sont en train de se battre pour ramasser des cadavres et des blessés. J'ai vingt ans et c'est ma deuxième année dans la police. Je suis choqué. Je me fâche.

Avec mon collègue Bertrand, nous hurlons aux ambulanciers, dont les sirènes continuent à mugir, de s'activer et de dégager leurs portes pour conduire les blessés ou les morts à l'hôpital. Je les avise que je les coffre pour non-assistance à des personnes en danger s'ils ne s'exécutent pas. Sous la menace, ils finissent par obtempérer. Par la suite, j'ai vu ce genre de scène se répéter. Il a fallu attendre une nouvelle loi pour que ce genre d'absurdité prenne fin.

Duval se relut, apprécia l'exercice. Il chercha un thème pour la lettre B, mais ne le trouva pas. Ce serait plus facile avec la lettre C: crime, criminalité, criminel, crapule, corruption, carcéral, coupable, conditions... Une série naturelle toute en C, songea-t-il.

La nuit serait bonne. Il le faudrait, car dès la première heure l'insatiable buveur qu'était Louis-Thomas l'extirperait à grands cris de son lit. Il se glissa sous les couvertures.

Quelques minutes plus tard, Laurence entra dans la chambre, les seins nus, tout rondelets et lourds de lait. Dans la pénombre, il nota qu'elle retrouvait peu à peu ses courbes, et lui ses ardeurs. Elle se blottit contre lui, très serré. De caresse en caresse, de baiser en baiser, le lit s'agita. Avec un peu de chance, le gros Louis-Thomas dormirait sans se rendre compte de rien.

15   Dimanche, 2 août, 3 h 25

Vincent se réveilla dans un demi-sommeil, alerté par les jappements de Frison. Il se demanda un instant ce qu'il faisait là, recroquevillé en position fœtale. Le lieu était frais, dur, pierreux. Puis tout refit surface dans sa mémoire. Il bâilla, se gratta la nuque. Combien de temps avait-il dormi? Le chien, sur ses gardes, grognait, geignait, étouffait ses aboiements en fixant le haut de leur tanière. Vincent regarda sa montre : 2 août. Il avait dormi tout ce temps !

Sa gorge était sèche. Ses narines flairaient encore l'affreuse odeur de brûlé. Il s'étira, bâilla un bon coup. Le chien aboya de plus belle.

— Frison, qu'est-ce qui se passe ?

Il se hissa prudemment, sortit sa tête en dehors de l'ouverture. Une demi-lune apparaissait et disparaissait à travers les nuages gris qui filaient à vive allure. Un banc de brume donnait au lac une coloration laiteuse. Vincent constata qu'une petite bête essayait d'entrer dans leur tanière. Mais le caniche se mit à japper avec plus d'intensité.

— Je t'ai dit de ne pas japper.

À travers le banc de brouillard, il aperçut au même moment, dans la petite anse en contrebas à sa gauche, la silhouette d'un homme, immobile. Il était quelques mètres plus loin. Manifestement, il urinait dans l'eau, et Vincent l'entendit péter plusieurs fois. Alors qu'il l'espionnait toujours, l'homme se mit à marcher vers lui. Le garçon fit de nouveau taire Frison, qui s'était remis à grogner à ses côtés.

La silhouette de l'homme se mouvait dans la brume. Elle semblait disparaître par moments à cause de l'épais voile blanc. Le clapotement de l'eau alerta un ouaouaron qui coassa comme s'il voulait avertir du danger. Vincent aperçut soudain un reflet au bout de la main du tueur. Ce devait être le canon du pistolet.

Il se terra dans son abri de fortune et réfléchit, près de l'état de panique. Il devait fuir. Mais comment se mouvoir avec Frison qui était blessé ? La blessure du caniche avait beaucoup saigné. Il ne pourrait pas le suivre dans l'anfractuosité rocheuse. Et Vincent aurait besoin de ses deux mains pour s'accrocher à la pierre. Il eut une idée. Il s'approcha de Frison, lui répéta de ne pas aboyer.

— Maintenant, je vais te mettre dans mon gilet et on va traverser la galerie.

Après avoir relevé son gilet, Vincent plaqua le chien sur son ventre, mais la bête geignit à cause de sa blessure. Le garçon réinséra son gilet dans son pantalon, serra sa ceinture. La petite tête du chien sortait par le col.

Vincent remonta pour voir où se trouvait le fou. Ce dernier venait toujours droit vers eux. Les premières lueurs du jour commençaient à poindre. Vincent pourrait se diriger s'il arrivait à sortir par l'autre extrémité de ces entrailles de pierre.

Il parcourut quelques mètres sans difficulté avant de prendre sur sa gauche un embranchement qui laissait entrevoir entre les parois de roc une bande de ciel gris. Il se retourna, aperçut les jambes du désaxé qui descendait dans l'ouverture. Le garçon se dépêcha. Il longea la nouvelle galerie. Le parcours devenait plus périlleux. Deux minces appuis de chaque côté lui permettaient de marcher, mais il devait s'agripper aux arêtes rocheuses. Entre ses jambes, dix mètres de vide. Il devait éviter tout faux pas, car une chute serait fatale. La tranche de ciel qui s'ouvrait au-dessus de lui le rassurait avec sa lune vaporeuse. Il marcha ainsi une trentaine de mètres. Derrière lui, l'homme émettait une respiration sifflante, asthmatique. Frison jappa. Vincent lui ordonna de cesser.

Il devait prendre vite une décision. Il scruta l'espace devant et sous lui. Soit il grimpait pour atteindre la crête et se découvrait, mettant sa vie en danger, soit il empruntait une courte pente pour s'engouffrer dans un tunnel étroit, qui laissait filtrer une faible lueur à son extrémité, et regagner l'extérieur. Il choisit de descendre prudemment jusqu'au fond et de s'enfoncer dans la partie souterraine.

Il extirpa Frison de ses vêtements et le poussa dans le tunnel avant de s'y glisser à son tour. Alors qu'il avait toujours trouvé téméraires les spéléologues, il se voyait obligé de ramper dans cette cavité. Il aperçut une dizaine de chauves-souris suspendues au-dessus de sa tête, et d'autres qui revenaient de leur vol nocturne. La faible lumière devant lui signifiait, espérait-il, qu'il pourrait sortir par l'autre extrémité. Être mince lui fournissait un avantage sur son agresseur. Frison, malgré la blessure à sa patte, filait devant lui.

Vincent entendit les pas de l'homme et le son de fragments rocheux qui tombaient dans le ruisseau au fond de la galerie. Il sentit un frisson lui glacer le cuir chevelu, son cœur battait la chamade. Il continua de se traîner dans l'étroit corridor. Ce trou puait les excréments d'animaux.

À cet endroit, le tunnel rétrécissait de façon inquiétante. Vincent devait entrer ses épaules pour s'y mouvoir. Un vrai trou à rat. Le garçon rampait avec une énergie folle. Il progressa de quelques mètres supplémentaires, resta coincé quelques instants avant de réussir à reprendre sa reptation. Les râlements sifflants de l'homme à sa poursuite parvenaient à ses oreilles. Vincent sentit l'odeur âcre de la fumée de cigarette. Devant lui, Frison se remit à japper. Dans l'obscurité, une assourdissante détonation éclaira les lieux pendant une fraction de seconde. Un coup de feu ! comprit Vincent, paniqué. Comme ceux qu'il avait entendus le vendredi soir, mais les décibels étaient multipliés par trente. C'était si fort qu'il éprouva une vive douleur aux tympans. Soudain, il n'entendit plus rien. Avait-il perdu l'ouïe ? La balle devait s'être fracassée contre la roche près de lui, car il avait reçu des éclats pierreux sur le dos et derrière la tête.

Une main ferme saisit sa cheville droite en serrant fort. Vincent cria, mais sa voix lui parut inaudible. Il

agita sa jambe spasmodiquement, mais la main l'agrippait solidement. Vincent voyait Frison aboyer sans
toutefois l'entendre. Le chien aurait aimé intervenir,
mais il ne pouvait plus passer dans l'étroit goulot.
L'étau se resserra autour de la cheville de Vincent,
qui se sentit pris comme un lièvre. Le tunnel sembla
se refermer sur lui.

16

DIMANCHE, 2 AOÛT, 3 H 33

Un cri aigu perça le mur. Duval se réveilla en sursaut. Chaque fois, le pleur de son enfant le prenait
aux tripes, l'arrachait à son lit. Cet appel imposait la
levée du corps. C'était viscéral, animal. Il se traîna
jusqu'à la chambre de Louis-Thomas, alluma la veilleuse. Il chuchota quelques mots doux et toucha le
pyjama de l'enfant. Il était bien mouillé et sans doute
souillé par un « gros cadeau ». Les fortes mains du
lieutenant glissèrent sous le bébé, qui poussait toujours ses sanglots. Il le leva en l'appuyant contre sa
poitrine et l'emporta jusqu'à la table à langer.

Depuis quatre mois, il répétait ces gestes qu'il avait
faits tant de fois, vingt ans plus tôt, avec sa fille. Être
père une seconde fois, à quarante ans, n'était pas une
sinécure.

Il fit glisser la fermeture éclair de la barboteuse,
souleva les petites jambes du nourrisson. Il détacha
la couche bien garnie. Cette tâche le dégoûtait, mais

comme il s'agissait d'une affaire de famille, il ramassait le tout de bonne grâce en levant le nez en l'air.

Il trempa un doigt dans la vaseline et apaisa les fesses irritées de fiston après les avoir nettoyées.

Bébé en profita pour l'éclabousser d'un jet d'urine sur les mains et la poitrine.

— Ah! toi, mon petit délinquant! pesta-t-il.

Le lieutenant reprit l'opération. Les pleurs cessèrent et il eut droit à une risette.

Une fois la couche changée, il porta le coupable dans les bras de sa mère pour l'allaitement nocturne. C'était l'entente. Laurence allait ensuite reporter l'enfant dans son lit, même s'il lui arrivait souvent de s'endormir avec bébé à ses côtés, ce que craignait le lieutenant.

Il blottit l'enfant sur la poitrine de sa femme et Louis-Thomas s'arrima au sein. Les nuits courtes, les cernes sous les yeux n'entamaient pas l'énergie débordante de Duval. Il ressentait la même joie qu'à l'arrivée de sa fille Mimi. Par contre, il avait fallu composer avec les cours prénataux, et surtout ceux de préparation au baptême, qu'il jugeait inutiles. Le prêtre leur avait demandé d'apprendre une longue prière par cœur. Pas question! C'était fini, ce temps-là. Il ne voulait plus voir un prêtre s'immiscer dans leur vie privée et imposer son diktat. Ses journées au bureau étaient si densément occupées qu'il tenait à son intimité. Et dire qu'il n'avait pas fini d'emménager dans cette nouvelle maison ni d'effectuer de menus travaux qui nécessitaient du temps!

Heureusement, la cérémonie du baptême aurait lieu le dimanche dans deux semaines.

Quelques minutes après le boire, Laurence et l'enfant s'endormirent. Duval n'aimait pas dormir à côté du bébé. L'angoisse à l'idée de rouler par mégarde ses quatre-vingt-dix kilos sur le corps minuscule l'empêchait de dormir. Avec maintes précautions, il souleva Louis-Thomas et marcha à pas feutrés vers la chambre, prenant garde de faire craquer les lattes. Il le déposa dans son lit comme le bien le plus précieux qui soit, retira doucement sa main de sous sa tête, sortit de la chambre comme un voleur en refermant la porte délicatement.

Il bâilla et s'endormit aussitôt. Il fut réveillé quinze minutes plus tard par Laurence qui s'agitait en rêve. Elle cherchait son bébé entre eux.

— Je l'ai remis dans son lit, rendors-toi.

Elle marmonna quelques mots, plongea à nouveau dans le sommeil.

Duval regarda l'heure : trop tôt pour se lever. Il ne restait qu'une journée avant de retourner au boulot. Vu sa fatigue, la semaine serait longue. Les nuits, la vie n'était plus pareille.

17 DIMANCHE, 2 AOÛT, 3 H 42

De l'autre pied, Vincent rua si fort qu'il réussit à frapper l'homme au visage ; celui-ci hurla, lâcha prise. Vincent expira, tira ses longues-vues qui l'encombraient et se projeta en rampant le plus vite possible. Heureusement, le goulot s'élargissait. Il se retrouva rapidement à l'extrémité du tunnel, dans une chambre qui faisait à peine trois mètres carrés mais au moins quinze mètres de hauteur. Et c'était de cette hauteur que provenait la lumière. Frison, tout fébrile, se frottait contre lui. Vincent n'entendait pas ses jappements. Il était sourd. Comment pourrait-il grimper le long de ce mur ? Mais avant de songer à escalader la muraille, il devait se protéger du fou. Il choisit une pierre sur le sol et se posta à côté de l'ouverture afin de ne pas être dans la trajectoire des balles. Il visualisa la scène, anticipant ce qui allait survenir. Il se vit frapper avec une force inouïe le meurtrier.

Vincent sursauta en sentant des éclats de roche lui pincer la cheville. Une balle s'était écrasée derrière lui contre le roc.

Il vit que Frison jappait encore. À nouveau, des fragments de pierre touchèrent Vincent. Il se couvrit les yeux pour se protéger. Puis il comprit que la corpulence du désaxé l'empêchait de passer par le goulot du tunnel. D'où son insistance à tirer.

Le garçon leva la tête. Il lui fallait sortir de là avant que le fou ne le coince par l'extérieur. Sans doute son poursuivant songeait-il à cette possibilité. Vincent prit son chien et le remit dans sa poche ventrale. Puis il chercha les aspérités dans le roc. L'endroit ressemblait à une marmite ou à un puits naturel. Le garçon contempla le ciel, si haut. « Seb, donne-moi la force », le supplia-t-il. Il se visualisa en couguar. Il saisit une saillie de la main droite, posa le bout de son pied dans une petite cavité, répéta le geste avec l'autre main et l'autre pied. Il s'éleva de trois mètres puis resta coincé. Dans la semi-obscurité, il tâta la paroi pour trouver une prise, cherchant les rares appuis qui s'offraient à lui. Il s'accrocha à un caillou à un demi-mètre au-dessus de sa tête, mais quand il tira de tout son poids sur la pierre, elle se détacha et faillit l'entraîner vers le bas. Il sentit une griffe de Frison lui égratigner la poitrine. Une vive chaleur se répandait dans sa main droite. Le bord de sa paume saignait. Il regarda tout autour de lui, en proie à la panique. « Calme-toi ! » lui intima sa voix intérieure. Cette ascension dans un silence total était encore plus angoissante, le vide sonore décuplant sa peur. Il repéra à l'aveuglette une mince excroissance rocheuse à sa droite, juste au-dessus de celle qui s'était rompue, puis une infime corniche pour poser les pieds. Il n'avait pas le choix. Au pire, il pourrait toujours retourner se réfugier dans le tunnel et remonter par l'autre côté. « Non. Pas question », se dit-il. Le malade l'attendait peut-être là-bas. Il se risqua à monter. Il s'élança et trouva une prise. Mais cette position instable lui causa rapidement une fatigue musculaire. Il aperçut à moins d'un mètre une belle aspérité et s'y accrocha, puis posa le bout du pied sur un mince repli pierreux. Ses bras étaient maintenant hors du trou. Il s'accrocha à des racines et s'extirpa de sa fâcheuse position.

La lumière de l'aube à travers le couvert gris lui donna espoir. Le jour se levait. Il vit des oiseaux voler çà et là, mais il n'entendait pas leurs chants. Seul un insoutenable bourdonnement résonnait au creux de ses oreilles. Il parla à Frison, mais sa voix resta inaudible. Essoufflé, le garçon reprit haleine avant de décider de la marche à suivre. Pour ne pas se perdre, il devrait longer le chemin de terre. C'était son seul repère. Gagner la route 155 par où il était arrivé.

Il se rendit compte qu'il était près de la décharge du lac. La roulotte se trouvait à huit cents mètres derrière lui. En prenant par le bois, il pourrait rejoindre le chemin et se cacher dans le fossé au besoin.

Mais il ressentait une soif insoutenable. L'eau de la décharge lui donnait envie de se désaltérer. Mais on lui avait enseigné, durant son passage chez les scouts, qu'il ne fallait pas boire l'eau des lacs et des rivières. Les animaux y laissaient des matières fécales. À moins de faire bouillir l'eau, il valait mieux oublier cette tentation. Ceux qui s'y risquaient pouvaient se retrouver à l'hôpital pour plusieurs jours. Être malade d'une gastro-entérite ici signifierait une mort certaine. À défaut de trouver une source souterraine, il devrait endurer son besoin de boire. Par contre, il amena Frison au bord et le chien se désaltéra longuement. Vincent se contenta de s'éponger le visage.

Frison se mordait de plus en plus la patte. Vincent observa la blessure. Elle avait enflé à la cuisse. Il trouva pour son caniche un bout de bâton sur lequel mordre. Frison ne tarda pas à le faire rouler dans sa bouche. Vincent encouragea le chien. Il ne pouvait rien faire d'autre qu'espérer sortir du bois et le conduire chez un vétérinaire.

Le garçon décida de rejoindre le chemin qui lui permettrait de marcher jusqu'à la route et de quérir de l'aide. Il scruta avec soin les alentours. Il ne vit pas le fou. Il s'approcha à pas lents du chemin. Un mince couvert de brume se mouvait lentement. À la lisière du bois, la vue d'une talle de bleuets déclencha un élan vers les petits fruits. Il arracha frénétiquement les baies gorgées de rosée et d'eau de pluie et les engouffra, y trouvant un moyen à la fois de se désaltérer et de se nourrir. Dans sa compulsion, il enfournait par inadvertance des feuilles qu'il mâchouillait. Il pensa aux ours noirs qui étaient friands de bleuets. Il n'avait pas peur d'en croiser un. La véritable bête dans ce bois avait deux jambes et appartenait à l'espèce humaine. Elle avait tué froidement ce qu'il avait de plus cher. C'était cela, la vraie menace. Le pire des carnassiers. Ni le carcajou ni les loups ne pouvaient lui causer plus d'effroi que cet animal fou furieux qui avait abattu son grand-père et son frère.

Frison trouvait aussi son compte dans cette oasis bleue. Il avalait goulûment les baies. Vincent compensait sa surdité en jetant des regards à gauche et à droite. Tout à coup, il s'aperçut que Frison ne se gavait plus avec lui. Il le chercha des yeux et le vit, un peu plus loin, qui jappait vers le chemin. Mais comme Vincent avait tourné le dos à celui-ci pendant un moment, il se demanda pourquoi Frison agissait ainsi. Il n'y avait personne de visible. Était-ce une voiture ? s'interrogea le garçon. Comme le sol était détrempé, il ne pouvait se fier à l'apparition d'un nuage de poussière pour le savoir. Mais une fois rendu au bord du chemin, Vincent aperçut effectivement des traces fraîches de pneus. Était-ce le fou qui venait de passer devant lui ou quelqu'un d'autre qui aurait pu le sortir de cet enfer ?

DEUXIÈME PARTIE

SANG D'ENCRE

18

La journée s'écoulait paisiblement, ponctuée par le tintement des cent clochers de Québec. La matinée fraîche, tout en clarté, annonçait un bel après-midi.

Les oiseaux pépiaient, se relayant du hêtre à la mangeoire. Assise au piano, à côté de la porte-fenêtre, Laurence jouait une suite de Bach. Derrière elle, dans son parc, Louis-Thomas agitait un sablier, le manipulant dans tous les sens. Dans la salle à manger, Duval entassait dans un sac tout l'équipement nécessaire avec un bébé : suce, couche, serviette, ombrelle et coussin à langer. Il alla à la fenêtre pour s'enquérir de la température.

Dans la rue du Parc, les automobilistes cherchaient un stationnement. Les plaines d'Abraham et les rues avoisinantes étaient prises d'assaut. Paniers de pique-nique et glacières à la main, les Québécois marchaient vers le parc des Champs de bataille. L'Orchestre symphonique de Québec devait y présenter gratuitement la *Symphonie pastorale*, de Beethoven.

Duval allait chercher son fils quand le téléphone sonna.

— On répond ? demanda Laurence.

Duval hésita, mais la tentation l'emporta.

— Allô ?

— Salut, c'est Louis. Je m'ennuie de Leslie-Ann, de sa poitrine débordante, de ses cuisses fermes et longues, de ses tétons durs et de ses lèvres de velours. Je pense à elle et je bande.

— Tu m'as pas téléphoné pour me faire un appel porno ?

S'ensuivirent un long soupir et le thème de *Chariots of Fire* qui jouait à fort volume.

Le Gros s'était finalement décidé à rentrer à Québec. Il était apparu à la dernière minute dans l'avion, rouge comme un poivron et avec une énorme sucette dans le cou. Leslie-Ann avait refusé de passer une semaine de plus à Cancún. Comme Louis prenait dans deux semaines ses « vraies » vacances, il avait préféré de pas laisser tomber ses collègues.

— Je voulais t'inviter à venir voir une course de drag.

— Je sors avec Laurence et Louis-Thomas. On va assister à un concert sur les plaines.

— De quoi ?

— De Beethoven.

— Pauvre Dan ! Je préfère le bruit des moteurs…

— On se voit demain.

Le lieutenant, qui boitillait toujours légèrement, porta le bébé jusqu'à la poussette. Il le sangla dans son siège et ramassa le hochet que Louis-Thomas avait de nouveau projeté à terre.

Pour la première fois depuis son enfance, il vivait dans une maison en rangée avec un petit jardin à l'arrière. Le compromis avait été de se retrouver à mi-chemin des habitations qu'ils occupaient quand Laurence et lui s'étaient rencontrés. Elle demeurait dans le Quartier latin, rue des Remparts, près de l'Hôtel-Dieu, et il habitait dans Saint-Sacrement. Ils avaient eu un coup de cœur pour une maison du quartier Montcalm qui portait les marques du temps. Il découvrait peu à peu son voisinage – des gens discrets, ce qui lui plaisait. La vie à proximité de millionnaires lui avait déplu. Il avait ri en apprenant qu'on venait d'installer des litières pour chats dans les rues de son ancien quartier. Il n'appartenait pas à ce monde-là. Il avait détesté la mesquinerie de certains longs nez, comme il les nommait, qui s'étonnaient de voir un policier vivre dans le luxe alors qu'ils ignoraient que Laurence gagnait quatre fois son salaire et qu'il avait reçu une forte indemnité à la mort de sa femme. Les allusions à la corruption et aux pots-de-vin – même s'il s'agissait de boutades – passaient mal. Toutes les généralisations sur les policiers l'écœuraient et, surtout, le fait d'être mis sur la défensive par des « m'as-tu-vu prétentieux » qui étalaient leurs biens à la face du monde. Dans sa nouvelle rue, il vivait en paix avec son milieu. Il n'avait rien contre la richesse, mais aucune estime pour les exhibitionnistes-matérialistes. Enfant d'Hochelaga-Maisonneuve et du quartier Rosemont, il s'était toujours senti solidaire de son ancien monde.

Laurence apparut, radieuse et pimpante dans sa robe d'été qui moulait son corps. Elle offrit un doudou à Louis-Thomas et le couple suivit le train des promeneurs du dimanche.

19

Le lieutenant aimait vivre près de la centrale, qu'il atteignait en dix minutes de marche. Il s'évitait les bouchons de circulation et surtout les tarés du volant, un vrai fléau à Québec. Si les études comportementales démontraient qu'une foule avait un âge mental de cinq ans, la moyenne des conducteurs de Québec en avait trois, pensait-il.

Il claudiquait légèrement. Pas de presse, il était toujours en avance. Dans la fraîcheur matinale, il songea au livre qu'il voulait écrire sur Gérard Côté. Ce dernier était toujours vivant. Duval aurait voulu le faire connaître à ses compatriotes. Gagner quatre fois le marathon de Boston et une fois celui de New York s'avérait un accomplissement hors du commun. L'idée s'incrustait peu à peu dans son esprit. La beauté du matin, une journée lumineuse où tout semble possible, donnait prise à son projet.

En arrivant devant l'édifice de la SQ, à la hauteur du Grand Théâtre, il observa des enfants qui jouaient avec des pistolets à pétards. Un enfant était embusqué derrière les haies de cèdres. Une fois découvert et touché, il tombait en feignant la mort.

Duval s'engagea dans l'allée menant au portique quand le garçon avec le chapeau de cow-boy blanc s'adressa à lui. Il ne devait pas avoir plus de cinq ans.

— Monsieur, es-tu une vraie police ?

La main sous le menton, Duval feignit de réfléchir à la question.

— Une vraie police… Je pense que oui.

Le gamin, impressionné, se tourna vers son ami à la plume d'Indien.

— Je te l'avais dit, Jérôme, c'est une vraie police. As-tu un vrai revolver ? reprit-il en regardant de nouveau le lieutenant.

— Oui.

— Je peux-tu l'voir ?

— Il est en haut, dans mon bureau.

— As-tu tué du monde ? demanda l'enfant en prenant un air grave.

— Non.

— Ah, c'est plate !

— Bin non, voyons ! C'est pas agréable de tuer. Les criminels tuent, pas les policiers. Toi, tu joues aux cow-boys ou à la police ?

— Moi, je veux être police plus tard. Comme toi !

— Comment tu t'appelles ?

— Éric… Éric Lemelin, dit le garçon en ravalant sa salive.

— Bien, au plaisir de travailler avec toi un jour, caporal Lemelin, dit le lieutenant en saluant le garçon et son ami resté en retrait.

Dans le vestibule, des membres du club social avaient accroché une banderole félicitant les olympiens du boulevard Saint-Cyrille. Les mentions « Bravo, Loulou ! » et « Bravo, Dan ! » avaient été peintes en grosses lettres rouges.

Quand il passa devant le comptoir du répartiteur, celui-ci l'avisa qu'une madame Hébert et son conjoint l'attendaient devant son bureau, qu'ils avaient fait une déposition la veille concernant une disparition d'enfants avec leur grand-père. Duval frissonna intérieurement. Les mots « disparition d'enfants » le laissaient toujours plein d'appréhension.

Après avoir pris son courrier, lu le mémo du rédacteur de la revue *Sûreté* lui rappelant encore la tombée pour son article, il monta l'escalier en feuilletant les communiqués. Il prit connaissance d'une assignation à témoigner devant la Commission de police : une sordide histoire de viol collectif d'une femme enceinte. Ils avaient enfin pu retrouver le troisième suspect, un courrier lié aux Hell's Angels. Cette affaire l'avait remué dans ses fibres profondes et il y avait mis encore plus de zèle que d'habitude. Et Louis aussi... Il faudrait expliquer à la Commission pourquoi le Gros avait fracassé le crâne du motard, mais un mensonge véniel ne l'empêcherait pas de dormir tant que l'affreux trio croupirait derrière les barreaux. Ce serait la première fois qu'il aurait à fabriquer un témoignage. Le Hell's avait fait un doigt d'honneur au Gros Louis avec sa bague à tête de mort en argent bien visible. Pendant que le Hell's gisait inconscient aux portes de l'enfer, Duval et Louis avaient cherché une histoire pour justifier cet assaut. Soudain, Duval avait pris la bague du Hell's et avait frappé Louis sur la mâchoire. Il avait ensuite glissé la bague maculée de sang dans le doigt du Hell's. « Légitime défense », avaient écrit Louis et Duval dans leur rapport. Le procès avait été retardé de plusieurs mois en raison des blessures que Louis avait infligées au motard. L'avocat des motards avait soumis l'affaire devant la Commission de police. Le témoignage de Duval se résumerait ainsi: Louis avait été frappé et il avait répliqué. De toute façon, le poilu ne se souviendrait de rien. Harel, quant à lui, n'accusait aucun remords. Avec tout le sérieux du monde, il affirmait qu'il n'y avait pas d'anges en enfer. D'après lui, cette fausse représentation nuisait aux anges bienheureux que sont saint Gabriel, saint Michel et saint Raphaël. Harel avait avoué à Duval qu'avec la Charte des droits et libertés qui serait bientôt votée, il ne serait plus possible de sauter sur des motards pour arracher leur « patch » et leur casser la gueule. Que le bon vieux temps tirait à sa fin. Qu'il fallait en profiter. Duval lui avait répliqué de ne rien dire de tel à la cour ou à quiconque.

Il y avait aussi dans sa boîte d'assignation le dossier de disparition. Le procès-verbal indiquait que la mère était venue la veille en fin d'après-midi. Il en lut les grandes lignes.

Le couple patientait dans la salle d'attente. Duval s'avança, tendit une main à la dame qui affichait une grande nervosité.

— Madame Hébert ?

— Oui.

— Lieutenant Daniel Duval.

Elle lui présenta son accompagnateur.

— Voici mon ami, Pierre Paradis. Nous sommes venus, hier en fin de journée, signaler la disparition de mes deux fils et de mon père.

La main tendue, Duval les invita à passer dans son bureau. Le lieutenant alluma le plafonnier, fit signe au couple de s'asseoir. La pièce sentait le renfermé après dix jours d'absence. Duval ouvrit la fenêtre qui donnait sur la rue Lockwell.

— Écoutez, je n'ai pas pu lire en totalité votre déposition, dit le lieutenant en s'installant derrière son bureau. On vient de me confier votre plainte. Racontez-moi en détail les circonstances entourant cette disparition.

La femme hocha la tête fébrilement. Jolie, dans la mi-trentaine, elle portait une robe bain de soleil blanche et affichait un bronzage uniforme. Ses longs cheveux noirs étaient parsemés de quelques filaments blancs. L'anxiété qu'elle dégageait était palpable comme les pics d'un barbelé sur la peau. Elle avait les traits tirés, des cernes et surtout cette terrible angoisse figée dans les yeux. Marie Hébert et son copain étaient rentrés de vacances le vendredi.

Duval ouvrit son carnet.

— À quelle heure êtes-vous arrivés chez vous ?

— Vers cinq heures de l'après-midi.

— Vous êtes allés où ?

— À Cape Cod.

— Un bel endroit. Je connais bien, dit le lieutenant par politesse et pour mettre le couple en confiance.

Il commença à prendre des notes. Le père de Marie Hébert avait gardé ses petits-enfants, Vincent et Sébastien, durant cette semaine. Il avait promis de les emmener en camping et ils devaient revenir à leur tour le samedi. Dimanche, toujours sans nouvelles de son père et de ses deux enfants, elle avait signalé leur disparition. On lui avait répondu que le dossier serait ouvert lundi.

Duval opina du chef.

— Comme vous savez, il faut attendre vingt-quatre heures après l'avis de disparition pour lancer officiellement des recherches.

— Je trouve vraiment inadmissible qu'on perde du temps précieux, lança Pierre Paradis.

— Ça peut paraître ingrat, mais je vais vous expliquer. Dans la plupart des cas, les disparus sont retrouvés sans intervention policière en dedans de vingt-quatre à quarante-huit heures. S'il fallait déclencher des enquêtes pour tous les cas, notre service ne fournirait plus.

L'homme soupira, manifestement peu convaincu par l'explication du lieutenant. Ce dernier décida de poursuivre sans attendre.

— J'aimerais maintenant que vous m'exposiez les arrangements qui étaient prévus avec votre père : date de départ, arrivée, endroit où ils avaient décidé de séjourner.

— Ils devaient partir samedi, il y a une semaine, mais mon père m'a laissé un mot pour me dire qu'il avait eu un dérangement intestinal. Le message était collé à la fenêtre de sa porte de cuisine.

— Ils sont partis quand ?

— Le message était daté de ce vendredi. Mon père disait qu'il reviendrait samedi en fin d'après-midi.

— Êtes-vous sûre que c'est son écriture ?

— Oui, c'était la sienne.

— A-t-il d'autres problèmes de santé ?

— Il a des ulcères depuis que ma mère est morte. Il a été très affecté.

— Quand est-elle décédée ?

— Il y a un an.

Elle sortit de son sac une enveloppe avec des photos de ses garçons, qu'elle remit au lieutenant.

— Quel âge ont-ils ?

— Vincent aura bientôt quatorze ans et Sébastien, six ans.

Duval prit les photos. La femme étouffa un sanglot et son ami posa une main sur son épaule en lui chuchotant un mot à l'oreille.

— Est-ce que je peux les garder au dossier ?

— Oui, murmura-t-elle.

— Dites-moi maintenant ce qui est arrivé.

— Nous sommes partis samedi dernier pour Cape Cod. Puisque Pierre et moi allions fêter notre cinquième année de vie commune, nous avions décidé de passer une semaine de vacances à Hyannis. Mon père m'avait proposé de garder les enfants. J'avais accepté…

Un long silence s'ensuivit. Elle eut du mal à poursuivre. Elle laissa couler quelques larmes et Duval lui tendit un mouchoir.

— Mon père s'est acheté une roulotte dernièrement. Il avait promis aux enfants de les emmener en forêt. Ils avaient vraiment hâte de partir. Il leur contait toutes sortes d'histoires avec des animaux et il disait qu'il allait faire l'appel du loup. Mon père est un amant de la nature et la faune est l'un des liens forts qu'il a avec mes enfants.

— Avez-vous une photo de la roulotte ?

— C'est écrit Appalaches sur les côtés, l'informa Paradis.

— Je vais pouvoir obtenir le modèle de la roulotte par le Bureau des immatriculations. Savez-vous où ils devaient aller ?

— Non. Mon père hésitait, il disait que ce serait une surprise.

— Quand deviez-vous aller les chercher ?

— Il m'avait dit de venir les prendre samedi en début de soirée. Après avoir téléphoné plusieurs fois, on est passés chez mon père. Il n'était pas là. J'ai trouvé le message sur la porte. J'ai téléphoné souvent dans la soirée. Comme il n'y avait pas de réponse, je me suis rendue chez lui vers onze heures. J'ai alors pensé, pour me rassurer, qu'ils avaient décidé de passer une nuit de plus dans le bois parce qu'ils avaient dû retarder leur départ. J'ai rappelé tôt le lendemain matin ; toujours pas de réponse. Pierre et moi, on est retourné à la maison de papa pour les attendre. Puis, en fin de journée, je suis venue signaler la disparition.

— Quelle est l'adresse de votre père ?

— Il habite Sainte-Foy, dans la rue Moreau.

— Est-il du genre à prolonger un séjour quand ça lui plaît ?

— Non, c'est pas son genre. S'occuper des enfants lui demande beaucoup d'énergie. Il est content de les prendre et heureux de nous les rendre.

Elle esquissa son premier sourire.

Une grosse voix résonna dans le corridor. Louis, la figure écarlate, entra dans la pièce comme un obus prêt à exploser. Il s'était pris un coup de soleil en plein visage lors de sa dernière journée au Mexique, qu'il avait passée avec Leslie, assis au bar-chaumière dans la piscine, à boire de la sangria.

— Excusez-moi. Je ne savais pas que tu étais occupé.

— Louis, je te présente madame Hébert et monsieur Paradis.

— Madame, j'ai su pour la disparition de votre
famille. On va tout faire pour les retrouver, affirma
Louis, que le capitaine Dallaire avait avisé du dossier.

S'apercevant que le couple le regardait bizarrement,
Louis se justifia.

— Je reviens du Mexique. J'ai eu un face à face
avec le soleil.

L'homme et la femme sourirent timidement avant
de se tourner vers Duval. Les brûlures de Louis étaient
le moindre de leurs soucis. Louis s'affaissa dans un
fauteuil.

Duval repassait avec son stylo sur les lettres du
mot « mari » dans son calepin. Il ajouta un point d'in-
terrogation et souligna le mot.

— Pourquoi ne pas avoir confié la garde des
enfants à votre ex-mari ?

Elle hocha la tête. Son copain lui caressa l'épaule
pour la réconforter.

— Après notre divorce, mon mari avait la garde
des enfants deux jours sur quatorze. Quand il a fait
sa dépression et que sa santé s'est détériorée, j'ai
demandé à la cour la garde exclusive. Il peut les voir
deux heures par semaine, mais accompagné. L'entente
est judiciarisée.

— Quand vous dites que sa santé s'est détériorée,
entendez-vous aussi que son comportement avait
changé ?

— Oui, il était plus agressif, il perdait patience.

Son ami intervint aussitôt.

— Dis-lui ce qui s'est passé, Marie. Va droit aux
faits.

Elle poussa un long soupir.

— Mon ex-mari était très en colère d'apprendre qu'il n'aurait pas la garde des enfants durant notre semaine de vacances à la place de mon père. Il m'a fait toute une scène avant de partir. Il m'a dit qu'il allait se tuer. Pour lui, c'était une date à oublier. Vous comprenez, ça fait cinq ans que j'ai divorcé.

La grosse voix de Louis interrompit la jeune femme.

— Votre mari n'a jamais accepté votre départ?

— Non. Il ne s'en est jamais tout à fait remis. Il s'est mis à boire et à prendre des médicaments.

— Dépressif au sens médical du terme? demanda Duval.

— Oui.

— Est-il suivi par un médecin?

— Je crois que oui, mais il arrête souvent ses traitements. Il prend du lithium.

— Quand l'avez-vous vu pour la dernière fois?

— Quand je suis allée chercher les enfants, la fin de semaine d'avant.

— La querelle a eu lieu à ce moment-là?

— Non, au téléphone.

— Qu'est-ce qu'il vous a dit?

— Qu'il était fini. Qu'il n'avait plus rien à espérer. Que j'allais le regretter un jour...

— Du chantage émotif... la coupa Paradis. Marie a été très affectée par cet appel.

De la main, Duval demanda à l'homme de laisser poursuivre Marie Hébert.

— A-t-il ajouté autre chose après avoir dit que vous alliez le regretter?

— Non, j'ai raccroché. Il était trop en colère. Il sacrait.

— Avez-vous été victime de violence conjugale?

— Oui, deux fois.

— Avez-vous porté plainte?

— La deuxième fois.

— Votre ex-mari était donc quelqu'un de violent ?

— Surtout en paroles et uniquement à la fin de notre relation. Plus rien n'allait à son boulot ni dans sa vie.

— Quel est son métier ?

— Enseignant dans une polyvalente.

— Est-ce que c'est un homme jaloux de nature ?

— Oui.

— En passant, est-ce que votre père comptait aller à la pêche ?

— Je ne sais pas. Mais je sais qu'il aime la pêche.

Duval se leva. Il sentait que le temps pressait. Dans les cas de disparition d'enfants, les premières heures de l'enquête étaient primordiales. Après, les chances de les retrouver en vie s'amenuisaient. Dans ce cas, les enfants étaient accompagnés d'un adulte. Le lieutenant avait inscrit dans son carnet une série de conjectures : « panne », « perdus en forêt », « accident cardiovasculaire », « noyade chaloupe », « enlèvement », et « M » pour meurtre... en espérant que, tout simplement, le voyage se prolongeait de quelques heures encore.

Duval regarda sa montre.

— Si vous me le permettez, j'aimerais examiner la maison de votre père. Avez-vous une clé ?

— Non.

— Comment avez-vous fait pour lire le message qu'il vous a laissé ?

— Il l'avait collé à la fenêtre.

— Je vais appeler un serrurier pour qu'il nous ouvre, si vous n'avez pas d'objections.

— Allez-y.

— Pourriez-vous m'écrire les adresses de votre ancien mari et de votre père ? demanda le lieutenant en lui tendant un crayon et son calepin.

Il tourna la page pour qu'elle ne lise pas ses hypothèses, et la femme s'exécuta.

— Bien. On s'y rend tout de suite.

Le couple se leva. D'un coup de tête, Duval invita Louis à le suivre. Le lieutenant accompagna le couple jusqu'à l'escalier et les salua. Il aurait aimé parler tout de suite à Prince et à Tremblay, ses deux autres collègues qu'il mettrait au travail sur ce cas, mais ils participaient ce matin-là à une activité communautaire dans un camp de jour et ne seraient de retour qu'à neuf heures.

20

Après avoir avalé autant de baies qu'il le pouvait, Vincent se décida à rejoindre la route. La veille, il avait longé presque toute la journée le chemin de terre, sourd à tous les bruits et en conséquence toujours sur le qui-vive, avant de se terrer dans un fourré, épuisé, pour y passer la nuit. Il n'avait trouvé qu'une autre talle de bleuets sur son chemin et il avait donc pigé quelques guimauves dans le sac pour tenter d'apaiser son estomac. Frison, qui n'allait pas très bien, s'était laissé porter presque tout le temps. La nuit avait été difficile et la faim, la soif et l'angoisse avaient empêché le garçon de vraiment dormir.

Il avait couvert à peu près trois kilomètres depuis son réveil quand il aperçut, en sortant d'un virage, la

Ford de son grand-père, stationnée sur le bas-côté, à moins de cent mètres. Pris de panique, il se jeta dans le fossé. Son cœur battait fort la mesure de la peur. Il se passa plusieurs minutes avant qu'il ose remonter le fossé pour regarder avec ses longues-vues. Il ne voyait pas la tête du conducteur à travers la lunette arrière. Mais cela, pensait-il, ne signifiait pas que l'homme était hors de la voiture. Il pouvait aussi bien faire la sieste que s'être arrêté pour ses besoins naturels, ou peut-être l'attendait-il à cet endroit pour le coincer ?

Vincent se tourna. À travers le ramage des arbres se dessinaient les eaux grises et lisses d'un lac, tel un arrière-plan de vitrail sans lumière. À proximité, un sentier rarement foulé donnait accès au cours d'eau. Il décida de l'emprunter pour rejoindre la partie est du lac. Après quelques mètres, Frison agita frénétiquement ses pattes contre lui tout en mordillant son chandail. Vincent s'arrêta. Le chien ne jappait pas, mais il était tendu.

Vincent regarda tout autour. Il ne voyait rien. Lentement, il s'approcha de la rive. Le chien manifesta à nouveau une grande agitation. Entendait-il ou percevait-il quelque chose que lui ne pouvait ni ouïr ni sentir ? se demanda le jeune garçon. Il déboucha sur une petite plage. Le chien le mordilla, ses oreilles tendues et sa truffe à l'affût. Vincent comprit alors le danger de la situation. À moins de cinquante mètres, le tueur était dans l'eau à mi-cuisse. Il se frottait le visage et le corps à grands jets. Vincent se camoufla dans la végétation et déposa doucement Frison sur le sol. Il observa le détraqué avec sa lunette d'approche. Pourquoi s'énervait-il ainsi ? On eût dit un animal plein de puces. Étaient-ce les mouches ? Mais en s'approchant encore de dix mètres, Vincent discerna un visage grimaçant et souffrant. Et quand l'homme se releva, Vincent comprit pourquoi. Le visage hideux semblait avoir été brûlé. Il était rouge, boursouflé, ses cheveux avaient roussi. Les cartilages du nez et de l'oreille avaient fondu. La blessure était récente. Vincent en déduisit qu'il s'était brûlé en incendiant la remorque. Un grand sourire s'arqua sur le visage du garçon.

En faisant un mouvement vers la droite, il sentit qu'il venait de marcher sur la queue de Frison. L'étranger se tourna dans leur direction. Le chien avait dû japper. Vincent se baissa. Il prit Frison dans ses bras tout en continuant d'observer le Brûlé qui regardait tout autour de lui. L'homme sortit de l'eau, remit ses bottes et entra dans la forêt pour rejoindre le chemin. Vincent suivit prudemment le fou pour connaître ses intentions. L'homme monta dans la voiture et fit marche arrière à grande vitesse. Vincent, pour sa part, décampa par le sentier qu'il avait emprunté. Cette piste remontait vers le nord. Il n'avait pas le choix. Il devait s'éloigner au plus vite.

21   LUNDI, 3 AOÛT, 10 H 15

Pendant que Duval roulait en direction de la maison du grand-père, Louis pensait plus à ses filles qu'aux fils disparus. Il pestait contre son ex-femme qui lui mettait toujours des bâtons dans les roues.

— Je suis comme cet homme-là, Dany. Je n'ai pas le droit de voir mes enfants. Maudite Charlène à marde...

— Le mari avait un droit de garde de deux jours sur quatorze, précisa Duval. Il l'a perdu par sa faute.

Il regarda de biais son collègue. L'insolation de Louis lui arracha une grimace.

— Tu devrais te mettre du Noxzema, là-dessus. Sinon tu vas en peler un coup.

— J'ai pas vu le temps passer dans la piscine. Je suis brûlé partout. J'ai même la bite en feu !

Duval secoua la tête en souriant. Au radiojournal, on annonça la mort du gréviste de la faim Kevin Doherty, à la prison de Maze.

— Bande de fous qui se laissent mourir de faim ! s'indigna Louis.

Duval ressentit de l'indignation tant à cause de la nouvelle qu'à cause du peu de compassion de Louis à l'égard de ces prisonniers politiques qu'on laissait crever sans écouter leurs revendications.

◆

Gilles Hébert habitait un petit bungalow dans la rue Moreau, en bas du chemin Sainte-Foy. La fourgonnette du serrurier était déjà sur place. Le technicien sortit de son véhicule, marcha vers Duval d'un pas nonchalant. Le lieutenant lui demanda d'ouvrir la porte de côté. Pendant qu'il se mettait au boulot, Duval vérifia s'il y avait du courrier. Mais la boîte était vide, avec seulement le Publi-Sac pendu à l'un des crochets.

En attendant que la porte soit ouverte, Duval laissa un message au répartiteur à l'intention de Prince.

— Dis-lui d'appeler au Bureau des immatriculations. Je veux la marque de la voiture de Gilles Hébert et le type de roulotte. Une fois qu'il aura ça, qu'il appelle la compagnie qui fabrique la roulotte pour obtenir une photo. Ça nous la prend tout de suite. Je veux aussi qu'il appelle la compagnie de téléphone pour savoir si Parent, le père des enfants, a essayé de téléphoner à son ex-beau-père avant leur départ. Ils sont partis vendredi dernier, mais il devait partir une semaine avant.

À l'ombre d'un chêne, Louis discutait avec un couple âgé. Le lieutenant alla directement rejoindre le serrurier sous l'abri d'auto. Sa perceuse se frayait un chemin dans la serrure. Sur la fenêtre était scotché le message que Hébert avait laissé pour sa fille. Le serrurier déverrouilla la porte.

— Tiens, boss !

Duval détestait se faire appeler « boss ». Cette familiarité entre hommes qui ne se connaissaient pas lui répugnait.

À l'intérieur, une âcre odeur de tabac à pipe et de poils de chien le prit à la gorge. Tout était cependant en ordre, d'une propreté maniaque. Partout s'affichait l'amour de Hébert pour ses petits-enfants : photos aimantées sur le réfrigérateur ; dessins d'enfant sur la porte de l'armoire. Dans l'élément mural du salon en mélamine, des photographies de studio – les enfants endimanchés pour l'occasion. Duval les examina attentivement. Il avait toujours haï ce genre d'enquête, et c'était pire à ce stade-là de sa vie alors que sa fibre paternelle vibrait fort.

Quelques secondes plus tard, le Gros entrait dans la cuisine.

— Le voisin m'a dit qu'ils ont vu quelqu'un sortir de la maison de Hébert. Ça s'engueulait. Le gars est reparti en faisant crisser ses pneus.

Duval ressortit aussitôt vérifier l'information et repéra une longue trace de caoutchouc sur le bitume.

— Pas d'information sur la voiture ?

— Une voiture blanche, mais la dame n'a pas reconnu la marque. Le conducteur de la voiture blanche
était, selon le couple, le père des enfants. Ils ont
entendu Hébert se chicaner avec lui quelques jours
avant leur départ. La femme dit que c'était jeudi et
son mari, vendredi. Parent est reparti d'icitte en beau
joual vert.

Duval montra à Louis les traces de pneus qui
s'étendaient sur au moins dix mètres d'asphalte.

— C'est ça que je te disais, conclut Louis.

— Est-ce que tu leur as demandé s'ils ont vu le
grand-père et les enfants partir, ce vendredi matin ?

— Ils ne s'en sont pas rendu compte. Mais ils ont
vu Hébert préparer son voyage avec ses petits-fils. Il
était énervé comme un enfant, aux yeux de la voisine.

Duval demanda à Louis de chercher dans la maison
des cartes routières ou des indices sur la destination
prévue.

Sur le comptoir, le lieutenant aperçut une note
avec les lettres CAA et un numéro de téléphone. Il
appela le répartiteur pour qu'il demande cette fois à
Francis d'aller au Club Automobile vérifier l'information. Hébert avait peut-être fait appel au CAA pour
qu'on lui suggère un itinéraire ou des campings. Pour
Duval, ces informations permettraient de délimiter
une zone de recherche et de les localiser plus vite.

Sur une tablette, Louis trouva une série de reçus
d'un garagiste. Duval nota l'adresse dans son carnet :
Sunoco Ouellet, 3241, chemin Sainte-Foy. Hébert
avait sans doute fait le plein à cette station-service
en prévision de son voyage.

Les enquêteurs ne trouvèrent aucun autre indice
significatif. Daniel avisa le serrurier de refermer la
porte et de lui laisser les clés.

Le mercure approchait les vingt-six degrés avec une brise fraîche. Louis déposa sa canne et s'épongea le front avec un mouchoir.

— J'ai hâte aux vacances.

— Où est-ce que tu vas aller, finalement ?

— À Wildwood. Toi ?

— On va se louer une petite maison au bord du fleuve sur la Côte-Nord.

— Va pas là, Dan, tu vas geler.

Duval sourit. C'est à cet endroit que Louis-Thomas avait été conçu, l'été dernier, près du phare de Pointe-des-Monts, avec une pleine vue sur l'estuaire du Saint-Laurent. Louis avait raison. Il faisait tellement froid, les premiers jours, qu'ils étaient restés à l'intérieur, faisant l'amour à répétition sans savoir si cela allait mettre fin à la séquence de fausses couches. Le lieutenant avait déjà hâte aux vacances, au soleil frais de la Côte-Nord.

◆

Louis sortit de la pharmacie du Buffet de la Colline avec un pot de Noxzema. Sans attendre, il dévissa le couvercle, qu'il déposa sur le capot. Il se pencha devant le rétroviseur, enfonça deux doigts dans le contenant. Devant le regard incrédule d'une passante, il s'appliqua une épaisse couche de crème sur le visage et sur le crâne. Il essuya ses gros doigts boudinés en les glissant sur le bord du pot et referma le couvercle, qui avait laissé un cerne graisseux sur la tôle.

— Ça fait du bien. C'est frais comme la bouche de Leslie-Ann.

Une minute plus tard, ils étaient à destination. La station-service était juste à côté, coincée entre les paroisses Saint-Mathieu et Sainte-Geneviève, près d'un entrepôt de type aérogare.

Ce secteur rappelait de mauvais souvenirs aux deux policiers. Louis avait failli y laisser sa vie pendant l'affaire Hurtubise. Il y avait aussi rencontré une danseuse nue du bar Amazone, qui avait anéanti son mariage avec Charlène.

Duval s'engagea dans le stationnement du garage. Les fanions colorés suspendus au-dessus des pompes jusqu'à l'enseigne jaune claquaient au vent. La cloche sonna deux fois. Un jeune pompiste boutonneux aux cheveux longs qui empestait l'essence à un mètre alla au-devant des enquêteurs.

— Est-ce que je peux faire quelque chose pour vous ?

— Est-ce que ton patron est ici ?

— Il est dans le garage. La voiture bleue.

Sous le capot avant de la Volare, l'homme attendait que l'huile cesse de couler du réservoir. Il replaça ensuite le bouchon.

Le pompiste se rendit compte que son patron ne les avait pas vus.

— Hé ! Y a deux gars qui veulent te voir, Bertin.

Le patron jeta un regard furtif et rembruni vers les deux policiers. Il prit le pistolet à graisse et en appliqua sur les cardans.

— Qu'est-ce que vous voulez ? dit-il en continuant à travailler sans les regarder.

— Je suis le lieutenant Duval et voici le sergent Harel de la SQ. On aimerait avoir des informations sur un de vos clients qui est porté disparu.

L'homme sortit de sous le véhicule et appuya sur la manette du compresseur pour descendre la voiture, puis il demanda au « jeune » de mettre de la 10W30. Il se tourna vers les enquêteurs et, d'un geste sec, leur fit comprendre de le suivre dans le bureau. Il ouvrit le couvercle de la machine à boissons gazeuses. Il déposa 50 cents et retira à l'extrémité de la glissière métallique une bouteille de Fanta. Il la décapsula, avala une longue gorgée puis se tourna vers les policiers.

— Qu'est-ce que vous voulez ? répéta-t-il d'une voix atone.

— Un de vos clients, Gilles Hébert, a disparu.

— Gilles ? Voyons don' ! Il est venu faire le plein vendredi matin avant de partir en voyage.

— Lui avez-vous parlé ?

— C'est pas moi qui lui a répondu. J'étais pogné dans l'garage. C'est le jeune qui s'est occupé de lui. Jean-Marc, viens icitte !

Le jeune homme, une guenille dépassant de sa poche arrière, s'amena rapidement.

— C'est toi qui as fullé la Ford à Gilles Hébert, vendredi ?

— Oui.

Duval prit aussitôt le relais.

— Est-ce qu'il traînait une roulotte ?

— Oui. Il était bin fier de me la montrer.

— Il vous a dit où il allait ?

— Non. Il m'a demandé de faire la vérification des huiles et de laver le pare-brise. J'ai pas eu le temps de jaser. J'avais trop de choses à vérifier.

— Il y avait combien de personnes dans le véhicule ? demanda Duval.

— Il y avait des enfants, si je me rappelle bien.

— Combien ?

— Au moins deux. Puis un chien. Il avait la tête au vent.

— Un seul adulte ?

— Oui, sa femme est morte cette année.

Louis avait remarqué que les bretelles d'entrée de l'autoroute Duplessis, tant nord que sud, étaient à proximité du garage, situé de l'autre côté d'un petit centre commercial et d'un bar de danseuses.

— Auriez-vous vu le véhicule prendre une des deux entrées ?

— Non. J'ai pas le temps de voir ça. On a bin du travail.

Duval retourna dans l'atelier de mécanique, posa la même question aux autres employés, mais en vain. Il tiqua, perplexe. Il lui fallait savoir dans quelle direction était allé le véhicule des Hébert. Sinon, il ne pourrait pas organiser les recherches et, si le pire était arrivé, le temps pressait. Pour mettre à contribution l'hélicoptère de la SQ, les équipes de policiers et de maîtres-chiens, il fallait d'abord découvrir où les déployer. Mais il avait une autre solution pour découvrir la destination du grand-père : le père des enfants, qui semblait avoir été en contact avec Gilles Hébert peu de temps avant leur départ.

Avant de repartir, il retourna voir Ouellet pour lui demander si Hébert était le genre de client fidèle à un garage.

— Qu'est-ce que vous voulez dire ?

— S'il avait eu à prendre l'autoroute Henri IV, est-ce qu'il aurait choisi une station-service plus près de l'autoroute, plutôt que de faire le plein chez vous ?

— Il est toujours venu ici. Il aurait fait un petit détour. Là, en plus, y était bin fier de nous montrer sa roulotte et ses petits-enfants.

Le lieutenant salua le propriétaire et gagna la voiture, où Louis l'attendait en appliquant de la crème Noxzema sur sa poitrine.

— On fait la pause ou on va voir l'ex-mari ? s'enquit Duval.

— *Break time*, mon Dan.

— Dix minutes, pas plus.

Duval roula jusqu'au Relais Sainte-Foy. Parent habitait un bungalow à proximité de l'appartement de Mireille, la langoureuse biologiste judiciaire, et à un kilomètre de la résidence de Hébert. Pendant que Louis s'installait à une banquette du restaurant, Duval téléphona à Prince.

— Avez-vous du neuf ? lui demanda-t-il.

— Francis est allé au CAA et n'a rien obtenu, mais on a une photo du modèle de la roulotte.

— Écoute, Bernard, il va falloir alerter les médias et diffuser un avis de recherche. Tu vas prendre les photos des enfants, du grand-père – elles sont sur mon bureau – et celle de la roulotte. Tu envoies ça aux journaux et à la télévision.

— Je m'en occupe.

— On se voit tantôt.

Duval se glissa derrière la banquette, à côté de Louis.

— La visite au CAA n'a rien donné.

La tête penchée au-dessus de son assiette, Louis avalait compulsivement son pouding-chômeur. Sa chemise détrempée lui collait à la peau. Des rigoles de sueur coulaient sur son front rouge.

— Comment va mon petit Louis-Thomas ? Prêt pour le baptême ? dit-il en relevant la tête un instant avant de se replonger dans son dessert.

— Toutes les invitations ont été envoyées.

— J'ai hâte de rencontrer la sœur de Laurence.

— Elle est neurochirurgienne à Montréal.

— J'espère ne pas lui tomber sur les nerfs…

— Pour ça, je te fais confiance.

— Elle est célibataire, c'est bien ce que tu m'as dit ?

— Commence pas ça…

— Entre parrain et marraine, on peut bien organiser des activités familiales…

— Oui, mais c'est pas ton genre…

— Est-tu *cute* ?

— Pas pire…

La serveuse s'approcha pour prendre la commande de Duval.

— Un verre de lait et une pointe de tarte au citron, s'il vous plaît.

— J'aimerais ça que mes filles soient au baptême.

— Qu'est-ce que tu vas faire ?

— Mononcle Louis a plus d'un tour dans son sac. J'entends les hauts cris de ma sorcière mal aimée, mais qu'a mange un char…

Duval écouta les récriminations antiféministes du Gros en engouffrant sa collation. N'en pouvant plus de ce discours réchauffé, il s'extirpa de la banquette.

— Viens-t'en et essuie-toi le bec.

Louis frotta le sucre d'érable aux coins de ses lèvres et se leva en maugréant. L'été venu, et surtout un lundi, Louis donnait un rendement négatif. Il préférait les activités sociales liées à son emploi plutôt que l'emploi lui-même. La chaleur réduisait son efficacité de 50 %, convenait Harel, de 75 %, le reprenait Duval. Ajoutez une période de négociation syndicale à ce tableau et vous aviez un enquêteur peu enclin à travailler, lorgnant la retraite. Heureusement, son collègue Duval adorait son métier. Il n'en pratiquerait aucun autre. Louis avait de la chance qu'une solide amitié le lie au lieutenant, car aucun chef d'équipe n'aurait toléré un équipier aussi blasé. Duval envisageait cependant la chose d'un autre point de vue. Louis apportait une dose salvatrice d'humour dans un métier qui vous crachait au visage la part la plus sombre de l'humanité.

◆

Duval monta dans l'affreuse Reliant K que venait de lui fournir la SQ. Il détestait ce modèle bas de gamme et anticipait le citron – elle comptait déjà deux pannes et à peine 6000 kilomètres. Le choc pétrolier, l'inflation, les compressions budgétaires avaient des répercussions partout.

Parent habitait un bungalow mal entretenu. Les fenêtres étaient sales et la peinture vert pâle défraîchie. La boîte aux lettres tenait par une seule vis. Devant la maison, la pelouse jaunie n'était pas entretenue.

Duval cogna trois fois avant que Parent ne vienne répondre. La porte s'ouvrit sur un spectre. Parent avait dû être un bel homme, mais la vie l'avait usé à la corde. Il ne restait qu'un vestige de celui qu'il avait été. Son corps amaigri sous des épaules voûtées était frêle comme un arbre chétif. Le visage parcheminé de rides portait les marques de la dépression et de l'alcoolisme. Parent accumulait les cernes sous ses yeux vitreux aux paupières affaissées, la couperose lui zébrait les ailes du nez et ses cheveux graisseux n'étaient pas peignés. Une tache de café souillait sa chemise, et son pantalon gris trop grand, qui laissait voir les sous-vêtements, datait d'une autre époque. Le sommeil paraissait l'avoir déserté depuis longtemps. Il bâilla en s'appuyant contre le chambranle. S'il était PMD, comme l'avait affirmé son ex-femme, il semblait bel et bien abruti par les antidépresseurs.

— Bonjour, je suis le lieutenant Duval et voici mon collègue, le sergent Harel. Êtes-vous Alain Parent?

— Oui.

— Nous aimerions vous parler au sujet de vos enfants.

Il les invita sans enthousiasme à entrer. Dans le salon, la télévision présentait l'une de ces affreuses émissions de milieu d'après-midi bonnes à vous maintenir léthargique et dépressif à vie. Sur un mur, le tableau d'un clown triste de type Barnum, le visage grimé d'une épaisse croûte de peinture multicolore, asséna un coup de cafard au lieutenant. Plusieurs boîtes n'avaient pas encore été défaites, ce qui indiquait que Parent venait juste d'emménager ou préparait un départ.

— Vous déménagez ? demanda le lieutenant.

— Non, j'ai loué cette maison-là au printemps.

Duval demanda à Parent s'il pouvait baisser le volume de la télé. Il ne supportait pas le potinage en arrière-fond d'une comédienne à la mode et de ce chef cuisinier. Cuisiner au petit écran prenait pour le lieutenant la saveur du vide existentiel, d'une petite fin du monde, le degré infini de l'ennui solitaire.

Il sortit son carnet et fixa Parent dans les yeux.

— Vos enfants devaient revenir samedi soir et nous sommes toujours sans nouvelles d'eux.

— Je sais, mon ex-femme m'a mis au courant.

Duval remarqua aussitôt un léger tremblement facial.

— Quand avez-vous rencontré le grand-père de vos enfants pour la dernière fois ?

— On s'est téléphoné jeudi de l'autre semaine.

— Téléphoné ?

— Oui.

— Vous a-t-il dit où ils allaient en vacances ?

— Non.

— Vous dites que vous avez téléphoné ?

— Oui.

— Des témoins affirment pourtant que vous vous êtes rendu là-bas.

Parent s'alluma une cigarette et son tremblement facial se propagea aux mains. Il suait abondamment.

— J'ai fait un appel. Je le sais. Ça, j'en suis sûr.

— Pourtant, des témoins ont vu votre voiture démarrer à vive allure devant la résidence de votre ex-beau-père.

Il tira un bon coup sur sa cigarette, niant de la tête à plusieurs reprises en soufflant la fumée par la bouche et les narines.

— Votre femme affirme aussi que vous l'avez menacée, reprit Duval.

— C'est du délire. Je ne l'ai jamais menacée.

— Elle dit que vous auriez aimé avoir la garde des enfants durant cette semaine-là.

— Ben sûr. Ça l'aurait dépannée, en plus. Je lui ai proposé, c'est vrai. A' pas voulu. A' pas voulu! répéta-t-il avec dépit. Elle préfère me faire la guerre.

— Vous lui auriez affirmé qu'elle le regretterait.

Parent hésita avant de répondre, grattant une tache qu'il avait sur son pantalon.

— C'est possible...

— C'étaient des menaces ?

— On s'est toujours parlé de même, mon ex et moi.

— Quand avez-vous vu vos enfants pour la dernière fois ?

— Lors de mon dernier droit de garde. Il y a presque deux semaines. Droit de garde, il faut le dire vite... Droit de garde à vue... ricana-t-il. J'ai toujours une hostie de travailleuse sociale dans les pattes.

— Vos enfants vous ont-il parlé de leurs prochaines vacances avec leur grand-père ?

— Non.

— Est-ce qu'ils vous ont parlé d'endroits qu'ils aimeraient visiter ?

— Non.

— Où étiez-vous jeudi ? Pas celui qui vient de passer, le précédent.

— Je suis allé au club de golf.

— Des voisins vous ont vu sortir de la maison de Gilles Hébert où se trouvaient vos enfants.

— ...

— Vous savez que vous n'aviez pas le droit de voir vos enfants.

— Je n'avais pas vu mes enfants depuis près de dix jours. Je m'ennuyais.

— Donc, vous dites que vous êtes allé les voir ?

— Non, je dis que je m'ennuyais et que j'aurais aimé les voir.

Duval montra un sourire agacé, hocha la tête.

— Vous les avez vus, oui ou non ?

— Je n'ai pas le droit de les voir. On m'en empêche.

Le lieutenant inspira longuement. Louis haussa le ton.

— Coudon, me semble que c'est clair ? Vus ou pas vus ?

— Pas vus.

— Mais vous vous êtes rendu là-bas ? continua Harel.

— M'en rappelle pas.

— Arrêtez de nous faire…

Duval s'interposa.

— Où avez-vous passé la fin de semaine, monsieur Parent ?

Il se gratta le front frénétiquement.

— J'ai un petit chalet à Tewksbury.

— Quelqu'un pour confirmer votre alibi ?

— Je vis seul, j'ai pas de voisins. La bonne affaire.

— Accepteriez-vous de passer au test de détecteur de mensonge ?

Parent balança la tête en soupesant cette possibilité.

— Si vous voulez.

— Passez à la centrale, demain à dix heures.

— Je serai là, répondit Parent d'une voix étouffée.

Duval remarqua que, pour un homme qui était sans nouvelles de ses enfants, il prenait plutôt bien la situation. Normalement, il aurait dû s'inquiéter davantage.

S'il n'avait rien à se reprocher, pourquoi n'envisageait-il pas le pire ? Duval savait qu'il mentait sur un point, mais lequel ? Le voisin des Hébert avait cru apercevoir la voiture de Parent. Si le père se refusait à dire la vérité là-dessus, il cachait sûrement autre chose. Il fallait en avoir le cœur net. Après le test du polygraphe, il interrogerait à nouveau Parent en tentant de le mettre en contradiction.

Il était le témoin numéro un. Il fallait maintenant vérifier son agenda des derniers jours.

◆

Duval éprouva une certaine anxiété devant la maigre récolte. Il rentrait à la centrale de police avec un peu d'appréhension. Mais où étaient allés Hébert et ses petits-fils ? Si l'on calculait depuis le moment où ils auraient dû être de retour, soit vers sept heures du soir, samedi, une quarantaine d'heures s'étaient écoulées. Il fallait établir au plus vite une zone de recherche. Prisonnier de ses pensées et concentré sur la circulation qui se densifiait sur le boulevard Saint-Cyrille, il n'entendit pas Louis qui lui proposait une solution.

— Qu'est-ce que t'en penses ?

— De quoi ?

— Je connais une dame qui agit comme voyante, médium dans des affaires de disparition. Elle a travaillé récemment avec le service de police de Trois-Rivières.

Le lieutenant éclata de rire même s'il savait que plusieurs services de police avaient recours à la para-psychologie. Lui ne croyait pas en ces sornettes. Cela représentait une perte de temps et les lancerait sur de mauvaises pistes, faisant miroiter de faux espoirs aux proches des disparus.

— Est-ce qu'elle sort sa boule de cristal puis ses feuilles de thé ?

— Ah, Dan, des fois tu me fais chier…

Au moins, Parent passerait au polygraphe. Cette technologie mesurerait les réactions physiologiques liées à ses émotions – ça, Duval y croyait, même si ces tests n'étaient pas admis en cour. Avec le résultat du test, il pourrait affronter de nouveau leur suspect.

Louis argua une fois de plus de l'efficacité des médiums judiciaires.

— Dans l'affaire pour laquelle madame Laperrière a été appelée, on a pu retrouver le corps d'une femme qui avait disparu. La police de Montréal a aussi fait appel à ses services.

— Écoute, Louis, je crois aux vérités de la criminalistique comme tu crois en Dieu, mais pas dans la voyance judiciaire ni dans les diseuses de bonne aventure.

— Y a pas que ça, les vérités de la police… Fais-le juste pour qu'on puisse avoir une piste !

Le lieutenant expira longuement.

La voiture entra dans le stationnement de la centrale.

En sortant du véhicule, Louis lança haut dans les airs les clés de sa voiture et les rattrapa de justesse. Il lança un laconique « À demain » et marcha en claudiquant jusqu'à sa Barracuda vert grenouille.

Avant de rentrer à la maison, Duval monta à son bureau. Il s'assura que les photos des enfants, du grand-père et de la roulotte seraient diffusées aux bulletins télévisés. Il se doutait bien que cette affaire allait créer beaucoup d'émoi et accaparer les ondes. Il y aurait des conférences de presse et il faudrait répondre à d'hypothétiques questions auxquelles il donnerait toujours la même réponse : « Il serait prématuré de répondre à cette question. » Mais il avait besoin des journalistes et surtout de leurs journaux.

Il allait se lever quand Francis se pointa. Nouveau papa lui aussi, le Charlevoisien portait les stigmates de nuits brèves sous les yeux et son coton ouaté avec le « oui » référendaire imprimé sur le cœur, ce qui déplut au lieutenant. Les convictions indépendantistes et le militantisme de Francis étaient connus, mais il existait une limite à ne pas franchir au travail.

— Comment sont les nuits ? demanda Tremblay au lieutenant.

— Courtes et enlevantes. Et toi ?

— Une vraie torture ! Pour la première fois de ma vie, j'ai l'impression de travailler vingt-quatre heures sur vingt-quatre. Adèle est épuisée et je ne vois pas le jour où je vais dormir sur mes deux oreilles. Comment va l'enquête ?

— Le mari est bizarre, mais j'ai un *feeling* qui…

— Un *feeling*…

— Je sais pas.

— En tout cas, on a fait parvenir les photos aux médias.

— Oui, j'ai vu ça. Bernard m'a dit que t'avais rien trouvé au Club Automobile ?

— Hébert ne fait pas partie du Club. En passant, Adèle et moi, on sera au baptême. D'ici là, j'aurai changé cent douze couches et dormi à peine douze heures…

— Francis, j'ai une question à te poser : qu'est-ce que tu penses des parapsychologues judiciaires ?

— Je sais qu'on les utilise dans certains cas. J'ai pas vraiment d'opinion. À Nicolet, un de nos profs nous en parlait en bien. Tu penses à…

— C'est Louis qui m'a mis ça en tête, tout à l'heure.

— On n'a rien à perdre.

Avant de le laisser partir, Duval désigna le « oui » sur le chandail de son collègue.

— Je sais qu'on fait la grève vestimentaire, mais je te demanderais de ne pas porter de message politique au boulot. Tu risques de recevoir un blâme. On a assez de problèmes avec les journaux ces temps-ci.

Francis hocha la tête sans paraître froissé.

— Je comprends. D'accord. *Ciao*.

— Salut. À demain.

Francis sortit du bureau et Duval téléphona aussitôt à l'expert du polygraphe, le caporal Jean Talbot. Il habitait Lévis et était appelé à travailler pour les différents corps de police du Québec. Talbot voulut reporter le test, mais quand Duval lui expliqua le cas, il comprit l'urgence de la situation.

Puis Duval fit ce qu'il détestait le plus. Il prit le combiné du téléphone et composa, la mort dans l'âme, les sept chiffres du numéro de madame Hébert tout en regardant les photos judiciaires de deux sales gueules échappées de Pinel que Bernard avait laissées sur son bureau. Dès la première sonnerie, une voix anxieuse répondit.

— Bonjour, madame Hébert, c'est le lieutenant Duval.

— Oui, lieutenant. Avez-vous des nouvelles ?

— J'aimerais tellement vous dire ce que vous souhaitez, mais tout ce que j'ai, c'est une confirmation que votre père a bel et bien fait le plein d'essence vendredi, et que votre ex-mari lui a probablement rendu visite. Mais comme il nie s'être rendu chez votre père, je lui fais passer demain le test du détecteur de mensonge, car des témoins nous affirment le contraire.

— Vous comprenez pourquoi je lui ai retiré la garde... Et si c'était lui qui avait décidé de s'en prendre à eux ? dit-elle en haussant le ton avant de fondre en larmes.

Une chance que la présomption d'innocence existait, pensa Duval, les gens étaient si prompts à désigner des coupables.

— On n'a aucune preuve jusqu'à présent qu'il aurait pu s'attaquer à votre père ou à vos enfants. Dites-moi, pourriez-vous me dresser un inventaire des endroits que vos garçons rêvaient de visiter et des régions où votre père voulait aller ? J'aimerais que vous regardiez une carte du Québec et de la côte est des États-Unis en songeant à un endroit où ils auraient pu se rendre. Il me faudrait ça dès la première heure demain. Pourriez-vous aussi parler aux amis de vos fils ? Peut-être que vos enfants leur ont dit où ils allaient.

— D'accord, je vais faire ça.

Duval insista à nouveau sur un détail qui le chicotait.

— Vous m'avez dit que votre père était relativement en bonne forme physique, mais souffrait-il de problèmes de santé liés à son âge ?

— Comme je vous l'ai dit, mon père a des ulcères. En plus, il fait un peu d'arthrite. Il ne se déplace plus aussi vite qu'avant, mais son bilan de santé général est excellent.

— Comme on ne sait pas comment ils étaient habillés avant leur départ, pourriez-vous me faire une liste des vêtements qu'ils ont apportés ? Ça nous permettra de faire des recoupements.

— Oui. Je m'en occupe tout de suite. Voulez-vous que je vous l'apporte immédiatement ?

— Oui. Vous laisserez la feuille au répartiteur.

— Pensez-vous, lieutenant Duval, qu'ils vont bien ?

— Écoutez, madame Hébert, ils ont pu avoir une panne et, dans ce cas, ils attendent simplement de l'aide. Comme ils sont bien équipés, ils ont de la nourriture, de l'eau et ils sont au chaud pour dormir… C'est déjà beaucoup.

Mais en son for intérieur, le lieutenant pensait au pire. Il savait que ce cas regardait mal.

— Merci… Vous me rassurez.

— On se voit demain.

Duval raccrocha.

Il prit le téléphone et composa le numéro de Louis, qui habitait en appartement à Limoilou.

— Louis, c'est moi. Peux-tu appeler ta parapsychologue ? Si on ne tire rien de Parent, je veux la voir aussitôt que possible.

— Ben là, tu me fais plaisir.

Duval raccrocha en se reprochant cet aveu de faiblesse. Mais il savait que, tôt ou tard, il aurait dû accepter cette hérésie. Il avait confiance que des gens appelleraient sur la ligne 800 ; deux enfants qui voyagent avec un vieil homme dans une roulotte ne passent pas inaperçus. Le capitaine Dallaire, qui était sur son départ, s'arrêta devant la porte du lieutenant.

— Je voulais te dire : on va avoir deux policiers, dès vingt heures, qui vont prendre les appels de gens qui auraient pu voir Hébert et ses petits-enfants.

— Excellent ! répondit Duval.

Quand les lignes devenaient surchargées – ce serait le cas aussitôt que les journalistes diffuseraient l'avis de disparition –, même si 99 % des messages étaient inutiles, il valait mieux être nombreux. Il ne fallait pas perdre l'appel qui ouvrirait la voie. En attendant, les policiers se farciraient les conseils de citoyens qui leur diraient comment mener leur enquête, où aller, qui suspecter, sans oublier les commentaires des policiers de salon. Un vrai fléau, ceux-là !

Il prit son veston et accompagna Dallaire jusqu'au stationnement de la rue Turnbull.

22 LUNDI, 3 AOÛT, 16H30

Vincent marchait à pas rapides depuis trois heures dans la *trail*. Il avait dû faire sept kilomètres sur un faux plat et huit cents mètres dans un sentier très pentu. Il avait l'impression de s'enfoncer pour rien alors que la voie vers la sortie se trouvait par le chemin sud-ouest. Mais il lui avait fallu s'écarter de la route du Brûlé. La terrible envie de boire qui le tenaillait le faisait saliver à tous les points d'eau, fort nombreux: le vrai supplice de Tantale. Il vit une toute petite source couler à travers des roches calcaires recouvertes de mousse. Il la regarda longuement et décida que c'en était trop. Il se pencha et s'abreuva. L'eau était fraîche et bonne. Frison se désaltéra aussi. Vincent se gratta frénétiquement la nuque. Il regarda le bout de ses doigts tachés de sang, tâta son cou marqué de piqûres d'insectes. Ne rien entendre lui donnait l'impression que son agresseur foulait son ombre. Il se retournait sans cesse. Mais tant que Frison restait calme, il n'y avait aucun risque, croyait-il.

Vincent continua de progresser, mais le sentier se faisait de plus en plus abrupt. Il se retournait fréquemment.

À voir les douilles colorées de calibres 12 et 16 le long de la piste, il se dit que cette sente n'était empruntée que par des chasseurs de petit gibier et des poseurs de collets. Il aperçut un lac à travers les arbres. Il en scruta les contours avec ses jumelles: aucune habitation en vue, à part un barrage de castors.

Après la longue montée, il se tourna. Il put distinguer le point qu'il avait quitté trois heures auparavant. Il vit, plus à l'est, le lac où son frère et son grand-père avaient été tués et il ressentit une sourde colère. Mais il s'interdit de se laisser abattre. Sa rage ne devait pas être une adversaire mais sa compagne de lutte. Il regarda tout autour. Rien en vue. Ni devant ni derrière. Nulle âme qui vive. Pas de chalet. Que du bois à perte de vue. Il ressentit la faim. Il sortit le sac de guimauves et en mâchouilla une lentement. Il reprit sa marche. Mais après quelques mètres il s'aperçut qu'il s'enfonçait dans un *nowhere man*. Il faisait face à un terrible dilemme.

Le sentier donnait l'impression de prendre deux directions possibles, toutes deux incertaines, peu dégagées, envahies par la végétation, denses et touffues. Il était clair que ces passages ne débouchaient pas.

Il décida de rebrousser chemin. En redescendant, il se méfia des roches qui devenaient comme un roulement à billes. Ce n'était pas le temps de se blesser.

Alors qu'il avançait d'un bon pas, il aperçut à trois mètres une perdrix qui semblait inconsciente de sa présence. Vincent s'arrêta. Il fit signe à Frison de ne pas japper. Il le déposa par terre. Il ramassa une longue branche et fonça vers l'oiseau, qui paraissait figé. La branche allait s'abattre sur la grosse poule lorsqu'elle prit son envol *in extremis*.

Vincent s'en voulut d'avoir manqué son coup. Cette volaille lui aurait permis de se remplir l'estomac. Puis il se rappela qu'il n'avait pas d'allumettes. Il pensa que Frison aurait quand même pu manger cette chair crue pour reprendre des forces.

Il se demanda alors s'il ne devait pas retourner à la roulotte. Peut-être que des allumettes traînaient autour du feu. Mais il se dit qu'il ne pourrait supporter de revoir ce qu'il avait vu. Cette perspective effrayante lui rappela aussi la présence de l'agresseur dans la zone de son crime. Il s'arrêta pour faire une pause. Il replaça Frison dans le sac ventral.

Le chemin tout en descente se négocia plus facilement. Il avançait d'un bon pas, sans être essoufflé. À un moment, Frison gratta fébrilement sur sa poitrine. Vincent s'arrêta. Apeuré, il regarda tout autour de lui. Mais le chien ne jappait pas. Il semblait même enjoué. Il manifestait l'intention de descendre. Vincent le déposa par terre. Le chien marcha difficilement sur le bord du sentier. Il avait reniflé quelque chose. Vincent ne vit rien sur le coup mais, en se penchant, il découvrit un gros lièvre pris dans un collet. Il caressa son chien et sortit l'animal mort. Avant de partir, il étudia comment on confectionnait le collet et il conserva la corde de nylon. La prise semblait récente, car le corps était encore tiède.

— Bravo, Frison. Tu nous sauves !

Il trouvait étrange de parler et de ne pas s'entendre. Il ressentit néanmoins un rare instant de bonheur depuis trois jours. Il se demanda comment il allait dépecer le lièvre et le cuire. Mais pour l'instant, ce qui importait, c'était d'avoir de la nourriture. Avant de repartir, il se demanda s'il ne devait pas rester dans les environs à attendre la venue du trappeur. Mais il ne voulait pas perdre de temps. Il ne se voyait pas passer vingt-quatre, voire trente-six heures à se morfondre. Il tenait à rentrer le plus vite possible chez lui. Avec la corde de nylon, il attacha les pattes du lièvre et la noua autour de sa ceinture. Il ramassa Frison et le remit sous son chandail. Il examina la blessure à la cuisse. La plaie suppurait. Les yeux du chien étaient de moins en moins clairs.

— Toi, tu ne me lâches pas, j'ai besoin de toi.

Il jaugea à nouveau la possibilité de retourner près de la roulotte pour chercher des allumettes, mais il évalua que les chances d'en trouver étaient nulles et que cette rencontre ne pourrait que le replonger dans l'horreur. Et cette hyène était peut-être de retour sur les lieux de son carnage. Ou alors avait-il décidé, compte tenu de l'état de ses brûlures, de sortir du bois ? Vincent pensa à son grand-père qui avait été un chasseur doué, qui lui avait dit un soir que les animaux blessés étaient les plus dangereux. Cet homme était une bête qui voulait tuer encore, raisonna le garçon. Avoir tué deux membres de sa famille ne lui suffisait pas. Il voulait éliminer maintenant le témoin gênant. Cette perspective effraya Vincent et le poussa à chercher un moyen de se défendre.

Il mit une demi-heure de moins pour revenir sur ses pas, là où il avait aperçu le Brûlé en fin d'avant-midi. L'homme n'était plus là. Un coup d'œil à sa montre lui indiqua qu'il était dix-huit heures trente. Il ressentait une terrible fatigue. Les mouches le dévoraient, la peau lui démangeait. Il se dirigea vers une vieille chaloupe à moitié décolorée qui se trouvait dans l'eau. On ne semblait pas venir souvent pêcher sur ce petit lac. Son grand-père déplorait fréquemment que les lacs ne fussent plus aussi nourriciers, avec les pluies acides, les braconniers et la surpêche.

N'en pouvant plus d'être piqué, Vincent se dévêtit et se jeta discrètement dans le lac. L'eau fraîche apaisa sa fatigue musculaire et ses piqûres. Il essaya de retrouver l'ouïe en bâillant et en gonflant ses joues, mais en vain. Dans l'eau, il aperçut un reflet. Il s'approcha. C'était un hameçon et une cuillère. Il se pencha et récupéra l'hameçon rouillé qui s'était pris dans une souche au fond de l'eau. Il conserva aussi le fil. Mais cela ne réglait pas son problème. Il n'avait pas d'appât pour pêcher et rien pour allumer un feu.

Au sortir du lac, il détacha le lièvre de sa ceinture en se rhabillant. Comment pourrait-il l'apprêter ? Chez les scouts, il n'avait pas appris à faire du feu en frottant du bois. Il n'avait jamais cru à cette possibilité, même si l'un des guides-scouts lui avait confirmé que c'était possible d'y arriver. Il lui avait expliqué comment procéder : il suffisait de créer la friction nécessaire pour chauffer le bois et allumer des brindilles, de l'herbe ou de la paille.

Il se mit en quête de bouts de bois secs. Il en ramassa un, bien arrondi à une extrémité, d'environ deux centimètres de circonférence. En marchant le long du lac, il aperçut les restes d'un feu de camp. Il retira des restes carbonisés une bûche déjà creusée en son centre.

Il prit son hameçon pour entailler l'écorce du bout de bois et l'enleva complètement avec ses doigts. Frison regardait chaque étape de l'opération avec intérêt. Il déposa ensuite des brindilles dans le creux de la bûche, puis il appuya le bout de bois sur la bûche. Vincent s'exerça à rouler le bout de bois entre ses paumes pendant un certain temps, mais les brindilles étaient trop humides. Il aurait fallu une matière qui brûle plus facilement. Il recommença son manège pendant de longues minutes. Sans résultat. Tant pis, se dit-il, il mangerait ce lièvre cru.

Découragé, il regarda le ciel. Puis, en promenant son regard sur la forêt environnante, il aperçut sur la branche d'une épinette un nid d'oiseau. Les brindilles sèches qui le composaient seraient peut-être idéales pour allumer son feu ? Le nid se trouvait cependant à douze pieds du sol. Vincent se leva et grimpa dans l'arbre. Il délogea le nid du creux de l'arbre et de la branche. Rien à l'intérieur. La paille bien sèche le rassura. Il descendit avec précaution, réinstalla la bûche entre ses jambes et déposa de la paille dans le creuset. Il roula de nouveau frénétiquement le morceau de bois entre ses paumes. Après quelques minutes, un mince filet de fumée s'éleva, puis la paille rougeoya et s'enflamma. Excité, le garçon ajouta de la paille et des brindilles pour nourrir la flamme, puis il courut dans tous les sens pour trouver du combustible plus consistant. Il ramassa du bois mort pas trop humide au bord de l'eau et le déposa sur le feu. Au bout de quelques minutes, le feu était bien pris et Vincent poussa un cri de joie. Il se pencha pour embrasser Frison.

— On va manger, Frison. On va manger !

Il lui fallait maintenant préparer ce lièvre. Comment y parvenir ? Il avait vu en cherchant plus tôt ses bouts de bois des tessons de bouteille de bière au bout de la crique. Avant d'y aller, il vérifia son feu. Il y déposa un autre bout de bois sec et partit chercher les tessons. Malheureusement, il s'aperçut qu'ils avaient tous été polis par l'eau. Il rapporta cependant une bouteille qui avait été jetée à l'eau.

De retour près du feu, il la fracassa contre une pierre et choisit un des éclats. Il passa son doigt doucement sur le verre tranchant. Il avait enfin son couteau.

Il prit son lièvre, étudia la façon de l'éviscérer. Enfonçant le tesson, il entailla le ventre du haut vers le bas. Ce n'était pas une coupe adroite mais une affreuse boucherie. Il avait disséqué une grenouille et une sauterelle dans un cours de biologie, mais jamais un quadrupède. Cela sentait terriblement mauvais sur le coup. Il avait du sang plein les mains. En coupant et tirant la fourrure, il finit par écorcher l'animal. Après avoir retiré les entrailles, il alla rincer la viande et ses mains dans l'eau du lac.

Il s'étira pour mettre du bois dans le feu, qui dégageait une odeur rassurante.

Pendant tout ce temps, Frison, couché et affaibli, le regardait travailler.

— On va manger, Frison !

Vincent repartit à la recherche de branches à planter et d'un support pour embrocher son lièvre.

La faim était si intense qu'il courait pour trouver ce qu'il cherchait. Il cassa sur un arbre mort deux branches sèches en forme de Y et les planta dans le sable. Il embrocha ensuite le lièvre par la bouche jusqu'au derrière et le posa au-dessus du feu. En attendant, il sortit une guimauve qu'il avala. Il en offrit une à Frison, qui la mangea à moitié seulement. Le chien montrait des signes inquiétants. Son pouls était faible et ses yeux chassieux.

La bonne odeur de gibier sur le feu ne mit pas de temps à se répandre. Vincent tournait régulièrement sa branche pour exposer également la chair et alimentait son feu. Après une demi-heure de cuisson, il testa la viande, mais elle n'était cuite qu'en surface. Il fallut encore trente minutes avant qu'il se décide à la retirer du feu. La carcasse fumait. Avec ses doigts, il arracha de grosses lanières qu'il dévora.

Il offrit de beaux morceaux à Frison.

— Goûte-moi ça, c'est super. Quelle équipe on fait ! Tu flaires le lièvre et moi, je le cuisine.

Vincent appréciait chaque morceau. La viande était tendre, se détachait facilement. Il savait qu'il allait maintenant reprendre des forces. Bien qu'il eût l'impression de ne pas avoir avancé de la journée, bien qu'il se trouvât encore près de la roulotte, il avait réussi à échapper à l'agresseur. C'était déjà une victoire. Même s'il allait passer une quatrième nuit dans la forêt.

23 Lundi, 3 août, 18 h 08

En entrant chez lui, Duval déposa son veston sur la rampe de l'escalier.

La maison sentait encore la peinture fraîche et le bois teint, odeurs qui se mêlaient à celle de la lasagne au four. Les pleurs du bébé enterraient la voix de Paul Simon.

Laurence le promenait du salon à la salle à manger en lui tapotant le dos. Il cessa de pleurer un instant en voyant son père, mais reprit de plus belle.

— Il a ses coliques.

— Oh! Je lui mets la chanson d'Elton John.

Duval sortit le disque de la pile. Il déposa le bras sur la cinquième pièce, *Saturday Night's Allright for Fighting*.

Duval prit son enfant et, dès les premiers accords de guitare, le poupon s'apaisa, subjugué par la musique.

— Ça marche!

— Tiens, je devrais écrire un article pour le *New England Journal of Medicine*: «Elton John, remède ultime contre les coliques»…

— Mais tu ne peux pas dire que ça ne fonctionne pas. On fera des tests répétés. T'auras ta preuve scientifique. Il aime tellement ça qu'il en oublie ses douleurs.

Duval regarda son fils avec fierté. Louis-Thomas le gratifia d'une risette irrésistible mais régurgita quelques onces de lait sur l'épaule paternelle.

— T'as eu un bon après-midi? demanda Laurence.

— Ordinaire. Le genre de journée où tu avances puis tu recules.

— Adèle m'a dit que vous aviez une affaire de disparition d'enfants ?

— Ils se sont peut-être perdus en forêt.

Duval n'avait pas envie d'en parler. Il chercha un sujet de rechange.

— Louis me parle tout le temps du baptême et de ta sœur…

— Pauvre Louis, il risque d'être déçu. T'as le goût d'aller voir un Woody Allen au cinéma Cartier ?

— Le bébé ?

— On l'emmène avec nous. Il va dormir.

— C'est quoi, le film ?

— *Au mi-temps de l'âge*.

— Un titre déprimant. J'en suis là…

Elle s'approcha pour l'embrasser. Malgré la maternité, Laurence était resplendissante. Elle vivait les plus beaux moments de sa vie, en fusion avec le petit. Duval, dont la vie professionnelle était synonyme d'agenda rempli et d'imprévus à combler, jouait sans pleurnicher les seconds violons. Fiston avait droit à tous les privilèges.

Elle ne s'ennuyait pas du travail même si elle faisait partie d'un comité de médecins de l'hôpital opposés au ticket modérateur que voulait imposer le gouvernement aux patients. Laurence avait été chargée de rédiger un rapport qu'elle avait présenté en commission parlementaire. Duval aimait avoir un docteur à portée de la main vingt-quatre heures sur vingt-quatre. Il se rappelait les angoisses de Marie-Claude, sa première femme, quand leur fille Mimi, alors bébé, faisait de la fièvre ou attrapait un virus.

Après le souper, Duval donna le bain à Louis-Thomas, qui adorait ce moment. Après l'avoir essuyé, langé et vêtu, il le remit à Laurence pour la tétée et le dodo. Pas de cinéma ce soir, avaient-ils finalement décidé.

Duval monta l'escalier en colimaçon pour accéder à son bureau. Le lieutenant aimait beaucoup la petite tourelle qui perçait le toit en pente et les deux lucarnes. Avec cette large fenêtre arrondie, la pièce affichait ses rondeurs et ses angles. Duval avait voulu y aménager son bureau. Cette mansarde était propice à la réflexion. Il avait accroché son vitrail dans la partie droite de la fenêtre. Les feuillages ambre, vert pâle et vert foncé luisaient, éclairés par le lampadaire de la rue. Une pluie fine tombait et le pavé reflétait les lampadaires et les feux des voitures.

Son bureau, tout comme son gros fauteuil et le pouf, faisait face à la fenêtre et sa bibliothèque contenait surtout des ouvrages de criminologie, de psychologie, de techniques d'enquête et de criminalistique. Sa chaîne audio reposait sur un meuble bas d'une autre époque et sa collection de vinyles – cinq piles de disques – était appuyée contre le mur.

Il lui fallait préparer les questions à remettre au technicien en polygraphie. Il y en aurait quatre.

1- Vous êtes-vous rendu chez votre beau-père avant son départ ?

2- Avez-vous menacé votre femme de représailles si elle faisait garder ses enfants par votre beau-père ?

3- Savez-vous où sont allés vos enfants et leur grand-père ?

4- Avez-vous quoi que ce soit à voir avec la disparition de vos enfants et de Gilles Hébert ?

Après avoir terminé ce travail, il commença à inscrire dans son calepin les mots qui rempliraient son abécédaire en prévision de son article. La lettre V, tout comme la lettre C, posait un problème, car à elle seule elle faisait naître plusieurs mots clés de sa profession : victime, violence, vol, viol, vie et vérité…

Un vrai dilemme qu'il ne pouvait trancher car les synonymes apportaient trop de nuances. Enfin, il élimina le mot « vol » puisqu'il n'avait que rarement travaillé à des enquêtes sur des vols sauf lorsqu'un meurtre avait été commis. Le mot « viol » lui permettrait sans doute d'aborder par l'étymologie le terme « violence ». Mais la quête de la vérité n'est-elle pas la fin en soi de mon travail? nota-t-il. La lettre P amena aussitôt les mots « peine » et « pénitencier » et la lettre L les mots « libérations conditionnelles ». Il se sentit rassuré.

Il nota en vrac d'autres mots à l'aide desquels il pourrait broder son article à la rubrique P: pédophile, pervers. Encore une fois, l'exercice s'avérait problématique. Enfin, l'important, c'est qu'il pourrait remettre dès vendredi l'article promis. Puis la vue de deux enfants qui marchaient sur le trottoir le ramena à Sébastien et Vincent Parent. Il sentit un nœud lui serrer l'estomac. Il prit le téléphone pour savoir comment allait la récolte d'informations. Ensuite il regarderait les nouvelles télévisées pour vérifier quel traitement serait accordé à ces disparitions.

24   Lundi, 3 août, 21 h 01

Une pluie fine se mit à tomber. Le ciel se plombait. Vincent avait décidé de laisser le feu s'éteindre de lui-même. Il avait trouvé une boîte de conserve dans laquelle il avait fait bouillir de l'eau. Après avoir bu une dernière gorgée, il alla remplir la canne et la déposa au milieu des braises. Il devait se faire invisible durant la nuit. Il alla cacher la carcasse du lièvre à distance pour la soustraire aux prédateurs. Il creusa un trou, en tapissa le fond avec des pierres sur lesquelles il déposa son gibier. Puis il le recouvrit d'autres pierres. Ainsi, il aurait des réserves pour le lendemain.

Les démangeaisons qu'il avait au cou, à la nuque, au front et aux mains allaient le rendre fou. À cette heure-là, les gros frappe-à-bord arrachaient des morceaux de peau. Coucher à la belle étoile sur le bord de l'eau signifiait se livrer aux mouches et ne pas dormir. La pluie fine rendrait la nuit inconfortable et humide. Il marcha vers la chaloupe qui pourrissait dans l'eau. Comme il n'avait rien pour écoper, il força pour la ramener sur le sable. Il la renversa après pour la vider de son eau. Il brisa les banquettes à coups de pied et il les arracha avec ses mains. Il retourna la chaloupe. Il avait pris Frison et allait se glisser sous l'embarcation quand il décida soudain de retourner vers le feu. Il se pencha et ramassa le goulot aux arêtes coupantes de la bouteille. Il alla ensuite s'abriter. Le sable offrait un confort acceptable. À travers les trous de la chaloupe, il pouvait voir les étoiles que découvraient parfois les nuages.

Il pensa à son frère et à son grand-père, puis à sa mère qui devait se faire un sang d'encre. Il n'était qu'à quelques kilomètres des restes de son cadet. Il savait que ce dernier avait été sauvagement agressé et que le meurtrier lui réservait le même sort. Il essaya pendant un temps de retrouver l'audition, mais rien n'y fit. Il serra Frison contre lui et, pour la première fois, lui donna un bec sur la tête.

— J'ai besoin de toi, mon chien. Et tu as besoin de moi.

La chute de température fit lentement monter la brume. Quelques braises incandescentes crépitaient. Vincent s'endormit vite mais d'un sommeil de surface. Il rêva qu'il marchait, comme il l'avait fait toute la journée.

Au milieu de la nuit, il ouvrit lentement les paupières. Frison mordillait son t-shirt. Il sentit un courant d'air à travers les trous et les rainures de la chaloupe. La bruine avait cessé, le vent s'était levé. Il regarda par un trou. Le feu s'était rallumé ; une faible flamme brillait. « J'aurais dû l'éteindre avec de l'eau. » Était-ce ce que voulait lui signaler Frison ? Il allait sortir quand le chien le mordit pour le retenir.

— Frison, qu'est-ce que tu fais ? chuchota-t-il.

Le chien semblait pousser de faibles geignements. Était-ce sa blessure ?

— Tu as mal, mon chien ? As-tu faim ?

Il regarda à nouveau par l'ouverture et aperçut les lueurs d'une lampe de poche près du sentier qui traversait la route. Elle balayait la crique de gauche à droite en passant sur la chaloupe. Il se maudit de ne pas avoir éteint complètement le feu. Il posa une main sur la gueule de Frison.

— Chuttt…

Mais peut-être s'agissait-il de sauveteurs ? pensa Vincent en reprenant espoir. Il était impossible de le savoir. S'il se montrait et qu'il s'agissait du Brûlé, il mettait sa vie en danger. S'il manquait les secours en restant sous la chaloupe, il restait prisonnier des bois et du Brûlé. L'affreux dilemme le rongea. Puis il décida, en constatant la nervosité du chien, de rester dans sa cache. Il se fia à son flair.

En tâtonnant sur le sol, Vincent ramassa le tesson de bouteille, dont il serra le goulot dans sa main. Il n'hésiterait pas. Sa main gauche tenait la gueule du caniche pour lui rappeler de ne pas japper. Le faisceau devenait de plus en plus fort. L'homme approchait du feu. Il chercha tout autour des traces. Vincent ne pouvait distinguer le visage du Brûlé, si c'était bien lui. Le visiteur se pencha. Il ramassa quelque chose. Puis Vincent se rappela qu'il n'avait pas fait disparaître ses empreintes ni celles du chien. Son cœur se mit à battre de plus en plus fort.

L'homme se dirigea vers le lac. Il planta la lampe de poche dans le sable, urina dans l'eau. Il se retourna et se pencha pour prendre sa torche. Vincent vit alors le visage hideux, qui brillait comme du suif, le côté droit défiguré par les brûlures.

En le voyant marcher vers la chaloupe, Vincent s'arc-bouta. Sa gorge se noua, sa main prête à frapper. L'homme sortit une bière de la poche de la veste à carreaux qui avait appartenu au grand-père du garçon. Il la décapsula et vint s'asseoir sur la chaloupe. Vincent tenait la gueule de son chien fermée. Il se demanda si le Brûlé pouvait entendre les bruits de son corps : son cœur qui cognait contre sa poitrine, son souffle qu'il essayait de contrôler.

Au bout de ce qui parut une éternité à Vincent, l'homme se releva. Bouteille à la main, il marcha jusqu'à une roche à mi-chemin du bout de l'anse, où il plaça sa bouteille. Après avoir déposé sa torche, il revint sur ses pas et il leva un bras pour tirer sur la bouteille. Vincent ne vit que le feu de la détonation. L'homme devait avoir manqué la bouteille, car il tira une autre fois. À le voir gesticuler, botter une branche, Vincent comprit qu'il l'avait ratée de nouveau et qu'il était en proie à la colère. Il tira plusieurs fois et la bouteille éclata finalement en morceaux. L'homme se tourna ensuite pour viser la chaloupe. Sait-il que nous sommes là ? se demanda Vincent, paralysé par la peur. Mais le Brûlé baissa le canon de l'arme et fouilla dans sa poche. Il n'y avait plus de balles dans le barillet. Puis il sembla échapper celles qu'il avait puisées dans sa poche, car il alla chercher sa torche demeurée près de la bouteille éclatée.

Vincent, qui tenait toujours le tesson d'une main, souleva la chaloupe en vociférant de toutes ses forces et, Frison collé sur lui dans son gilet, il se précipita dans la *trail* qu'il avait prise au cours de la journée. Le Brûlé, qui s'était jeté au sol de peur en entendant le vacarme derrière lui, se remit vite sur ses jambes en comprenant qu'il s'agissait de sa proie. Torche en main, il se lança à sa poursuite. Mais Vincent avait plusieurs foulées d'avance et il eut le temps de s'enfoncer loin dans le sentier, puis dans un fourré, où il se terra en guettant les réactions de Frison pour savoir si le Brûlé avait découvert sa trace. Les minutes passèrent, toutes plus calmes les unes que les autres. Le cœur de Vincent recommença à battre à un rythme de plus en plus normal.

Quand Vincent se décida enfin à regarder sa montre, il était 1 h 15. Il avait tenu le tesson si serré dans sa main qu'elle lui faisait mal.

◆

À la barre du jour, Vincent s'encouragea en se disant qu'il avait eu le dessus sur le Brûlé. La chaloupe qui se dressait et son cri de guerre lui avaient sans doute donné une bonne frousse. Il trouva étrange que la nuit, si effrayante fût-elle, devienne une alliée et le jour une menace.

Mais il songea qu'il n'avait pas avancé beaucoup vers sa délivrance depuis sa sortie de la galerie souterraine. Sachant qu'il était encore dans ce secteur, le Brûlé pouvait l'attendre où il voulait pour le coincer.

Vincent resta terré deux heures de plus mais, devant le ravage des moustiques sur sa peau, il se décida à émerger.

Il sortit avec prudence du taillis et examina les alentours, prêt à se fondre dans le bois au moindre danger. Il tenta à nouveau de déboucher ses oreilles, comme on le lui avait montré le jour de son baptême de l'air. Il referma ses lèvres et souffla fort à s'en faire mal aux joues. Mais l'ouïe ne refaisait pas surface. Il était emmuré dans le bois et le silence. Il n'était pas question de rester là toute la journée.

Il chercha autour de lui une branche de bonne grandeur. Il en vit une qui ressemblait à ce qu'il voulait et la ramassa. Du bouleau. Du bois dur. Elle faisait dix centimètres de circonférence et environ un mètre de longueur. Elle offrait une bonne prise, était maniable comme un bâton de baseball. Il l'ébrancha et s'exerça à des mouvements de kendo. Un de ses amis, qui pratiquait cet art martial, lui en avait enseigné quelques rudiments. Il fouetta l'air en s'imaginant frapper le Brûlé. Il continua de cogner dans le vide avec rage et se rendit compte qu'il dépensait ses forces pour rien. Même Frison l'observait avec inquiétude. Vincent regarda à gauche et à droite avant de s'engager sur le chemin. À la manière d'un oiseau qui se méfie des chats, il posait des regards inquiets de tous bords, tous côtés. Heureusement que, malgré sa faiblesse de plus en plus apparente, Frison pouvait encore flairer le danger. Vincent remit le chien dans son chandail. Si grand-père avait roulé tout près de soixante-dix minutes à quarante kilomètres à l'heure dans ce chemin de bois, il lui faudrait au moins neuf heures pour rallier la grand-route, calcula Vincent en retranchant la distance qu'il avait déjà parcourue. Il regarda sa montre. Il y serait vers trois heures de l'après-midi si tout allait bien.

Avec précaution, il revint vers la plage. La chaloupe qui lui avait sauvé la vie avait été de nouveau renversée. Il aperçut plusieurs douilles sur le sable. Il fut rassuré de constater que le Brûlé était mauvais tireur. Vincent se dirigea vers l'endroit où il avait caché les restes de son lièvre, mais il constata qu'un animal l'avait déterré et emporté. Il ne sentait pas trop la faim et il lui restait des guimauves.

Il s'approcha des restes du feu de camp. Avec soulagement, il aperçut la canette remplie d'eau. Il la but sans en échapper une goutte. Puis, il lança la conserve dans le feu. Il pouvait reprendre sa marche. En avançant, il aperçut des douilles sur la rive, celles qui auraient pu servir à le tuer. Il arriva vite au croisement du sentier et du chemin. Personne en vue, ni d'un côté ni de l'autre. Caché dans le fossé, Vincent se demanda soudain s'il ne devait pas tenter de fuir le secteur en prenant par la gauche, soit la direction que son grand-père avait choisie en entrant dans la forêt. Puis il préféra jouer de prudence. Il savait qu'il pourrait rejoindre la 155 en allant vers l'ouest, alors qu'il ignorait quelle distance le séparait de la sécurité s'il s'aventurait vers l'est.

S'apercevant que la respiration de Frison était de plus en plus difficile, Vincent lui enleva son collier, qui l'embarrassait. Il allait le jeter dans le bois quand il eut une idée. Se tournant vers l'est, il le lança de toutes ses forces pour qu'il retombe le plus loin possible au milieu du chemin. Si le Brûlé le trouvait, il penserait logiquement que sa proie avait emprunté cette direction en sortant du sentier.

Vincent se mit en marche dans la direction opposée. Plusieurs kilomètres plus loin s'étalait le chemin de la liberté.

25

Duval ouvrit la porte, sortit la tête à l'extérieur. L'air était saturé d'humidité et le ciel gorgé de gros cumulus. Le lieutenant décrocha son parapluie de la patère et verrouilla derrière lui.

Les voitures vrombissaient en direction de la colline parlementaire.

Pendant son trajet, il pensa à son article. L'idée de l'abécédaire était originale et permettait d'aborder plusieurs facettes de son métier.

Avant de traverser la rue pour aller au boulot, le lieutenant entra dans la tabagie Turnbull pour acheter le journal. Il entendit l'animateur matinal à la radio faire ses choux gras de la nouvelle. Chacun commentait le drame des Hébert en spéculant sur ce qui avait pu survenir. Sur le comptoir à journaux, Duval regarda la une du *Soleil*. Le gros titre rapportait la disparition du grand-père et de ses petits-enfants. Les grandes photos des disparus avaient quelque chose de funèbre. Le compétiteur du *Soleil* faisait sa une avec une terrifiante question : *Sont-ils toujours vivants ?* Duval prit les deux journaux, demanda au commis de les mettre dans un sac. Il détestait se salir les mains avec de l'encre à journal. Il traversa la rue pour se rendre à l'édifice de la Sûreté.

Dans la salle d'attente du rez-de-chaussée, il vit madame Hébert qui l'attendait avec quinze minutes d'avance.

Elle avait attaché ses longs cheveux à l'arrière. Le maquillage ne suffisait pas à masquer son anxiété, mais elle portait des vêtements colorés, qui contrastaient avec le ton fataliste des reporters couvrant l'affaire.

Avec empathie, Duval s'approcha d'elle. Il montra des mains ses vêtements et sentit le besoin de justifier sa piètre tenue vestimentaire, indigne d'un chef d'escouade.

— Nous sommes en négociations syndicales et je vous prie de m'excuser si ma tenue vous paraît négligée. Je n'ai pas le choix.

— Ne vous excusez pas, lieutenant Duval. Ça ne me dérange pas. Je suis moi-même enseignante et on a beaucoup de difficulté dans nos négociations. Ça ne m'importe pas. Tout ce que je veux, c'est qu'on me ramène mes enfants et mon père, et je suis soulagée que vous soyez à leur recherche, car on m'a dit beaucoup de bien de vous.

Duval vit qu'elle tenait une carte du Québec dans ses mains et d'autres documents.

— On a commencé à diffuser le signalement de la voiture et de la roulotte de votre père. Deux policiers étaient chargés de prendre des informations sur une ligne réservée uniquement à ce dossier.

— Avez-vous eu la liste des vêtements ?

— Oui, merci. Venez, on va aller à mon bureau.

Le répartiteur derrière son comptoir appela le lieutenant.

— Daniel, il y a déjà au moins quinze journalistes qui ont téléphoné en trente minutes.

— Tu parles de ça au patron. J'ai pas le temps de jaser. Il faut que je travaille.

Demain, songea le lieutenant, ils seront les premiers à nous demander pourquoi l'affaire ne progresse pas.

Duval rejoignit madame Hébert et marcha en direction de l'ascenseur.

— Votre ex-mari doit venir cet avant-midi, dit-il en appuyant sur le bouton de l'ascenseur. Nous allons le soumettre au polygraphe. Un voisin de votre père l'aurait vu partir en colère, car il aurait fait crisser ses pneus sur une longue distance. Votre ex-mari nie toutefois s'être rendu chez votre père.

La porte d'ascenseur s'ouvrit et se referma derrière eux. Duval ne sut quoi dire à partir de là. Il sentait toute l'angoisse de cette femme saper son moral. Pour combler le silence, il s'apprêtait à lui demander comment elle avait trouvé Cape Cod, mais il se ravisa en se disant que madame Hébert devait regretter amèrement ses vacances, même si elle n'était pour rien dans la disparition de ses enfants.

La porte de l'ascenseur s'ouvrit et il retrouva ses mots. D'un geste courtois, il la pria de prendre le corridor à gauche, puis d'entrer dans son bureau, où il l'invita à s'asseoir. Elle déposa la carte et une feuille sur le bureau du lieutenant.

Elle était assise sur le bout de la chaise, impatiente de l'entendre faire le point et la rassurer.

— Avant de regarder cette carte, j'aimerais que vous me parliez plus en détail du plus récent épisode de violence conjugale.

— Le matin où je lui ai annoncé que je le laissais, il m'a agressée.

— Comment ?

— Il m'a serré le bras, m'a giflée et m'a poussée sur un meuble.

— L'avez-vous dénoncé ?

— Oui. Parce que je voulais avoir une raison solide pour exiger le divorce. Une fois, il a voulu s'attaquer à mon copain en le menaçant. Mais c'est resté verbal.

— Pensez-vous qu'il aurait pu s'en prendre à vos enfants ?

— Si vous m'aviez dit un jour qu'il lèverait la main sur moi, je ne l'aurais pas cru. Je ne sais pas comment répondre à votre question. Il n'a jamais battu les enfants. C'est tout ce que je sais. Il les aimait. Par contre, il m'a clairement dit que j'allais regretter ce que je lui ai fait en ne lui confiant pas la garde de mes enfants. Moi, je m'en tiens à la décision du juge. Il peut les voir deux journées, de neuf heures à cinq heures, sous surveillance.

Duval déplia la carte routière du Québec.

— On va regarder maintenant les destinations où aurait pu aller votre père avec les enfants. Existe-t-il un endroit qu'ils auraient souhaité visiter ?

— Comme tous les enfants, Disney World.

À ces mots, une coulée de larmes jaillit spontanément. Duval lui tendit un Kleenex. Elle hocha la tête en se rongeant l'ongle du pouce.

— Merci. Excusez-moi.

— Non, je comprends votre peine.

— Ça va, maintenant, dit-elle en se rapprochant du bureau de travail.

— Regardons la carte et dites-moi où vous êtes allée en vacances avec vos enfants dans les dernières années et où votre père aurait pu se rendre.

Il se dégagea rapidement qu'ils avaient adoré le zoo de Granby, l'an dernier, et le Parc Safari de Hemmingford. Les enfants étaient aussi allés en Gaspésie et ils avaient beaucoup aimé.

— Comme mon père a dû raccourcir son voyage, il a pu changer d'itinéraire. Il y a deux ans, mes parents les avaient emmenés dans Charlevoix.

— En quittant le vendredi et en revenant le lendemain, ça ne leur laissait pas beaucoup de temps. Je pars du principe que votre père voulait leur faire vivre l'aventure. C'est quoi, l'aventure, pour lui ?

Elle chercha une réponse en serrant les lèvres. Duval convenait qu'il s'agissait d'une question absurde pour une mère qui était sans nouvelles de sa progéniture.

Le lieutenant croyait que le voyage avait eu lieu dans un périmètre de deux cent cinquante kilomètres autour de Québec. Après avoir éliminé le nord de Montréal, le Bas-Saint-Laurent et la région de Charlevoix qu'ils avaient souvent visitée, Duval encercla les régions du parc des Laurentides, du Saguenay–Lac-Saint-Jean et de la Mauricie. Les enfants adoraient les animaux et le zoo de Saint-Félicien était une attraction familiale.

— Vous êtes combien d'enfants chez vous ?

— Je suis fille unique.

— Vous rappelez-vous un voyage hors de l'ordinaire que vous avez fait avec vos parents ?

Le souvenir qui ressurgit à sa mémoire fit naître un sourire qui illumina son visage assombri.

— Vous allez rire, mais l'un des plus beaux voyages qu'on a fait, c'est quand mon père m'a emmenée au zoo de York, dans le Maine. On a passé du temps dans les manèges à Old Orchard.

— Mais il faut au moins cinq heures pour se rendre à Old Orchard. Ça ne leur aurait pas laissé beaucoup de temps une fois là-bas. Je vais quand même envoyer le signalement de la voiture aux autorités du Maine.

Duval inscrivit dans son agenda la tâche à accomplir.

— Croyez-vous que votre père aurait pu aller au zoo de Saint-Félicien ?

— Je ne sais pas. Il est originaire du Lac-Saint-Jean. Il a quitté la région il y a très longtemps.

— Quelle est la race du chien de votre père ?

— C'est un caniche noir. Il s'appelle Frison. C'était le chien de ma mère. Les enfants l'adorent.

— Pouvez-vous me dire si votre père est le genre à réserver dans des campings achalandés ou s'il préfère des lieux plus intimes ?

— Mon père est quelqu'un de très économe. Il préfère le camping sauvage. Il n'aime pas dépenser. Il est vraiment près de ses sous.

Duval pensa que cette possibilité allait compliquer davantage leur enquête. Le téléphone sonna. C'était le capitaine Dallaire. On attendait Duval pour la réunion du matin.

— Oui, j'arrive. Je suis avec madame Hébert. Est-ce que la ligne téléphonique a donné des résultats ?

— Rien de très concluant pour l'instant. Cette marque de roulotte est très populaire. À vrai dire, on a eu des signalements des quatre coins du Québec, de l'Ontario, des Maritimes et de l'est des États-Unis. On vérifie quelques pistes, mais c'est trop flou pour l'instant.

— D'accord, conclut le lieutenant en raccrochant.

— Du nouveau ? s'enquit aussitôt la mère de famille.

— Pas vraiment. Mais la ligne semble très active.

Le lieutenant se leva. Madame Hébert l'imita et posa un regard inquiet sur Duval. Il chercha ses mots. Pendant un instant, il pensa lui faire part de la possibilité de la rencontre avec une parapsychologue judiciaire, mais il se ravisa. Il ne croyait pas en cette avenue, alors pourquoi faire naître de fausses attentes ?

— Je suis sûr qu'on aura avancé d'ici la fin de la journée.

— Merci. Je vous fais confiance.

— Je vous raccompagne.

Devant la porte de l'ascenseur, Duval appuya sur le bouton. Il l'encouragea à garder espoir. La porte s'ouvrit et il salua Marie Hébert en adoptant un air confiant.

◆

Devant un café fumant, le capitaine Dallaire, Prince, Tremblay et Harel se réjouissaient de la fin de la grève dans le baseball et pronostiquaient les chances des Expos de jouer les séries mondiales. À quatre parties des meneurs de leur division, les Expos auraient la possibilité de les rejoindre alors qu'ils débarquaient à Montréal, le 9 août.

Mais des statistiques de baseball, on passa vite à la carte que Duval déplia devant eux. Une dizaine d'agents en uniforme s'étaient joints à l'équipe.

— Je viens de passer trente minutes avec madame Hébert. On a éliminé des destinations. On concentre nos recherches sur la Réserve faunique des Laurentides, la région du Saguenay–Lac-Saint-Jean et l'État du Maine. Dans ce dernier cas, il faut envoyer le signalement aux autorités américaines. Mais je le fais pour la forme, car la distance et le peu de temps dont le grand-père disposait me font douter qu'il se soit aventuré là-bas.

— Pourquoi à ces endroits précisément ? demanda Dallaire en mettant un succédané de sucre dans son café.

— Premièrement, parce que les enfants voulaient vivre une aventure. Deuxièmement, ils aiment les animaux : la Réserve faunique des Laurentides est un endroit tout désigné, d'autant plus qu'il faut y passer pour se rendre au zoo de Saint-Félicien, et dans le Maine, il y a le zoo de York. Paraît que le plus beau voyage que madame Hébert a fait avec son père était à cet endroit. Troisièmement, monsieur Hébert, aux dires de sa fille, est un vrai suce-la-cenne. Il a pu vouloir accéder à des zones reculées du parc des

Laurentides pour économiser et, qui sait, se perdre avec sa roulotte.

— Et ce serait bien mérité, philosopha Louis, que chacun dévisagea pour son manque de tact légendaire.

Duval consulta ses notes et cocha le dernier point qu'il voulait aborder.

— Madame Hébert a été violentée par son mari. Après avoir porté plainte, elle a entamé les procédures de divorce. Mais il semble qu'il y avait déjà un homme dans la vie de Marie Hébert à ce moment-là.

— Son mari a été vite remplacé, nota Louis avec cynisme.

— En tout cas, il aurait eu des raisons de se venger, observa Bernard.

— C'est ce qu'on va savoir bientôt, dit le lieutenant. Je le fais passer au détecteur de mensonge.

— Talbot arrive à quelle heure ? demanda Louis.

— Il devrait être là dans dix minutes.

Duval assigna les tâches matinales. Francis et Bernard, entre autres, analyseraient les pistes reçues par téléphone pour tenter de voir si l'une d'elles pouvait servir.

À 9 h 55, Duval entra dans la salle d'interrogatoire où Parent passait le test du polygraphe. Résigné, l'homme semblait assis sur une chaise électrique. Les yeux hagards, il demeura impassible pendant que Talbot serrait le tensiomètre autour de son bras, lui insérait des senseurs à l'index et au majeur droits pour mesurer la conductivité électrique et cintrait les pneumographes autour de sa poitrine. Discrètement, Duval *briefa* Talbot sur l'affaire. Il l'avisa que Parent souffrait de dépression et qu'il prenait des antidépresseurs. Il lui remit les questions auxquelles Parent devait répondre. Le technicien calibra son détecteur de mensonge et signala à Duval qu'il était prêt.

Après une série de questions anodines, le test commença et Duval les laissa seuls.

◆

Moins d'une heure plus tard, Duval lisait le mémo de Talbot lui annonçant que Parent avait échoué à toutes les questions du test. Le technicien l'attendait dans la salle de réunion.

Quand Duval arriva sur le seuil du bureau de Louis, il entendit une étrange conversation téléphonique où il était question d'horaire, de prix d'ami pour un ex-collègue. Perplexe, il demeura un instant dans la porte.

— Tu peux ben nous rire en pleine face, mon gros pourri, avec un tarif pareil, continuait Louis. Je sais que c'est pas les contrats qui manquent, mais c'est pour une bonne cause.

Dans quel pétrin s'était encore mis son collègue ? s'inquiéta Duval. Était-ce l'affaire du motard ?

— Ma grosse poule va regretter ça, dit Louis en gloussant.

Duval frappa et entra dans la pièce.

— Talbot nous attend, Louis. Paraît que Parent a échoué le test.

— Oups ! C'est mon boss. Faut que je raccroche. On se voit tout à l'heure.

— Qui peux-tu bien traiter de grosse poule ? rusa Duval pour faire parler Louis. T'as pas rencontré une fille ?

Loulou éclata de rire.

— Non, non. Pas de danger ! J'ai très hâte de voir la sœur de Laurence.

Duval essaya de lui tirer les vers du nez, mais Louis refusa de commenter ou de révéler l'identité de son interlocuteur et de cette fameuse « poule ».

Talbot examinait les tracés du stylet sur le long rouleau que forme l'examen au polygraphe. Dallaire était à ses côtés, grattant ses plaques rouges causées par des allergies.

Talbot sourit en apercevant Duval.

— Méchant spécimen ! Il a échoué aux quatre questions, Daniel.

— Aux quatre ?

— Il ment quand il dit ne pas être allé voir ses enfants chez Hébert, son beau-père. Il ne dit pas la vérité non plus quand il affirme ne pas avoir menacé sa femme avant son départ. À la question « Vous devez bien savoir où est allé Gilles Hébert », il a aussi raté le test. Et j'ai posé la question ultime : « Avez-vous quelque chose à vous reprocher dans la disparition de vos enfants ? » Comme tu peux voir sur les graphiques, le stylet s'emballe une fois de plus. Sur le pneumographe, la respiration est profonde, la tension artérielle, qui était déjà très élevée avant le test, s'accélère, ce qui indique beaucoup de stress quand il répond aux questions, et la sudation est très forte. Ensuite, il a craqué. Il s'est mis à trembler et à pleurer. Je l'ai entendu murmurer « C'est ma faute, tout ça ». Après, il a refusé de parler. Il observe un profond mutisme depuis ce temps.

— Où est-ce qu'il est ?

— On l'a amené sous escorte à l'infirmerie. Il voulait son médicament.

— Je vais lui faire passer un interrogatoire.

Le téléphone sonna et Dallaire répondit. C'était Francis. Pendant qu'il parlait, Dallaire répétait à son auditoire la teneur de ses propos.

— Deux appels sur la ligne 1-800 qui confirmeraient ta thèse… Deux témoins auraient vu les Hébert à l'Étape, vendredi, vers onze heures… Un autre certifie les avoir aperçus près de Jackman, à la frontière américaine… Les deux premiers témoins sont un couple. Ils affirment que les enfants correspondent parfaitement à la description fournie par la SQ et qu'il y avait un chien dans la voiture, une Ford…

L'Étape était le seul relais routier avant la longue traversée de la Réserve faunique des Laurentides. Quelques kilomètres plus loin, une fourche menait à l'ouest sur la 169 en direction du Lac-Saint-Jean, et à l'est sur la 175 vers le Saguenay. L'Étape était un lieu stratégique. On s'y arrêtait pour manger, se reposer, se soulager et faire le plein d'essence. Ensuite, chacun souhaitait ne pas avoir de pépins mécaniques.

— Vendredi dernier, vers onze heures. Ça me semble crédible, chuchota Duval à Louis. Ils ont fait le plein vers neuf heures quinze à la station-service de Sainte-Foy. Le temps pour se rendre à l'Étape m'apparaît juste.

Le lieutenant finit de noter les informations et, avec Louis sur les talons, il s'empressa de rejoindre Francis.

Francis parlait encore au téléphone quand Harel et Duval entrèrent dans son bureau. Le grand blond aux lunettes en écailles, d'un geste nonchalant, les invita à s'asseoir. Derrière lui s'étalaient des photos le montrant à des stages d'aïkido avec de grands maîtres japonais et ses prix remportés lors de concours de tir. Sur le bureau, Duval aperçut trois photos de Simon, le bébé de l'enquêteur.

— Est-ce qu'on pourrait vous rencontrer? Vous êtes à Hébertville en vacances… Cet après-midi? Je pourrais être là à trois heures…

Pendant que Francis prenait l'adresse du chalet des témoins, Duval tourna la tête pour voir les notes que Louis inscrivait dans son calepin. Il y avait de quoi être intrigué, d'autant plus que son équipier écrivait rarement.

— J'ai mon rendez-vous avec les deux témoins, s'emballa Francis. Ils sont certains d'avoir vu le grand-père et les enfants. Je crois qu'on aura d'autres certitudes d'ici la fin de la journée.

— On va se rendre aussi à l'Étape, décida Duval. Francis, appelle le lieutenant Jérémie Harvey, de Roberval, pour l'aviser du dossier. Moi, je dois aller interroger Parent.

Louis interrompit Duval.

— En passant, la voyante a laissé un message à la centrale. Elle pourrait nous recevoir en soirée.

— Tu veux dire qu'on se rend sous une tente à Expo-Québec ? railla Duval avant d'éclater de rire.

Louis avala mal l'ironie de son collègue.

— C'est toi qui m'as téléphoné hier pour me demander si elle était facile à joindre.

— Oui, mais là on est sur des bonnes pistes.

En voyant Louis plongé dans son calepin, Francis le toisa avec un sourire moqueur.

— Coudon, Louis, tu prépares ton discours pour le baptême de Louis-Thomas ou un poème pour la sœur de Laurence ?

— Ah ! va chier, le chouaneux… Ç'a rien à voir.

— Où est Bernard ? demanda le lieutenant. Il ne devait pas travailler avec toi ?

— Il est allé rencontrer un agent correctionnel au sujet d'un gars qui n'a pas respecté ses engagements. Il devrait être de retour d'une minute à l'autre.

◆

Duval revenait de la salle de reprographie quand il entendit une voix rauque qu'il crut reconnaître.

— Salut, tante Louise.

— Salut, mon gros canard ! Toujours d'aussi beaux complets. Tu viens encore nous faire chier ?

— Faut bien dépenser l'argent des cocus.

— Tu peux ben puer le cigare, ma grosse.

Des rires gras giclèrent dans le corridor.

Duval s'avança et aperçut Gérald Gendreau, un ex-collègue, enveloppé d'un nuage bleu de fumée. Trois gros cigares de LA Havane sortaient de la poche de son veston rayé. Le flamboyant détective chaussait des souliers noirs et blancs vernis à se mirer dedans. Fidèle à ses habitudes, il profitait de chaque occasion pour insulter ses collègues sous le couvert de la blague. Avec le Gros Louis, il pouvait s'en donner à cœur joie.

— Ah ben! si c'est pas le lieutenant *Dan the man*, l'employé du mois douze fois par année. Toujours aussi en forme, mon garçon?

— Pas autant que toi, à voir la chaîne de bicycle que t'as dans le cou.

Gendreau dégageait une affreuse odeur âcre de fumée qui lui collait à la peau depuis des années. Ses lèvres pulpeuses, tordues et jaunies par la succion du cigare, découvraient des chicots bruns.

— Quand est-ce que vous venez travailler pour mon agence? J'ai de la job pour vous autres, n'importe quand. Venez dans le privé!

— Des filatures de maris pis des femmes en chaleur, ça m'intéresse pas, Gerry.

— Toi, Dan, t'es un puriste, un téteux. Si le crime n'existait pas, tu l'inventerais juste pour travailler.

Louis et Gerry s'esclaffèrent tandis que Duval riait pour la forme.

Le lieutenant avait toujours cru que cette manie d'insulter les autres chez Gendreau était un tic obsessionnel compulsif.

— Ben en tout cas, Louis, fais-moi confiance. M'en vas t'arranger ton affaire, lui certifia Gérard.

Duval se dirigea vers le corridor où se trouvait le bureau du capitaine.

De biais, la porte d'ascenseur s'ouvrit et Tremblay et Prince en sortirent comme deux bloqueurs d'un vestiaire de footballeurs.

— Ah ben, tiens, mes deux fifis préférés ! décocha Gendreau.

Prince, qui ne l'avait jamais beaucoup aimé, lui répondit du tac au tac.

— Avec ton *suit* Liberace, je te laisse les violations de domicile par-derrière…

Un tonnerre de rires ensevelit la réplique de Gendreau.

— Ah ! je m'ennuie de mes chums… Venez travailler chez nous. On va avoir du fun, les supplia-t-il de sa voix éraillée. Toi, Bernie, tu prends ta retraite cette année. Viens don' faire le salaire d'un médecin chez nous.

— Je vais me reposer sur le bord de ma piscine…

Prince se tourna vers le lieutenant.

— Y faut qu'on te parle, Daniel. Du neuf !

— Je finis avec Gerry, dit Louis, et je vous rejoins.

Francis sortit son carnet et prit la parole. Prince et lui avaient fait une belle récolte.

— D'abord, le couple de Roberval, les Normand, confirme qu'ils ont bel et bien vu les trois membres de la famille Parent-Hébert et le chien. Leur description concorde parfaitement avec le signalement qu'on a diffusé. Quand ils ont quitté l'Étape, les Hébert y étaient depuis quinze minutes. Les enfants mangeaient. Comme le couple est de l'âge de Gilles Hébert, ils trouvaient beau de voir le grand-père voyager avec ses petits-enfants. Ils les ont observés avec amusement. Ils se sont même adressés à eux. Et ils ont pu nous dire qu'il y avait un chien, indiquer sa race et sa couleur, ce que notre signalement médiatique ne précisait pas.

— Ils se sont parlé ?

— Ils ont dit au grand-père qu'il avait de beaux enfants.

— Quelle heure était-il ?

— Autour de midi quinze.

— Ce qui est sûr, c'est qu'ils allaient soit vers Roberval, soit vers Chicoutimi.

Duval indiqua la carte du Québec scotchée sur le mur derrière son bureau.

— Je suis à peu près certain qu'ils ont pris la route 169. Avec des enfants, ils allaient peut-être au village fantôme de Val-Jalbert, ou alors au zoo de Saint-Félicien, ou encore le grand-père voulait faire le tour du lac jusqu'au parc Taillon...

— Le village historique de Val-Jalbert vient juste d'être fermé par la CSST, les informa Prince. Un touriste est passé à travers le plancher d'une maison. Il s'est cassé le bassin. C'est la grosse nouvelle au Lac avec la disparition du grand-père et des enfants. Sinon, je suis en contact avec le lieutenant Harvey. Il est très coopératif. Il a appelé toutes les compagnies forestières et les syndicats pour qu'ils avisent les membres d'être vigilants. Les policiers ont commencé à ratisser autour de Saint-Félicien. Le beau-père de Harvey, qui est un homme d'affaires de la région, a mis son hélicoptère à leur disposition. Ils ont vérifié les registres du parc Taillon mais n'ont pas vu le nom de Gilles Hébert. Il ne serait pas passé inaperçu avec sa roulotte.

Duval écrivit le nom de l'enquêteur dans son calepin avec la mention « Téléphoner » et se tourna vers Francis.

— Le secteur reste encore très vaste. J'aimerais avoir des photos aériennes de la région, des sites de camping, des locations de chalets. Peux-tu appeler un agent du ministère de la Chasse et de la Pêche ?

Francis regarda sa montre.

— Il est midi moins cinq… C'est fermé à cette heure-là…

— Appelle quand même, ordonna Duval. Il reste cinq minutes.

— C'est mal connaître les fonctionnaires, rétorqua Francis, qui s'empara néanmoins du bottin pour chercher le numéro.

— Toi qui aimes tant la chasse, Francis, tu dois connaître cette région.

— Je connais le haut Saguenay–Lac-Saint-Jean, le secteur du Mont-Valin, mais pas la Réserve faunique.

Francis trouva le numéro dans les pages bleues du gouvernement. Il prit le téléphone et composa.

— Je suis Francis Tremblay, enquêteur à la Sûreté du Québec… Si vous répondez, c'est que vous êtes ouvert… (Francis fit un clin d'œil à Duval.) Il est midi moins trois, alors passez-moi tout de suite un technicien en cartographie…

Duval se tourna vers Prince.

— Demande à Dallaire de réquisitionner l'hélicoptère pour la fin de la journée. On a encore quelques heures avant la brunante.

Francis raccrocha en frappant dans ses mains.

— On va avoir nos cartes. Le ministère de la Chasse et de la Pêche est sur le chemin Sainte-Foy, juste à côté. Ils envoient un stagiaire nous les porter.

26

Vincent marchait depuis cinq heures. Il observa un geai bleu se poser dans un arbre. Avec son bec, l'oiseau entreprit de nettoyer le dessous de ses ailes. Tout était si beau ici. Il voyait la tête éclatée de son grand-père et les cris de Sébastien hantaient son esprit. Avaient-ils souffert ? Pourquoi n'avait-il pas invité son petit frère à monter avec lui dans la chaloupe ? Et s'ils étaient partis le jour prévu ? Si grand-père n'avait pas été malade ? Il se mit à ressasser les mêmes doutes. Il chassa ces pensées noires, en proie à la rage.

Il regarda le ciel qui ménageait des éclaircies. Il reprit sa marche. Un tamia s'abreuvait dans l'eau d'une ornière à quelques mètres de lui. L'animal dressa ses oreilles et fuit à toute vitesse à son approche. Vincent sourit.

Un tournant laissait entrevoir la belle rivière en contrebas. Il passa le pont de bois. C'était l'une des rivières qu'ils avaient traversées. Il ne se rappelait plus s'il y en avait deux ou trois. Il se retourna. Il tenta à nouveau de déboucher ses oreilles. Il se força une fois de plus à bâiller, mais tous ses efforts demeuraient inutiles. Il arriva dans la portion supérieure de la courbe, s'arrêta pour regarder autour de lui. Il sentit les pattes du caniche gratter sa poitrine. Il n'entendait pas le chien qui jappait, mais voyait sa gueule s'ouvrir. Le garçon tourna lentement la tête et aperçut un visage immobile à travers les branches. Il se figea et le détailla à la lumière du jour. Ce n'était plus un homme qui se trouvait là. La moitié gauche du visage était noircie, rougie, purulente ; le nez et l'oreille avaient fondu. Une veine saillait sur une joue à travers ce ravage. Il n'avait plus de sourcils ni de cheveux de ce côté de la tête. Son nez luisait comme un lumignon, plein de suif. Les yeux paraissaient flotter dans les orbites creuses, mais brillaient d'une folle intensité. La chair sanguinolente pendait sous sa mâchoire.

Son œil rencontra celui de Vincent. Qui détala à toutes jambes.

Mais la bête surgit du fourré, l'arme au poing. Le chien aux abois sauta au sol et se rua vers l'assaillant pour le mordre rageusement au mollet. Le Brûlé se tordit de douleur. Vincent remarqua les lambeaux de peau qui pendaient de ses bras roussis. L'homme pointa son arme vers le caniche. Il tira une première balle, mais manqua le chien qui continuait de s'agripper à son mollet. Vincent se remémora alors son entraîneur de hockey lui hurlant sur un ton de reproche: «Check! Check! CHECK!» Profitant du fait que l'homme lui tournait le dos, Vincent courut vers lui et le frappa durement avec sa branche sur la tête et sur l'épaule, une fois, deux fois, trois fois. L'écorce blanche rougeoyait à son extrémité.

Luttant pour sa survie, le dément tira une seconde balle qui atteignit le chien. L'animal se figea net, paralysé mais toujours vivant. Le Brûlé, lui, s'était écrasé par terre, incapable de se relever, marmonnant des sons incompréhensibles. Vincent frappa un autre bon coup sur la tête du fou, prit son chien et courut se réfugier dans le bois. «Tiens bon, Frison, ça va aller.» Mais le caniche perdait beaucoup de sang et gémissait. Le t-shirt de Vincent, déjà sanguinolent, se trempa de sang. Il allait s'enfoncer dans la forêt quand il aperçut la Ford de son grand-père, un peu plus loin en aval sur la route. Il se dit qu'il pourrait la conduire pendant que le Brûlé gisait assommé. Il courut jusqu'à la voiture, y monta, mais constata que les clés n'étaient pas dans le contact. Il installa Frison sur le siège du passager. Il chercha le trousseau sur le tableau de bord, sur le tapis, mais ne le trouva pas. L'habitacle était sale, plein de sang, de fluides corporels et de bouteilles de bière. L'intérieur puait le ranci, la transpiration et la sueur qui se mélangeaient aux odeurs de tabac à pipe. Des lambeaux de chair étaient collés sur le dossier du conducteur. Des mégots de cigarettes étaient écrasés sur le tableau de bord. Puis la vue d'un sous-vêtement sur le tapis, celui de Sébastien, fit émerger en Vincent une rage immense. Mais il lui fallait se concentrer sur la tâche à accomplir. Pas de clés nulle part. Il vérifia si son grand-père en gardait dans la boîte à gants. Non plus. Il vit une petite trousse de premiers soins avec le sigle de la Croix-Rouge. Il la prit. Sous la boîte, il y avait une enveloppe sur laquelle il put lire : « Pour Vincent ». Sans l'ouvrir, il la fourra dans son pantalon, intrigué. Il chercha encore la clé sur les sièges et les tapis, mais en vain. Il frappa le volant de découragement. À travers la lunette arrière, il aperçut le Brûlé qui s'était relevé et se rapprochait péniblement, chancelant, groggy des coups qu'il avait reçus.

Vincent reprit le chien dans ses bras. Mais avant de partir, il ramassa son tesson de bouteille et l'enfonça dans le pneu avant. Il allait percer l'autre pneu mais le fou n'était plus qu'à trente mètres. Vincent remarqua soudain les bottes étranges que portait l'homme. Leurs extrémités pointaient vers le haut, ce qui lui faisait des pieds fourchus.

Vincent courut se réfugier dans la forêt. À sa grande surprise, le Brûlé ne le suivit pas, mais tourna les talons dans la direction opposée. Vincent, déjà bien enfoncé dans la forêt, s'arrêta pour l'épier. Quand il le vit se pencher pour ramasser son arme, Vincent s'en voulut de ne pas l'avoir prise. Le garçon observa à distance la bête humaine qui hurlait, s'il devait en croire sa bouche qui s'ouvrait et se refermait. Il regardait tout autour. Il le vit fouiller dans la poche de son pantalon et recharger le barillet de son arme.

Le garçon reprit sa fuite à travers la forêt et, bientôt, il pataugeait dans un marais à proximité d'un petit lac jonché d'arbres morts, infesté d'insectes. Des truites nageaient à la surface de l'eau que survolaient des libellules. Un barrage et une hutte de castors s'élevaient l'un derrière l'autre au bout du lac. Un castor tapa de la queue sur l'eau pour annoncer le visiteur. Malgré la beauté du paysage, la tête à moitié ravagée du maniaque s'imposait à Vincent. Son regard courroucé, plein de haine, s'était imprégné dans son esprit. Qui était-il? D'où venait-il? Dire que Vincent avait cru, pendant un instant, alors qu'il était dans la chaloupe, que son père était venu se venger. Il eut honte de cette pensée. Son père avait des torts, mais pas au point de tuer sa famille.

Vincent chuchota un mot à l'oreille de Frison, le rassurant, serrant sa matraque en bouleau dans une main. Puis il se rendit compte que Frison avait fermé les yeux. Il respirait encore, mais restait inerte.

— Frison, murmura-t-il. Tu ne vas pas me laisser tomber? J'ai besoin de toi.

Le chien ouvrit les paupières et les referma aussitôt. Il semblait geindre, se désespérait Vincent.

— Tu vas vivre, Frison. Laisse-moi pas tomber. J'ai encore besoin de toi.

Frison venait une nouvelle fois de lui sauver la vie. Le chien avait senti la présence du fou embusqué. Il n'aurait pas une autre chance pareille. Vincent sortit une guimauve de sa poche et la plaça sous le museau du chien, qui la renifla mais sans la manger.

— Frison, je suis là. Veux-tu une guimauve? lui murmura Vincent à l'oreille.

Le garçon sortit la trousse de premiers soins de sa poche, y prit des gazes et un antiseptique. Le peroxyde moussa sur la plaie et le chien agita faiblement ses pattes antérieures. Il sortit le rouleau de bandages et entoura la blessure dorsale du chien, ce qui réduisit aussitôt le saignement. Il désinfecta aussi la blessure à la cuisse.

Il sortit une petite boîte d'aluminium contenant des Anacin. Il fourra quatre comprimés dans la gorge du chien en souhaitant que l'analgésique freine les douleurs du caniche. Alors qu'il allait remettre les ciseaux dans la boîte en métal, il se ravisa et les glissa dans sa poche. Il fourra ensuite les pansements dans sa poche arrière.

Qu'allait-il devenir, maintenant? Pris d'un terrible vertige, Vincent eut un haut-le-cœur. Un goût de cuivre dans la bouche. Son estomac se contracta. Il se pencha pour vomir. Des guimauves, des bleuets, des restants du lièvre de la veille. Il essaya de restreindre les bruits de son indigestion, mais il ne savait pas s'il parvenait à les masquer. Une fois qu'il eut tout restitué, il reprit Frison dans ses bras. Il posa ses lèvres sur la tête du caniche et lui dit qu'il l'aimait et le remercia pour tout.

— Je ne te laisse pas tomber. Je t'emmène avec moi.

Il visualisait bien l'endroit par où il était venu jusqu'ici à travers la forêt. Devait-il retourner tout de suite sur le chemin? Il se sentait faible après avoir vomi.

Il se rendit jusqu'au bord du lac. Il se pencha. L'eau était claire. Il joignit les mains et mouilla son visage. Il en offrit à Frison dans le creux de sa main, et le chien lapa avidement sa paume. Vincent constata que les analgésiques semblaient faire effet. Le caniche se rendormit.

Toujours intrigué par l'enveloppe qu'il avait trouvée à son nom dans la boîte à gants, Vincent la sortit de la poche de son pantalon souillé. Il retira de l'enveloppe froissée une carte postale. La carte montrait l'ermitage Saint-Antoine de Lac-Bouchette qu'il avait entrevu avec son grand-père. La carte, datée du mois de juillet 1927, avait été adressée à Yolande, sa grand-mère, et postée de la gare de Chambord. Plus de cinquante ans s'étaient écoulés. Vincent sentit une vague d'émotion l'étreindre en prenant connaissance du message.

12 juillet 1927
Chambord-Boucane

Chère Yolande,

Ma semaine fut un combat de Titans. Pourquoi ai-je à choisir entre Dieu et toi ? Ne puis-je pas aimer les deux sans sacrifier l'Un au détriment de l'autre ? Dieu, pour éclairer ma route – après tout je suis apprenti électricien et j'ai besoin de Ses lumières –, et toi pour illuminer ma vie. Je suis né pour être avec toi. Je t'annonce que j'irai bientôt à Québec demander ta main à ton père. Mes parents seront déçus, mais je ne suis pas apte à la prêtrise. Je devrai m'expliquer par-devant mon père.

Sur le bord de la rivière Ouiatchouan, d'où je t'écris, la nature est belle comme toi, fière et forte, fraîche et pétillante. J'adore ma région. Je couche à la belle étoile. Je connais ta phobie des ours et des loups. Ne t'inquiète pas. Avec toi dans mon sillage, je n'ai peur de rien. Un Sauvage de Mashteuiatsh avec qui j'ai pêché, hier, m'a conté la légende du couguar. Elle m'a suivi jusque dans un rêve.

Ton tendre Gilles

Vincent fixa le ciel. Des larmes, à la fois de rage et d'émotion, coulaient sur ses joues. Il se vida de sa peine jusqu'à sentir un grand calme l'envahir. La vie ne serait plus pareille. Le fond de colère avait trouvé un terreau pour croître et avec lequel il devrait vivre. Il porterait la mémoire de son grand-père et de son frère. Il comprit pourquoi son grand-père avait tenu à lui montrer l'ermitage : il connaissait maintenant l'origine de l'histoire préférée de son grand-père, qui avait bercé son enfance.

Il s'en sortirait, martela-t-il une fois de plus dans sa tête. Il connaissait sa mère, elle avait dû prévenir les policiers, qui s'affairaient sûrement à le retrouver.

Vincent fleura une bonne odeur familière. Les ailes de son nez frétillèrent. Il reconnut la senteur des plants de framboises. Il les chercha et les découvrit un peu plus loin dans une petite anse de galets, bien exposée au soleil.

Après avoir déposé Frison à l'ombre, il ramassa quelques framboises, même s'il n'avait pas envie de manger. Il fallait emmagasiner des vivres. Elles semblaient bonnes ! Molles ou dures, petites ou grosses, juteuses ou non.

Par réflexe, le jeune garçon regardait partout à la fois, pour s'assurer d'être bien seul. À la surface du lac, une petite truite mouchetée émergea pour se nourrir, laissa quelques bulles d'air et replongea. S'il avait eu du matériel de pêche, il aurait pu remonter un poisson. Mais il n'avait pas le temps de considérer cette perspective. Ses doigts tachés de rouge puisaient sans relâche dans les framboisiers.

La journée s'annonçait humide et les mouches harassantes. Avant de repartir, il se dévêtit et s'avança dans le lac jusqu'aux épaules en frissonnant. L'eau froide apaisa les morsures et les piqûres de bestioles.

Il se baigna, se trempa les cheveux et le visage. Il demeura quelque temps sous l'eau, puis sortit, rafraîchi, rasséréné. Il sentit ses muscles se détendre. Après un léger somme, il serait d'attaque pour franchir plusieurs kilomètres. La nuit d'hier avait été brève et périlleuse. Il décida de se reposer une heure avant de partir. Bien étendu sur la rive, il ferma les yeux, les ouvrit au bout d'un certain temps pour contempler les nuages, puis les referma. Il pensa à Sébastien et à son grand-père. Cela l'apaisa.

Il errait, flottant dans un demi-sommeil, quand le chien remua. Les yeux mi-clos, Vincent aperçut une tache orangée, furtive, qui bondissait d'une pierre à l'autre du côté opposé du lac. Il crut alors rêver. Il saisit ses jumelles. En voyant l'animal, il sentit son cœur battre à fendre sa poitrine. Sur le coup, il crut que c'était un lynx, mais le félin était beaucoup trop imposant. Le grand chat lécha sa fourrure puis s'étira. Pour la première fois de sa vie, Vincent observait son animal emblématique, le couguar. Il ressentit une vive émotion, sans aucune frayeur. Son grand-père ne mentait donc pas, c'était plus qu'un mythe. Le félin le regarda un long moment puis il se projeta sur une autre pierre. Vincent eut aimé croire que l'esprit et la force du couguar, comme le disaient les Montagnais, l'avaient pénétré, lui donnant le courage nécessaire pour sortir du piège. Mais quand il s'avisa que l'animal flairait quelque chose, Vincent replaça Frison dans son hamac de fortune en lui disant de tenir bon.

Il entreprit de regagner le chemin, porté par un espoir renouvelé.

Heureusement, les moustiques avaient fait une pause, même si les mouches noires tournaient autour de lui.

27

Après avoir dîné à la centrale, Duval entra dans la salle où Parent avait échoué le test du polygraphe en matinée. Louis, qui l'y attendait, installait la cassette dans le magnétophone. Sans cérémonie, Duval lut à Parent les droits que lui conférait la justice. Parent l'écoutait d'un air lassé. L'homme assis devant le lieutenant avait sombré plus creux que la veille. C'était une épave en chute libre vers l'abysse. Il semblait désarticulé de partout. Duval fit signe à Louis d'ajuster le micro et de laisser rouler le magnétophone.

Duval allait poser une première question quand Parent, les traits déchirés par l'émotion, la voix sanglotante, marmonna :

— C'est moi, c'est moi le coupable, c'est ma faute, c'est ma faute. Tout le monde le pense. C'est ce qu'ils ont dit à la radio. C'est ma faute. Toujours ma faute ! Que je les ai tués par jalousie. Je suis un crisse de jaloux, c'est vrai. Il avait pas le droit de me prendre ma famille. Le petit Sébastien, elle l'a fait dans mon dos. Vous voulez un coupable, hostie, prenez-moi. Ils l'ont dit.

Louis chuchota à Duval le nom de l'animateur en question. Toujours lui. Celui qui faisait face à une multitude de poursuites.

Duval se demanda si Parent avait pris trop de médicaments. Il avait la bouche sèche et ne cessait de mâchouiller, de passer sa langue sur son palais.

— Le meurtrier veut de l'eau, cria soudain l'homme. Apportez-moi de l'eau.

Louis alla à la fontaine lui remplir un gobelet d'eau. Parent le but d'un trait et en redemanda. Il avala encore d'un coup tout le contenu.

Sa tête tomba en avant. Sans se faire mal, il se frappa plusieurs fois le front sur la table. Duval et Louis se regardèrent, interloqués, et ce dernier se releva pour le retenir.

— Monsieur Parent, dit le lieutenant, si je vous comprends bien, vous avouez les avoir tués.

Il hocha faiblement la tête, les yeux dans les vapes.

— Comment les avez-vous tués et à quel endroit?

La tête basse, l'homme grommela quelques paroles incompréhensibles. Duval n'y comprenait rien.

— Monsieur Parent, soyez plus clair.

— Ils sont partis tôt le matin.

— Où? Quand?

— Je les ai suivis et j'ai…

— Vous avez quoi?

— Je les ai…

— Monsieur Parent, redemanda Duval en haussant le ton, dites-moi où sont vos enfants…

— Tout ça, c'est ma faute, l'interrompit l'homme en hurlant. MA FAUTE!

— Où sont-ils si vous les avez tués? martela le lieutenant.

— Ils sont dans la fosse septique de mon chalet.

Duval remarqua le rictus dégoûté de son collègue.

— Où est votre chalet?

— À Tewksbury…

— Comment les avez-vous tués?

— Par ma faiblesse, par ma stupidité, hurla-t-il en se levant.

Louis l'invita posément à se rasseoir.

Le lieutenant se frotta les tempes, perplexe. L'homme n'était visiblement pas en état d'écrire une déposition ou de contresigner ses dires sous la plume du lieutenant. Duval voulait vérifier la solidité de ses aveux, mais Parent devenait de plus en plus évasif. Il semblait se retrancher dans un autre monde.

— Où est le cadavre de votre beau-père, monsieur Parent ?

— Je ne sais pas, répondit l'homme.

— Mais vous venez de me dire qu'ils étaient dans la fosse septique.

Harel secoua la tête.

— Tu devrais arrêter, Dany.

— Est-ce que ce sont seulement vos enfants qui sont là ? poursuivit quand même Duval.

— Ils sont dans la chute. Je sais qu'ils sont morts. Je les ai vus morts… je les ai tués…

— Dans la chute ou la fosse septique ?

— …

Duval sentit sa tension artérielle monter d'un cran. L'homme qu'il avait devant lui n'avait aucun contrôle de ses pensées et chaque minute perdue représentait un espoir de moins de retrouver les disparus. Il composa le numéro du capitaine. Il voulait lui faire part de la situation.

— Il est totalement confus, dit-il aussitôt qu'il fut en communication avec Dallaire. On dirait qu'il est en train de décompenser. J'ai peur qu'il nous pète en pleine face. Pas moyen de lui faire écrire une déposition. Tout est flou et contradictoire.

Duval se tourna vers Parent tout en gardant le téléphone près de sa bouche.

— Quelle est l'adresse de votre chalet ?

— J'aurais don' pas dû les laisser aller! J'aurais don' pas dû, scanda-t-il plutôt que de répondre.

Puis il s'écroula sur le plancher, en proie à une violente crise de nerfs. Il se mit à crier des insanités, à blasphémer contre la religion et à se traiter de raté. Il suait, tremblait encore plus que la veille. Les tendons du cou, tendus comme des cordes de violon, semblaient vouloir éclater. Duval l'observa se rouler par terre. Disait-il vrai ou faux? Le lieutenant craignit qu'il ne fasse une crise d'épilepsie ou une syncope.

— Faut que je raccroche, il est en plein délire, conclut Duval en reposant brutalement le combiné sur le socle.

Duval se tourna vers Louis, penché sur Parent afin de le relever mais qui ne parvenait pas à le maîtriser.

— Appelle une ambulance! cria Harel.

Sitôt l'appel transmis, Duval aida son collègue à relever Parent, complètement épuisé. Une fois l'homme de nouveau assis, Duval lui redemanda l'adresse de son chalet.

Comme Parent ne répondait pas, Louis répéta la question encore et encore. Parent finit par donner une adresse que Louis nota. Était-ce la bonne? Il faudrait vérifier dans le bottin ou directement à la mairie.

Cinq minutes plus tard, les ambulanciers arrivaient dans la salle d'interrogatoire. Duval leur demanda de conduire Parent à l'urgence psychiatrique du CHUL. Mais Parent se mit à vociférer pour qu'on le conduise dans un centre alternatif en santé mentale qu'il fréquentait.

— Ramenez-moi à la Lucarne. Appelez Richard, l'intervenant de la Lucarne…

L'homme ne résista pas longtemps. Afin de protéger le témoin contre lui-même et de l'empêcher de s'évader, Duval demanda qu'un policier accompagne les ambulanciers et qu'une garde de jour et de nuit soit assurée tant qu'il resterait à l'hôpital. En attendant que Parent soit en mesure de reprendre l'interrogatoire, il fallait confirmer ses dires.

Duval trouva le numéro de la Lucarne dans le bottin. C'était effectivement un centre d'entraide pour les personnes souffrant de problèmes en santé mentale. Il demanda à parler à un intervenant qui connaissait Alain Parent et il n'eut pas à patienter longtemps.

— Richard Perrault à l'appareil, qui parle ?

— Je suis le lieutenant Duval de la Sûreté. On vient d'interroger Alain Parent au poste du boulevard Saint-Cyrille et il nous a demandé de vous appeler. Je crois qu'il est en train de décompenser.

— Alain Parent vient dans notre centre depuis deux ans. Il a passé la semaine dernière ici. On l'aide à contrôler sa médication. En fait, on veut le sortir de la contention chimique. Elle a des effets secondaires qui lui créent beaucoup de problèmes. Et là, avec l'histoire de ses fils…

— Est-ce que vous m'avez bien dit que Parent a passé toute la semaine à votre centre ?

— Oui, il était en crise et on l'a gardé.

— Pouvez-vous me certifier qu'il était chez vous vendredi, le 31 juillet ?

— J'en suis sûr, car c'est moi qui le supervise. Il est retourné chez lui dimanche. Pourquoi vous me demandez ça ?

— Parce qu'il s'est accusé d'avoir tué ses enfants.

— Pas vrai ! Câlice ! Y est où ?

— Il est en route pour l'urgence psychiatrique du CHUL.

— Je m'en vais le voir. Merci d'avoir appelé.

— Un instant, j'ai une dernière question à vous poser. Est-ce que vos patients peuvent sortir facilement de la Lucarne ?

— Écoutez, c'est pas Saint-Michel-Archange, ici. Mais je suis sûr qu'Alain a passé tout son temps ici la semaine passée.

— Il est entré quand?

— Il est arrivé… un instant, je regarde dans mon registre… jeudi, le 23 juillet, vers neuf heures du soir. Il était en état de crise.

Duval nota que la date et l'heure coïncidaient; c'était juste après que Parent se fut rendu chez son beau-père, aux dires des voisins.

— Avez-vous passé vingt-quatre heures par jour avec lui?

— Non.

— Merci, monsieur Perrault, ce sera tout.

Il raccrocha. Duval, qui avait pensé un moment annuler la visite du chalet de Tewksbury, reprit aussitôt le bottin pour appeler un technicien en pompage de fosse septique et un serrurier.

◆

Après un point de presse d'à peine cinq minutes devant la centrale, Duval fila à Tewksbury avec Louis Harel. La Lucarne pouvait servir d'alibi à Parent, mais il fallait quand même vérifier ses aveux. Comment savoir si ce centre d'aide était une passoire ou un établissement bien surveillé?

Le petit chalet de bois se dressait sur un coteau dans un hameau de verdure. Ce lieu bucolique, isolé des voisins, entouré de bouleaux jaunes, de hêtres et d'érables avait-il été le lieu d'un triple homicide?

Le camion-citerne de Sanimobile était stationné dans l'entrée devant le chalet. L'employé au torse nu, couvert de tatouages heavy metal, grillait un Colt, assis sur le marchepied du camion. Il écoutait à fort volume du ACDC. Duval songea qu'il n'émanait pas que des odeurs pestilentielles de ce camion.

Les policiers saluèrent le technicien. Le conducteur répondit à peine.

— Sa maman lui a pas appris la politesse, dit Louis assez fort pour être compris.

— Ta maman à toi t'a pas appris le tact… répondit plus bas Duval en souriant.

— Ma maman était une sainte femme, Dany.

C'est en de tels instants que Duval appréciait Louis et ses ressources insoupçonnées pour remettre à sa place n'importe qui.

— Vous pouvez installer votre matériel tout de suite, poursuivit à voix haute le lieutenant.

Le technicien s'activa sans trop se presser, aspirant longuement sur son cigarillo avant de l'éteindre sur le sol.

Le serrurier était assis devant la porte. Il avisa les enquêteurs que la serrure était déjà déverrouillée à son arrivée. Les propriétaires de chalet préféraient parfois, selon lui, laisser ouvert au lieu de voir des intrus défoncer portes et fenêtres.

L'intérieur du chalet était tout en planches de pin. Une échelle menait à une mezzanine. Duval ne nota aucun signe visible de lutte, ce qui ajouta à ses doutes. Pas de traces de sang ni d'une arme quelconque. Des photos de Vincent et de Sébastien étaient placées bien en évidence sur la table coloniale du salon. Les pages du calendrier n'avaient pas été changées depuis juin. Le réfrigérateur était vide. La poussière sur les meubles laissait supposer qu'on n'était pas venu ici depuis quelque temps.

Duval et Harel sortirent.

Autour du bâtiment, près du couvercle de la fosse septique, rien ne laissait entrevoir la possibilité d'une lutte, d'une échauffourée. Il n'y avait même pas d'empreintes.

En voyant Duval fermer les yeux, expirer et secouer la tête, Harel comprit les pensées de son chef d'escouade.

— Tu crois pas à son témoignage?

— J'ai de gros doutes. On est sur une fausse piste. Parent a vraiment dû passer sa semaine à la Lucarne.

— Qu'est-ce qu'on fait pour la fosse? demanda Harel.

— On la vide. On va en avoir le cœur net. On n'a pas le choix, t... se retint le lieutenant, qui détestait perdre son temps.

Duval s'avança vers le trou de la fosse, dont on avait retiré le couvercle. L'opérateur n'avait pas commencé à pomper. Duval se pencha en se pinçant le nez. L'odeur nauséeuse attaquait les bronches. Il ne vit aucun cadavre. Il se saisit de la perche de l'opérateur et entreprit de sonder le fond. Il ne toucha rien de particulier, mais ça ne voulait rien dire.

Duval fit signe à l'opérateur de vidanger le contenu de la fosse. L'homme acquiesça. Il enfonça son boyau dans la cavité. Il actionna la pompe, qui aspira bruyamment le contenu.

Dix minutes plus tard, le réservoir était vidé. La caméra du plombier confirma l'appréhension du lieutenant. La fosse ne contenait aucun cadavre. Parent avait fait un faux témoignage.

— Câlice, jura le lieutenant.

— Penses-tu qu'il les a tués mais qu'il ne nous indique pas le bon endroit?

Le lieutenant secoua la tête.

— Non. Je crois tout simplement qu'il délire. Il se sent coupable de ce qui se passe, il s'accuse et nous fait perdre notre temps. Ce qu'il a entendu à la radio à son sujet l'a fait décompenser.

Duval s'en remettait maintenant au témoignage du couple d'Hébertville et souhaitait que Francis et Bernard aient de nouveaux éléments dans cette affaire.

Comme ils se trouvaient déjà sur la route de la Réserve faunique et qu'il était encore tôt, Duval prit la décision de monter directement à l'Étape pour rencontrer les employés du commerce.

— Louis, on se rend à l'Étape.

Louis se rembrunit.

— Pourquoi ?

— Pour manger un hot-dog, ironisa Duval.

Louis accueillit la boutade par une grimace.

◆

La Reliant K dévalait et remontait la route de la Réserve faunique. Le vert des montagnes semblait pris en étau entre le pavé et le ciel gris. Duval appuya à fond sur l'accélérateur. Il pestait contre ce moteur poussif qui peinait à grimper les côtes. Mais en sortant d'une courbe, il aperçut quatre croix en bois sur le bord de la route avec des couronnes de fleurs. La sinistre image resta un instant imprimée sur sa rétine.

— Leur voiture a pris feu après avoir frappé un camion, résuma Louis, qui avait lu la nouvelle dans son journal préféré.

Ce trajet par la Réserve faunique des Laurentides était agréable mais périlleux. Sur plusieurs kilomètres, des panneaux avertissaient les conducteurs du danger de collision avec un orignal ou un chevreuil, une rencontre qui ne pardonnait pas. En automne, en hiver et au printemps, le climat obligeait fréquemment les policiers à fermer la route pendant plusieurs heures. La route du parc était l'une des plus meurtrières du Québec. La température, le blizzard, la brume, le verglas, la glace noire, les tempêtes de neige et les orignaux avaient leur part de responsabilité dans ces hécatombes, mais les hommes avaient aussi la leur. La route 175 fauchait chaque année des dizaines de vies. Il était ironique que l'une des zones du parc sur la route se nomme « Porte de l'Enfer ».

— Quand j'ai commencé comme patrouilleur, dit Louis, j'ai eu à me rendre sur la scène d'une collision avec un orignal. C'était la nuit. La Pontiac roulait à fond la caisse dans le parc de la Gaspésie. Le conducteur n'a pas eu le temps de freiner. L'orignal avait été attiré par ses phares. Le gars ne portait pas sa ceinture. Il est sorti par le pare-brise en même temps que l'orignal passait au travers. L'orignal n'est pas mort sur le coup. J'ai dû l'abattre. C'était épouvantable de voir la grosse bête et un homme mourir l'un dans l'autre. T'aurais dû voir le sang…

Duval se retourna un instant vers son collègue.

— Louis, aimerais-tu ça prendre l'avion avec un passager qui te parlerait d'écrasement d'avion au décollage ? T'as pas un sujet de conversation plus intéressant ?

— Ben quoi…

— Parle-moi donc du Gros Gerry… J'ai l'impression qu'il vient marauder à la centrale pour son agence. Tu vas te mettre à travailler pour lui ?

Louis éclata de rire.

— Ce serait son genre ! Tu la connais bien, la grosse poule, mais c'est pas ça que j'ai demandé…

La voix de Louis chevrota, empreinte d'émotion.

Duval se tourna brièvement vers son collègue, qui fourrageait dans la poche de son K-Way.

— Écoute, Dan. J'ai reçu cette lettre-là, la semaine dernière.

— C'est ton écriture, comment as-tu pu recevoir cette lettre-là ?

La lettre était adressée aux deux filles de Louis et on pouvait y lire : « Retour à l'expéditeur/*Return to sender* ».

— Je connais son écriture, ragea Louis. Le « Retour à l'expéditeur », c'est sa plume. C'est elle, la maudite ! Je voulais demander à mes filles, que j'ai pas vues depuis cinq ans, si elles acceptaient de me revoir pour le baptême de Louis-Thomas. Daniel, c'est ça, sa réponse, dit Louis en agitant la lettre. Je suis pas un monstre. Mais la maudite a décidé de nous déclarer la guerre avec la complicité de notre système de justice.

Loulou ne put résister aux sanglots qui l'étreignaient. Il essuya une larme et reprit contenance. Il ravala un blasphème.

Duval soupira. Il ne lui manquait plus qu'un drame au boulot pour ajouter au sombre tableau de la semaine. Le lieutenant jetait des regards furtifs vers son collègue tout en gardant un œil sur la route et dans son rétroviseur. Derrière sa voiture, un macaque ou une autre espèce de primate au volant d'une Nova SS collait son pare-chocs à la Reliant K, déviant parfois vers la gauche, cherchant une ouverture pour dépasser.

— Louis, c'est pas que je ne veux pas t'écouter, mais il y en a un derrière qui commence à me donner des chaleurs.

Louis se retourna pour constater le méfait.

Le chauffard braqua à gauche dans le bas d'une pente et poussa à fond sur l'accélérateur. La voiture pétarada en les dépassant.

— Regarde l'hostie d'épais, cria Louis. Y va tuer quelqu'un. Y roule en sens inverse dans une côte. Ralentis, on va faire un carambolage.

Il dépassa un, deux et trois véhicules avec une conduite erratique. Au milieu de la pente, il dépassa les deux derniers véhicules et se rabattit à droite. Cette fois-ci, la fatalité et le hasard ne se marièrent pas de l'autre côté. De justesse.

— Ah, le crétin ! Rattrape-le !

— Oublie ça. On n'est plus patrouilleurs. Si j'avais arrêté tous les morons que tu m'as montrés sur la route pour leur casser la gueule, on serait en prison depuis longtemps.

Louis soupira, fourra sa lettre dans la poche de sa chemise puis se ravisa. Il la déchira en morceaux pour les disperser par la fenêtre.

— Tu peux pas savoir comment cette lettre a été difficile à écrire.

— Écoute, Louis, pour tes filles, je suis désolé. Je comprends très bien.

— J'aurais aimé qu'elles sachent que tu m'as demandé d'être le parrain de ton fils.

— Elles finiront bien par le savoir de toute façon.

— J'imaginais bien ce moment-là, samedi. Tu trouves pas qu'on est plusieurs à être privés de nos enfants ? Le père des ti-gars qui sont disparus méritait de passer du temps avec ses garçons. Regarde le résultat. As-tu vu le bordel, tabarnak ?

— Ça n'a rien à voir. As-tu vu son état ? Il souffrait de dépression et il avait des réactions violentes avec sa femme.

— Puis moi, je ne suis pas dépressif.

— Oui, mais le détective de ta femme l'a convaincue que tu étais infidèle, avec preuves à l'appui.

Un panneau annonça « L'Étape : 5 kilomètres ». Leur virée en montagnes russes s'achevait enfin. Après cette halte, il n'y avait plus aucun service sur une centaine de kilomètres.

Duval se demanda alors si la présence de Gendreau avait à voir avec la femme de Louis. La question lui brûlait les lèvres, mais il demeura discret, ne voulant pas réveiller le torrent d'amertume qui couvait en Louis. Sa fibre paternelle était sensible.

La bicoque en bois à la peinture pelée ne payait pas de mine. Des camions-remorques étaient alignés sur le stationnement du restoroute. Une grosse voiture aux lignes fluides des années quarante était exposée près de l'enseigne. Le pompiste, qui remplissait le réservoir d'une moto, salua les enquêteurs.

L'avis de disparition des Hébert avait été collé sur la fenêtre de la porte.

Quand on entrait dans le restaurant, une odeur de friture et une intense chaleur vous assaillaient. Une dizaine de clients étaient attablés. Le son de la caisse enregistreuse rivalisait avec la voix de Michel Fugain et sa *Belle Histoire*. Derrière le comptoir étaient affairées une cuisinière en sueur et la serveuse qui passait ses commandes en démêlant ses factures.

Pendant que Duval s'asseyait sur un tabouret face au comptoir en formica, Louis marcha vers les toilettes.

— Certains font le plein, d'autres le vide, philosopha Harel.

Le pompiste entra pour débiter la carte de crédit du motocycliste.

Une fois la transaction achevée, Duval fit signe à l'employé de venir le voir. Celui-ci s'approcha. Duval lui montra sa carte de la SQ. En voyant ses mains pleines de cambouis, Duval évita de lui tendre la sienne.

— On enquête sur la disparition des deux enfants et de leur grand-père.

— Oui, oui. Tout le monde jase de ça. Les patrouilleurs de Roberval sont venus. On a affiché les photos.

— Qui a été directement en contact avec les Hébert ?

— Moi puis 'Sabelle, la serveuse.

— Il vous a parlé ?

Le pompiste enleva sa casquette, gratta son cuir chevelu avec ses doigts sales, plissa les yeux en hochant la tête.

— Oui. Il voulait savoir quand le village de Val-Jalbert allait rouvrir.

— Qu'est-ce que vous lui avez répondu ?

— Que c'était fermé pour une période indéterminée.

— Ensuite ?

— On a jasé de choses et d'autres.

La sonnette retentit. Une voiture s'immobilisa devant les pompes.

— Peux-tu y aller, 'Sabelle ? Je parle à police.

Elle roula des yeux de Sainte Vierge éplorée, détacha son tablier et marcha vers le client.

— Y va falloir que j'me r'lave les mains encore ! grommela-t-elle.

— Tu vas avoir les mains encore plus douces…

— Niaiseux… grommela-t-elle.

Duval inscrivit des informations dans son calepin.

— Est-ce que le grand-père semblait bien aller ?

— Oui.

— Il n'avait pas l'air malade ?

— Non, mais y avait l'air fatigué. Y a un trucker qui a reconnu sa roulotte et qui m'a dit à la pompe que le vieux avait causé un long embouteillage derrière lui. Le monde était à boutte. Y semblait avoir peur de la route.

Louis rappliqua avec un verre de Coke.

— Et les enfants, comment étaient-ils ? demanda Duval.

— Ils semblaient bien aller. Ils jouaient à se chamailler, comme tous les enfants de c't'âge-là. Mais leur chien jappait dans la voiture. J'ai eu peur qu'il attrape un coup de chaleur. Pourtant, le monsieur avait laissé une fenêtre à moitié baissée et le véhicule était à l'ombre. Leur chien m'a vraiment mis sur les nerfs.

— Avez-vous noté quelque chose d'anormal ce jour-là ?

— Pour nous, c'est quasiment la normalité quand ça arrive. Y passe tellement de monde qu'il arrive toujours quelque chose.

— Quoi ? Soyez plus explicite.

— J'ai mis un hobo à la porte. Il tannait les clients pour un lift.

— Vous voulez dire qu'il harcelait les clients ?

— Oui. C'est le mot. J'aimais pas non plus sa manière de tourner autour des friandises. Y avait pas une cenne, ça paraissait.

— C'est quoi votre définition du mot hobo ?

— Un bum.

— Aurait-il approché les Hébert ?

— J'ai rien vu de ça.

— L'avez-vous vu quitter l'Étape ?

— Il faisait du pouce en haut par là. Mais je l'ai pas eu à l'œil tout le temps. Y a toujours du monde icitte. Y a aussi essayé de l'autre côté, vers Chicoutimi, mais ça marchait pas pantoute.

— Pendant combien de temps est-il resté sur le bord de la route ?

— Mettons qu'il est resté dans les environs d'une trentaine de minutes.

Sa collègue entra avec deux billets de 20 $ et un client qui se plaignait de la hausse du prix de l'essence.

— Crisses d'Arabes ! Y nous ont bin à gorge ! On devrait les laisser sécher avec leu' pétrole.

— À qui l'dis-tu ! acquiesça Louis.

Duval replaça son carnet dans la poche arrière de son pantalon.

— Est-ce que c'est elle, la serveuse qui a parlé à Hébert ?

— Oui. 'Sabelle, viens icitte.

Elle remit la monnaie au client et referma le tiroir-caisse avec fracas.

— Qu'est-ce qu'y a ?

— Les messieurs sont inspecteurs. Ils enquêtent sur la disparition des deux petits gars puis de leur grand-père.

Le visage de la serveuse se contracta, empreint de compassion et de tristesse.

— C'est effrayant, c't'histoire-là, là.

La nouvelle se mit à circuler dans le restaurant. Chacun y alla de son hypothèse.

— J'ai le feeling que le vieux a eu un malaise dans le bois, dit la dame.

— On n'est pas ici pour vous demander vos hypothèses, mais ce que vous avez vu ou entendu !

La cloche sonna à nouveau et le pompiste demanda s'il pouvait disposer.

— Oui, mais laissez-nous vos coordonnées et votre nom.

Duval regarda l'homme se presser vers les pompes. Il se tourna vers la serveuse, un piquet rachitique aux cheveux teints en roux avec des reflets mauves sous les néons. Ses pattes d'oie crevassaient son épais fond de teint. Dans sa main droite, le filtre blanc de sa cigarette était maculé d'un rouge à lèvres écarlate qui, allié aux odeurs de friture, leva le cœur du lieutenant.

— Vous les avez servis ? demanda Duval.

— Oui, ils étaient gentils. Ils avaient tellement l'air contents d'être avec leur grand-père.

— Vous leur avez parlé ?

— J'ai complimenté le grand-père d'avoir d'aussi beaux petits-enfants, lança-t-elle en expirant longuement sa fumée.

— C'est tout ?

— Disons que leu' chien était tannant en mautadit pas à peu près. Y japa' tout le temps.

— Est-ce que vous vous rappelez quelque chose d'autre ?

Elle s'arrêta pour réfléchir en regardant le plafond, aspira longuement sa cigarette, s'emboucana, se tachant un peu plus de rouge.

— Le grand-père ava' l'air narveux.

— Autre chose ?

— Non, ils ont réglé l'addition.

— Je pourrais voir le reçu de caisse ? J'aurais l'heure exacte.

— Oubliez ça. C'te vieille caisse-là, elle donne pas l'heure.

— Avez-vous été importunée par un homme qui perdait son temps en dedans et en dehors de votre commerce, comme nous l'a dit le pompiste ?

— Oui. Y m'a dérangée, ce gars-là, là !

— Pourquoi ?

— J'y aimais pas la face.

— Pourquoi ?

— C'te gars-là, là, y dégageait de mauvaises ondes. La casquette de chasseur, les lunettes, la barbe pas faite. On aurait dit qui cacha' son visage. Y tournait aussi autour de la machine à cigarettes, à l'extérieur.

— L'avez-vous vu parler au grand-père ou aux petits-enfants ?

— Non.

— Pourriez-vous le décrire ?

— J'ai tout de suite vu qu'il avait un tatouage sur le visage qu'il avait essayé d'effacer. Ça ressemblait à une larme sous un œil. Le droit, j'pense.

Elle fila un regard furtif vers des clients qui entraient dans le resto alors que d'autres attendaient de payer.

— Y faudrait que…

— Je vais vous faire rencontrer un dessinateur. Je veux un portrait-robot.

— Oui, mais il va devoir venir icitte parce que j'ai pas l'temps de monter à Québec.

— Je m'arrange avec ça.

D'autres clients affluaient dans le restaurant et la serveuse parut désemparée, jetant un coup d'œil inquiet à sa patronne dans la cuisine.

— Je peux encore répondre à vos questions, mais va falloir que vous me laissiez faire un peu mon service parce que ça va gueuler.

— Servez-nous un café. On va attendre.

Duval et Harel s'installèrent derrière le comptoir devant un café fumant et le menu du jour : le pâté chinois et la tourtière du Lac-Saint-Jean.

Pendant qu'elle servait les clients, Duval demanda à Harel ce qu'il en pensait.

— Ça veut rien dire. Des pouceux, des hippies en haillons, y en a partout.

— Oui, mais avec une larme sous les yeux. Ça commence à ressembler à quelqu'un qui est passé par la prison.

— Ils se font tous tatouer des hosties de larmes, ces pas-de-cœur-là, ironisa Louis.

Duval se leva et fouilla dans sa poche pour en sortir une pièce de dix cents.

— Qu'est-ce que tu fais ?

— Je vais demander à Bernard ou à Francis de parler à quelqu'un de l'Identification judiciaire et de vérifier les dossiers de prisonniers ou de détenus libérés sur parole qui auraient une larme tatouée sous l'œil.

— T'as l'air inquiet.

— Oui, parce qu'il a fait enlever son tatouage. Ça signifie qu'il veut passer inaperçu. Elle dit aussi qu'il semblait se cacher.

— Ou qu'il veut refaire sa vie.

— Il n'est pas bien parti, d'après ce que je viens d'apprendre.

Duval vérifia s'il avait toutes les informations nécessaires. Il prit une gorgée de café, laissa cinquante cents sur le comptoir et se dirigea vers le téléphone public.

Le répartiteur lui rappela que Bernard et Francis n'étaient pas revenus d'Hébertville. Duval parla à Dallaire, à qui il résuma sa visite à l'Étape. Il lui demanda d'envoyer immédiatement l'artiste judiciaire y rencontrer la serveuse et précisa qu'il voulait le portrait à la première heure le lendemain matin. Dallaire ressentait la même inquiétude que lui.

— Ça sent pas bon...

— On revient à Québec, le temps d'appeler Harvey pour le mettre au courant des dernières nouvelles. Rien de nouveau, sinon ?

— Des journalistes ont établi un lien entre Parent et les enfants disparus. Y a une mémère qui a parlé quelque part. Ça regarde mal. Ça va bouillir avant longtemps.

— Je sens la chaleur jusqu'ici...

Duval composa le numéro du poste de Roberval. Le répartiteur lui annonça que le lieutenant Harvey avait été dépêché tôt le matin sur la scène d'un double meurtre survenu à Desbiens. À cette information, dite sur un ton anodin, le cœur du lieutenant fit un tour. Mais le standardiste l'avisa qu'il s'agissait d'un homme et de sa fille. Le double homicide remontait à plusieurs jours et les corps se trouvaient en état de putréfaction. Sinon, une équipe de bénévoles et de patrouilleurs achevaient de ratisser la zone de recherche. Ils en avaient encore pour quelques heures. Duval demanda qu'Harvey le rappelle à Québec. Avant de raccrocher, le répartiteur lui rappela que l'horaire des vacances obligeait tout le monde à travailler deux fois plus. Harvey ne fournissait plus à la tâche.

Le lieutenant retourna au comptoir où Louis et la cuisinière discutaient sur l'art d'apprêter le hamburger sur le gril.

— Vous essaierez les cornichons hongrois sur la viande avec de la sauce tabasco. C'est pas battable, mais ça pique en… ti-péché, avertit le Gros.

— Le vinaigre et les piments, c'est trop dur pour mon estomac, répliqua la cuisinière.

— Finis les cornichons, on rentre à Québec, les coupa Duval.

Le lieutenant alla à la caisse pour informer Isabelle que le dessinateur judiciaire allait être là vers dix-neuf heures trente.

— Je fais le chiffre du soir, pas de problème.

◆

En roulant vers Québec, sur le boulevard Laurentien, Duval comprit en écoutant la radio que cette disparition était en train de prendre des proportions hors du commun. Louis avait syntonisé le poste du plus grand idiot de village que Québec ait engendré, aux dires de son chef. L'animateur affirmait que les Hébert-Parent avaient dû se perdre en forêt, que la police recherchait maintenant des cadavres et que les chances de les retrouver en vie étaient nulles.

— T'entends le moron ? rouspéta Louis. Y dit n'importe quoi. Advenant que ce soit le cas, les gens perdus en forêt peuvent être retrouvés quarante-huit heures et parfois plus après leur disparition.

— Et ça, c'est dans le cas où ils sont vraiment perdus en forêt. Il se peut qu'ils aient eu un accident, que le conducteur soit tombé malade. Et si, comme le dit sa famille, le père choisissait les endroits sauvages pour économiser de l'argent, les recherches sont d'autant plus complexes.

La nouvelle était commentée sur toutes les chaînes plusieurs fois par heure. Duval apprit qu'un nouveau point de presse était prévu en fin de journée. Il faillit s'étouffer en apprenant qu'il en serait le porte-parole. Il appela immédiatement Dallaire.

— J'aime pas ce que je viens d'entendre à la radio. Écoute, on paie un porte-parole pour ça, maintenant. Qu'il gagne sa paye !

— Oui, mais dans les grosses affaires, on veut parler à la vraie grosse police...

— Qu'on envoie Sneak ! Je suis trop occupé. Chaque seconde est importante. Dis au porte-parole d'utiliser la langue de bois. Tout ce qu'il a à dire, c'est : « Nous ne pouvons pas parler de ça à ce stade-ci de l'enquête », « Il est prématuré présentement de... » Et surtout pas un mot au sujet de Parent tant qu'on n'a pas retrouvé les... les disparus.

Il avait failli prononcer le mot corps. Ce n'était pas le temps de commettre des lapsus.

— J'aurais aimé que tu donnes le point de presse, Daniel.

— J'ai dit tout ce que j'avais à dire en début d'après-midi.

Quelques minutes plus tard, Duval reçut un message du répartiteur.

— Je viens de recevoir un appel du lieutenant Harvey. Les services de police de Roberval et d'Alma, de Chicoutimi et de Jonquière ont vérifié les inscriptions dans les terrains de camping et ils n'ont rien trouvé au nom de Gilles Hébert. Ils sont encore à fouiller les alentours de Saint-Félicien. Ils ont des chiens pisteurs, un hélicoptère, une trentaine de policiers et de plus en plus de bénévoles. Ils ont eu une fausse joie ce matin. Une roulotte identique de marque Appalaches avait été signalée près des monts Valin et du chemin des Passes, mais les occupants étaient partis à la pêche. C'est tout.

— La damnée fourche ; ont-ils pris la 169 ou la 175 ?

— Les vols de reconnaissance n'ont rien donné.

— C'est normal, on ratisse tellement large.

— On n'a rien reçu non plus de la part des travailleurs qui utilisent les chemins forestiers.

◆

Vannés par le long trajet et la chaleur, Duval et Louis entrèrent au bureau. Dans la section de l'escouade des crimes contre la personne, ils croisèrent Méthot, qui s'était joint au comité de négociation syndicale. Tant Harel que Duval le détestaient.

— Pis, Duval, as-tu hâte de sortir ton *suit* à quatre épingles ? On devrait avoir un règlement bientôt.

— Avec toi dans le comité de négo, on va *patcher* nos fonds de culotte avant longtemps, répliqua le lieutenant.

Louis gloussa de plaisir en poussant un long « Oh ! » jouissif. Les lèvres pincées, le sourire rabattu, Méthot continua son chemin sans rien ajouter.

— Le tabarnak, je l'aime pas. Jésus me dit d'aimer tout le monde, mais lui, c'est pas du monde, je peux pas. Je pourrai jamais, conclut Louis, qui avait souvent eu maille à partir avec Méthot.

Duval prit ses messages pendant que Louis filait dans son bureau. Aucun d'Harvey, sans doute débordé par ce double meurtre. Mais c'est avec joie qu'il trouva un mémo sur son bureau. Son assignation à comparaître prévue pour le lendemain avait été remise à plus tard.

— Yeah ! dit-il en biffant la date dans son agenda.

Trois coups de faible intensité sur la porte firent se retourner le lieutenant. Madame Hébert et son copain voulaient rencontrer les enquêteurs.

— Entrez. Asseyez-vous, dit Duval sur un ton amical.

Plus les heures passaient, plus elles imprimaient l'angoisse sur les deux visages. Le couple se consulta du regard et le copain prit la parole.

— On vient d'entendre le point de presse et on s'est demandé pourquoi on avait si peu d'information.

— Tout simplement parce qu'on veut continuer de recueillir de l'information. On ne veut pas dire des choses qui amèneraient toutes sortes de spéculations. Aujourd'hui, votre mari a fait d'étranges aveux. Nous avons procédé à toutes les vérifications et sa confession s'est avérée sans fondement. Écoutez, il disait avoir tué vos enfants et votre père puis se contredisait. Il a ensuite défailli. Je crois qu'il a eu une crise nerveuse ou une psychose. Il n'était plus lui-même. On l'a fait transporter à l'hôpital. Sa vie n'est pas en danger.

— Il a échoué le test du polygraphe ? demanda Paradis.

— Oui.

— Alors c'est lui ? Oui ou non ?

S'apercevant du peu d'enthousiasme du lieutenant Duval à considérer son ex-mari comme un suspect, madame Hébert demanda :

— Qu'est-ce que vous en pensez, lieutenant Duval ?

— Le test du polygraphe n'est pas fiable à 100 %. On ne le retient même pas comme preuve à la cour. Votre mari est en crise, il prend des médicaments. Il a paranoïé en entendant quelqu'un dire à la radio que c'était lui le coupable. Il disait avoir jeté les enfants dans la fosse septique du chalet. On l'a vidée et on n'a rien trouvé. Un intervenant en psychiatrie

de la Lucarne m'a dit qu'il avait passé toute la semaine dernière à cet endroit.

Madame Hébert mit sa main sur sa bouche, incrédule et soulagée à la fois.

— C'est pour ça qu'on ne divulgue pas les informations non essentielles à la population, reprit Duval.
Imaginez si on diffusait ce genre de renseignements.
Ça deviendrait invivable pour nous. Déjà que des ru-
meurs transpirent et nous font perdre un temps fou.

Le lieutenant inscrivit une note dans son calepin.

— Par contre, mes collègues Prince et Tremblay
ont découvert des éléments intéressants aujourd'hui.
On est sûrs que vos enfants et votre père ont été vus
à l'Étape, vendredi. Donc, même si le territoire est
vaste, on a une piste solide. Votre père roulait soit sur
la 169, soit sur la 175. On va maintenant concentrer
nos recherches dans ce secteur.

Duval sentit une part d'anxiété se libérer chez
madame Hébert.

— Il y a des gens à la radio qui disent que mon
père et mes fils sont morts, sanglota la femme. Vous
pouvez...

Incapable de poursuivre, elle se laissa choir sur
une chaise et pleura, le visage caché entre ses mains.
Son ami la réconforta.

— Madame Hébert, les experts en homicides, c'est
nous. Le gars qui a dit ça m'a déjà traité de criminel.
Les éditeurs de journaux ont du papier à vendre et la
télé a des cotes d'écoute à atteindre. On est en pleine
période de sondages. Il arrive fréquemment qu'on
retrouve des gens perdus en forêt plusieurs jours après
leur disparition. Je le souhaite, et c'est fort possible
que ce soit le cas avec votre famille.

Louis entra à ce moment-là avec un enthousiasme
juvénile.

— Daniel, le médium judiciaire peut nous voir chez elle ce soir ! Je viens de recevoir son coup de téléphone. Elle a suivi l'affaire. Elle a déjà eu des indices.

— Des visions, tu veux dire…

Duval roula des yeux et prit une lente inspiration. Marie Hébert parut toutefois très intéressée.

— C'est quoi, cette histoire de voyante ?

Duval préférait ne pas répondre. Il fit signe à son collègue de parler.

— Il arrive souvent que les enquêteurs fassent appel à des parapsychologues judiciaires, reprit aussitôt Louis.

— Et ça marche ?

— C'est souvent étonnant, madame Hébert, déclara Louis.

— Je suppose qu'on n'a rien à perdre, ajouta Pierre Paradis.

— Je crois que ça vaut la peine d'essayer, renchérit Louis.

Marie Hébert regarda Duval pour voir ce qu'il en pensait. Le lieutenant tapota le bout de son stylo plusieurs fois sur sa lèvre en fixant le mur. Il opina finalement du chef. Il fallait semer un peu d'espoir. Comme elle attendait qu'il commente sa décision, Duval tricota une explication dans sa tête en emmaillotant une série de lieux communs.

— Vous vous doutez bien qu'il ne s'agit pas d'une science exacte. Je ne considère même pas la parapsychologie comme un élément important de la criminalistique. Par contre, la littérature sur les enquêtes policières nous apprend que des voyants ou des parapsychologues ont parfois eu une influence positive sur des enquêtes et notamment dans les cas de disparitions. Ces personnes peuvent nous mettre sur des pistes.

C'était à contrecœur que le lieutenant parlait ainsi, dégoûté de concéder quelques mérites à ces charlatans.

Louis lui remit l'adresse et l'heure du rendez-vous :
« Vingt et une heures ! pesta Duval intérieurement.
Quelle tête je vais avoir demain ? »

Louis sortit en prétextant qu'il devait joindre
Gendreau à son bureau.

Madame Hébert se leva, ravivée par cet échange.

— Vous allez nous tenir au courant, lieutenant ?

— Ne vous en faites pas.

Elle salua l'enquêteur et, au bras de son ami, elle
sortit avec dignité et bien plus d'aplomb qu'à son
arrivée. Le lieutenant regarda l'heure et la photo de
Louis-Thomas. Il avait hâte de rejoindre son fils et
sa femme. Cette histoire de disparition le rongeait de
plus en plus. Mais pour l'instant, il avait envie d'être
avec les siens, de souper en famille, de prendre son
Louis-Thomas.

Avant de partir, Duval alla chercher les cartes
détaillées du Saguenay–Lac-Saint-Jean.

28   Mardi, 4 août, 20 h 00

Le jour déclinait. Le ciel s'empourprait à l'ouest.
Le vent s'était levé, les nuages se mouvaient et se
reformaient à vive allure. La température avait con-
sidérablement fléchi.

Depuis sa baignade improvisée, Vincent marchait
d'un pas décidé, en bordure du chemin forestier. Il lui
semblait traverser un tunnel sans fin de végétation.

Pour se réchauffer, il courut sur une distance d'un kilomètre, puis s'arrêta en apercevant la coulée sereine d'une rivière bordée d'imposants rochers. Il traversa le pont de billes de bois. « En avant, marche », s'encouragea-t-il. Au bout de quelques mètres, il eut l'impression qu'un courant d'air entrait dans son oreille droite. Gonflant ses joues, il mit de la pression sur ses tympans et soudain… des sons, enfin : le bruit de ses pas, le bruissement des feuilles dans les arbres, le cri des oiseaux, la rivière et son murmure apaisant.

— Frison ! Je ne suis plus sourd. Mon oreille droite est correcte.

Entendre sa voix était étrange après trois jours de surdité totale. Le bourdonnement avait disparu. Il ressentit une grande joie. Il aurait un atout de plus pour franchir la ligne d'arrivée, pensait-il en cherchant des images positives, comme le leur avait enseigné le chef lors de son passage chez les scouts.

Maintenant qu'il avait retrouvé son ouïe, il avait hâte de percevoir la rumeur de la route, la voix de sa mère, le son de sa propre voix en train de lui raconter en détail ce qu'il venait de vivre. Il pensa un instant à la terrible angoisse de sa mère et à sa réaction quand elle apprendrait l'affreuse nouvelle. Mais il refusa de se laisser envahir par des pensées négatives. « Allez, en avant, marche », s'ordonna-t-il de nouveau pour lui-même. Le sauf-conduit se trouvait là, tout au bout de ce chemin forestier.

Son cœur pompa un grand coup quand il se retrouva à l'intersection d'un chemin transversal qu'il se rappelait avoir vu à l'aller. Cinquante mètres plus loin, il remarqua le panneau indicateur à moitié caché par la végétation :

Ref ges et Vll g hi t
2 kil m tres ——————————→

Il était incapable de déchiffrer le reste, qui avait été criblé de balles. Ce chemin perpendiculaire se trouvait, d'après lui, à quinze minutes en voiture de la route asphaltée. Puisque son grand-père roulait très lentement, il calcula qu'il lui faudrait environ une heure trente pour atteindre la jonction. Une joie intense l'envahit.

C'est à ce moment qu'il ressentit les vibrations d'un véhicule en marche. Apeuré et par un réflexe de survie, il se précipita dans la forêt. Son cœur battait lourdement contre sa poitrine. Mais à sa grande déception, il s'aperçut trop tard qu'il ne s'agissait pas de la voiture de son grand-père. Maintenant, il regrettait de ne pas avoir fait signe au conducteur. Il pesta un instant contre lui. Mais comment aurait-il pu savoir? Jusqu'à maintenant, il devait sa survie à sa prudence.

Il posa sa main sur le ventre de Frison. Le pouls était de plus en plus faible et la respiration difficile. Depuis le début, la présence du chien l'avait rassuré, réchauffé, et il ne se voyait pas rentrer sans lui à la maison.

— Tiens bon, mon chien. On va atteindre la route. On va te soigner. Ne me laisse pas tomber, j'ai besoin de toi, lui murmurait-il à l'oreille.

Il sortit du bois. Il pointa son regard vers le haut de la prochaine colline qu'il lui faudrait monter. Il fut submergé par une vague d'inquiétude. Le Brûlé avait-il eu le temps de le dépasser pendant qu'il se trouvait au lac des framboisiers? Si oui, il lui aurait été facile de s'embusquer en haut et de le voir venir, de l'attendre.

Vincent n'avait pas le choix, il le savait: il devait aller de l'avant.

La pluie des derniers jours avait favorisé l'éclosion des larves. Des essaims de moustiques voltigeaient au-dessus de sa tête. Ils venaient se poser sur les plaies et le museau de Frison. Vincent les chassa avec son bâton. Pour s'encourager, il songea au couguar sur le massif rocheux. Il regarda le chemin entre les arbres. Il serait long.

Mais la vie était au bout de cette route maudite.

29 MARDI, 4 AOÛT, 20 h 05

En montant l'escalier extérieur, Duval aperçut par la baie du salon Louis-Thomas arrimé au sein de Laurence, avalant goulûment le lait maternel. Quand il vit son père, le bébé s'agita, gazouilla. Il ébaucha une belle risette d'où s'écoula un long filet de lait. Duval, magnétisé par son fils, marcha jusqu'à lui, le couvrit de baisers, embrassa Laurence à qui il arracha l'enfant, qu'il souleva haut dans les airs.

— Salut, l'ourson.

— Grosse journée, à voir tes yeux !

— Et c'est pas fini. Louis nous a pris un rendez-vous avec une parapsychologue à neuf heures. Pas assez d'être à court d'idées, quand il en a une, elle est mauvaise…

Laurence grimaça.

— C'est plate. Ma sœur était prête à venir garder. J'avais réservé des billets au théâtre du Bois de Coulonges.

— Pour voir quoi ?

— *Ils étaient venus pour…*

— C'est quoi le reste du titre ?

— Ben, c'est ça : *Ils étaient venus pour…*

— C'est une faute de syntaxe. On sait pas pourquoi ils étaient venus.

— Ben non, nono.

Il ne fallut pas une minute pour qu'un retour de lait et de purée de carottes ne coule sur son épaule. Le lieutenant prit la débarbouillette pour éponger le dégât.

— C'est sérieux, la parapsychologie judiciaire ?

— Oui et non, selon l'école de pensée. Il n'y a rien de déplacé à faire appel à un médium. Ça s'est vu souvent. Mais moi, je n'y crois pas. Surtout si c'est quelqu'un qui se dit « parapsychologue scientifique ».

Laurence, derrière la chaise, lui caressait les cheveux pendant qu'il multipliait les mimiques pour amuser fiston.

— Ils ont parlé du point de presse à la télé. Vous avez du nouveau ?

— On est dans l'ombre. Le père des garçons s'est accusé à tort d'avoir tué ses enfants. Il nous a claqué une psychose en plein interrogatoire. Il ressent tellement de culpabilité qu'il a avoué avoir tué ses enfants et son beau-père.

— C'est peut-être vrai ?

— En tout cas, on n'a pas trouvé les corps là où il nous a dit les avoir enfouis.

— Où est-il, maintenant ?

Duval sentit la préoccupation du médecin dans cette question.

— Ne t'inquiète pas. Il est à l'urgence psychiatrique du CHUL. Mais nous, on a un territoire de plusieurs centaines de kilomètres carrés à couvrir. La police de Roberval fait des recherches autour de Saint-Félicien. Ils n'ont rien trouvé jusqu'à maintenant.

— J'ai préparé des pâtes.

— Super.

Duval essuya le visage barbouillé de son fils, qui protesta en voyant sa mère disparaître vers la cuisine.

Après avoir avalé un repas en vitesse, le lieutenant apaisa les coliques de fiston avec *Saturday Night's Allright for Fighting*. Les pleurs cessèrent aussitôt. Duval regarda Laurence, fier de lui. Il croyait dur comme fer à sa théorie. Duval monta à l'étage donner le bain à Louis-Thomas pendant que Laurence lisait le journal. Ses longues journées passées avec son fils plaisaient à Laurence. Elle faisait de grandes promenades avec le petit dans sa poussette, trouvait avantageux de pouvoir allaiter un peu partout, rencontrait les autres mères du quartier avec qui elle tissait des liens. Elle ne s'ennuyait pas du travail et ne se plaignait pas des nuits courtes.

Après le bain, Duval langea son fils et lui enfila son pyjama. Il voulut le divertir quelques minutes avec le hochet, mais bébé montrait des signes de somnolence. Il le remit à Laurence, qui lui donna le sein. Après dix minutes, elle coupa le boire à l'insatiable poupon. Elle le passa à Daniel, qui s'installa sur la chaise berçante. Il lui chanta la série de berceuses qu'il avait apprises dans les dernières semaines. Il s'était promis d'en apprendre au moins cinq. L'enfant s'endormit dans ses bras et il monta sur la pointe des pieds le déposer dans son lit. Il referma la porte en sourdine.

Il descendit l'escalier sans faire de bruit, entra dans la douche du sous-sol et pesta intérieurement à l'idée de perdre sa soirée avec une voyante.

Il alla enfin retrouver Laurence, qui lisait *Le Matou* au salon. Son t-shirt de l'Université Laval était encore mouillé. Le lieutenant la trouvait magnifique et sexy avec ses seins gorgés de lait, tellement pleins qu'il en giclait naturellement de petits jets comme d'une fontaine.

— Tu vas rentrer tard ? lui demanda-t-elle.

— Non. Je vais être de retour avant onze heures, à moins qu'on soit face à une révélation exceptionnelle. Tout d'un coup que la table se mettrait à lever et que j'entendrais la voix de Conan Doyle…

Laurence ricana.

— Je sais déjà ce qu'elle va nous dire, continuait Daniel. Je vois bla-bla-bla, je sens bla-bla-bla. Eux autres, ils ne pensent pas, ils voient, ils sentent…

Le lieutenant enfila son blouson de cuir. Il prit son casque intégral. L'occasion était trop belle de chevaucher Bella jusqu'à Neuville à une heure où le trafic était inexistant.

— Sois prudent !

Il savait qu'elle s'inquiétait chaque fois qu'il prenait la moto. Mais elle connaissait son attachement à sa rutilante Ducati. Il avait beau lui répéter que la moyenne d'âge de ceux qui se tuaient à moto était de vingt et un ans et qu'il échappait de vingt ans à la statistique, elle rétorquait avoir souvent expédié des gars de son âge chez le neurochirurgien après une chute ou une collision.

Il sortit de sa poche le mémo de Louis avec l'adresse de la « diseuse », madame Ramona Laperrière. Elle habitait sur le chemin du Roi.

Il se pencha pour embrasser Laurence.

— À tantôt.

30

Le soleil avait laissé un large frottis orangé-rouge au-dessus des cimes vertes. Le lent fondu au noir tombait trop vite. Le ciel avait fini par s'ouvrir et se picoter d'étoiles. La longue écharpe céleste de la Voie lactée lui apparut comme jamais auparavant.

Vincent frissonnait. Il courait pour arriver plus vite, s'arrêtait pour reprendre haleine et reprenait sa course. Il avait hâte de rallier le chemin de traverse. Il avait fini par croire que le Brûlé ne l'avait pas devancé. Il fallait augmenter la cadence pour ne pas geler, gagner du terrain. Épuisé, il sentait une intense fatigue l'envahir. Les quinze livres de Frison étaient lourdes à porter, elles commençaient à lui causer une douleur aux muscles lombaires. Le chien respirait de plus en plus difficilement. Il cherchait son air. Ses yeux mi-clos étaient collés, suppurants.

Vincent se dirigeait vers le fossé pour uriner quand des faisceaux lumineux balayèrent l'horizon. Un véhicule roulait à grande vitesse. Aveuglé, il se figea un instant, la main devant les yeux. Et s'il s'agissait de secours ? Mais il se résigna à se jeter dans la lisière boisée, prêt à en ressortir pour signaler sa présence. La voiture passa en soulevant un nuage de poussière. C'était la vieille Ford de son grand-père. Il constata que le Brûlé avait posé le pneu de rechange. L'homme freina un peu plus loin, recula à grande vitesse de façon erratique. Les feux rouges de détresse de la voiture clignotaient.

Le véhicule s'immobilisa à la hauteur où Vincent était entré dans le bois. La musique jouait très fort dans l'habitacle, mais elle s'éteignit d'un coup. Devant les phares, des milliers de mouches virevoltaient. L'inconnu manœuvra pour garer la voiture de biais afin d'éclairer le bois. Vincent en profita pour s'éloigner de quelques mètres supplémentaires et se cacha derrière un arbre.

Le Brûlé sortit de l'habitacle. Une portière claqua. À travers le halo des phares, l'ombre de l'homme sans visage prit des proportions gigantesques, celle de ses pieds fourchus aussi.

Vincent ne bougeait plus. Il pensa à ces insectes qui feignaient la mort pour survivre à des prédateurs. Il se sentait ainsi. Il se trouvait à cinquante mètres à peine du Brûlé. Il l'entendait marcher. Le fou s'avançait dans le bois.

Vincent pouvait suivre le Brûlé grâce au foyer de sa cigarette. Le tueur s'arrêta pour uriner. Le garçon souhaitait que le maniaque ne passe pas la nuit à cet endroit. Il finirait bien par retourner dans le confort de la voiture. Vincent se disait qu'il en profiterait alors pour rejoindre le chemin forestier et devancer le Brûlé.

Le meurtrier lança son mégot négligemment dans la forêt. Vincent le perdit de vue. Il entendait les branches qui craquaient sous les pieds du tueur. Où était-il? À dix mètres, à deux mètres? Debout contre un bouleau, Vincent tenait fortement son bâton dans ses mains. Il sentit que le Brûlé se rapprochait. Le faisceau lumineux d'une lampe de poche s'alluma. Frison poussa un couinement qui, le jour, aurait passé inaperçu, mais qui alerta le Brûlé. Le bruit de pas cessa, le rayon lumineux se promena rapidement en un grand arc de cercle dans la forêt.

Vincent mit une main sur la gueule de Frison. Le chien cherchait à l'avertir du danger. Le garçon se vit frapper le Brûlé, le rouer de coups à la tête. Il agrippait fermement son bâton dans sa main. Il était prêt à s'en resservir. Il frapperait plus fort, cette fois-ci. S'il voulait survivre, il ne devait plus penser comme on le lui avait appris au collège. Ne tends pas la joue, frappe fort. Tu dois survivre, honorer la mémoire de ton frère et de ton grand-père.

Le Brûlé se remit en marche. Il franchit quelques mètres encore, mais dans la mauvaise direction, puis il revint sur ses pas et remonta sur le talus du chemin. Vincent aperçut sa silhouette se profiler de nouveau devant les phares de la voiture. Il entendit le moteur démarrer. À sa grande surprise, la voiture se remit en route.

Vincent tendit l'oreille, mais le bruit de l'auto s'évanouit presque aussi vite que sa trace lumineuse. Vincent aurait aimé évaluer la distance qui le séparait du Brûlé, mais comme il allait dans la même direction, il décida d'attendre un peu.

Avant de reprendre le chemin, il sortit son sac de guimauves. Il en restait deux. Il hésita avant de les avaler. Il valait mieux rationner les vivres.

Plusieurs minutes passèrent et Vincent se dit qu'il devait sortir du bois. Il n'avait pas de temps à perdre : il fallait marcher, marcher et profiter de la couverture de la nuit, même si le Brûlé se trouvait devant. La noirceur était à son avantage. Et il avait retrouvé son ouïe. Il devait s'encourager. Il chassa des moustiques sur les blessures de Frison. Il le caressa. Il n'en avait plus pour longtemps à sentir son pouls. Le chien avait perdu beaucoup de sang. Le chandail des Mets qu'il portait en était tout taché. Mais tant que son chien ne serait pas mort, il ne l'abandonnerait pas. Après tout, il lui devait d'être encore en vie. Sur le chemin, il se mit à marcher d'un bon pas, prêt à l'affrontement. Et surtout ne pas s'arrêter. Vincent doubla la cadence.

Sa main percevait encore le faible battement de cœur de Frison. Assoiffé, il arriva en bas d'une pente abrupte. Il marcha deux ou trois kilomètres. Ses pieds endoloris couverts d'ampoules le faisaient souffrir.

Il aperçut enfin le pont couvert. C'était la dernière rivière qu'il lui fallait traverser. L'obscurité à l'intérieur du pont était totale. Ses doigts se crispèrent sur le bâton. Il sentait son pouls battre jusque dans sa main. Tous ses sens étaient en état d'alerte. En amont, le torrent des rapides du Diable couvrait tous les autres bruits. Vincent s'avança prudemment sur le pont, puis le traversa. Sous lui coulait la Ouiatchouan, cette rivière que son grand-père avait tant aimée sans penser qu'elle le mènerait à sa fin. Moins d'une minute plus tard, il distinguait le chemin de traverse qui menait vers les refuges et le village historique.

Il allait se remettre en marche quand deux lumières crevèrent les ténèbres devant lui. Les phares s'allumaient et s'éteignaient sans arrêt. Le Brûlé avait effectué un demi-tour. Vincent resta figé comme un chevreuil, son bâton braqué dans les airs. Le chemin de la liberté, droit devant, était désormais obstrué. Il regarda derrière. Il ne savait plus s'il devait courir dans le chemin à droite, retraverser le pont ou replonger dans la forêt.

La porte de la voiture s'ouvrit. Le Brûlé sortit, dépliant lentement son corps. Vincent fixa les bottes étranges, éclairées par la lampe de poche. Puis il aperçut l'arme dans la main droite, luisant dans le rayon lumineux. Allongeant le bras, l'homme le visa et fit feu. La balle siffla près de la tête de Vincent. Il se rua dans la lisière de forêt qu'il dévala jusqu'à la rivière. Sur la rive, il courut de toutes ses forces jusqu'à ce qu'il trébuche sur une racine. Il se releva, aperçut en haut du talus les phares de la voiture qui le suivait à basse vitesse par le chemin transversal. Les feux de route créaient d'étranges entrecroisements de lumières entre les arbres..

Vincent examina la rive opposée. Il se sentirait plus en sécurité en traversant de l'autre côté. Mais il valait mieux, pensa-t-il, ne pas prendre de risque. La rivière était gonflée des fortes précipitations. Les courants, les remous et les pierres glissantes ou saillantes présentaient un danger aussi grand que le Brûlé. Vincent décida de se cacher derrière un arbre. En contre-plongée, il apercevait toujours les lueurs des phares. La Ford avançait à la vitesse d'un cortège funéraire.

Le Brûlé manœuvra puis immobilisa la voiture en travers du chemin en haut du talus. Il éteignit le moteur. Les phares en position haute éclairaient la rivière.

Tapi derrière l'arbre, Vincent ne voulait pas trop s'éloigner. Il tenait à prendre le chemin qui rejoignait la 155. De sa cachette, il pouvait encore observer son agresseur. Le Brûlé sortit de la voiture avec la lampe de poche. Il monta sur le capot et s'assit sur le toit, la torche allumée sous le menton. Comme il avait laissé les phares allumés, Vincent, partiellement aveuglé par la lumière, ne discernait qu'une silhouette spectrale. Une musique sirupeuse jouait à la radio, sans doute l'une des cassettes de musique de valse de son grand-père. Le Brûlé s'alluma une cigarette puis balaya la lisière boisée à sa droite de l'incessant faisceau lumineux de sa lampe de poche. Vincent y vit un piège. Le Brûlé pensait sans doute qu'il allait tomber dedans et remonter sur le chemin principal. Cinq minutes passèrent. Le garçon restait blotti contre son arbre.

Le Brûlé lança son mégot et marcha sur le capot, sauta sur le sentier puis descendit le talus jusqu'à la rivière d'un pas assuré. Les phares, toujours allumés, éclairaient une portion du cours d'eau. Vincent suivait des yeux la progression du Brûlé, l'arme au poing et la torche dans l'autre main.

Vincent comprit qu'il lui faudrait remonter sur le chemin des refuges dès qu'il le pourrait. Mais entre-

temps il ne perdait pas des yeux le Brûlé et se dépla-
çait de façon à ce que le tronc de l'arbre s'interpose
toujours entre lui et le prédateur.

Le Brûlé s'était accroupi pour boire l'eau de la
rivière. La musique dans la voiture commençait à
faiblir, à ralentir ; les sections de violon sonnaient bizarrement, créant une atmosphère sinistre. Vincent
ne reconnaissait plus la mélodie que son grand-père
aimait tant. À peine trente mètres le séparaient du
tueur. Vincent se rendit soudain compte qu'il avait
perdu son bâton en dévalant le talus. Le plus silencieusement possible, il ramassa une pierre à l'arête
aiguë.

Le Brûlé se releva et s'avança dans sa direction le
long de la rive en balayant celle-ci de son faisceau
lumineux. Il s'approcha à moins d'un mètre. Vincent
pouvait sentir la forte odeur de cette bête humaine.
L'adolescent retint son souffle tandis que le Brûlé
passait à côté de lui entre l'arbre qui le protégeait et
la rivière. Son cœur battait à tout rompre contre celui
de Frison. Mais Vincent s'aperçut soudain qu'il ne
sentait plus la pulsation de Frison. Il pencha la tête
pour constater ce qu'il craignait. Ni pouls ni souffle.
Le petit caniche était mort. Une profonde vague
d'émotion l'étreignit. De longues larmes roulèrent
sur ses joues. Pendant que le Brûlé s'éloignait de lui,
Vincent murmura le nom de son chien. Même sérieusement blessé, Frison l'avait sauvé d'une mort certaine
à deux reprises.

Il passa sa main sur le corps du caniche, qui avait
commencé à se raidir. Il tenta de le replacer dans le
petit sac qui était devenu son cercueil. Il se sentait
ingrat de l'abandonner, mais il le faudrait tôt ou tard,
pensa-t-il. Il aurait aimé disposer de la dépouille de
Frison à un endroit où il pourrait la récupérer plus tard.
Il avait l'impression que son grand-père et Sébastien

avaient vécu à travers le chien pendant quelque temps afin de l'aider à s'en sortir. Il ne restait plus que lui maintenant. Le seul survivant de ce voyage maudit.

Le Brûlé fit demi-tour et revint lentement dans sa direction. Il passa à nouveau derrière lui sans le voir puis, revenu à l'endroit où il s'était abreuvé, il se tourna vers la rivière, qu'il éclaira avec sa torche. Pendant qu'il regardait l'autre rive, Vincent décida de remonter le talus.

Il avait une dizaine de mètres à gravir. Il se frayait péniblement un passage à travers la végétation, espérant que le bruit de la rivière couvrirait son avancée. Mais il marcha sur une branche trop sèche, et celle-ci craqua bruyamment. Vincent se laissa choir à plat ventre dans la végétation au moment où le Brûlé tournait vivement la tête et ramenait le faisceau de sa lampe. Puis l'homme courut vers le talus, qu'il entreprit de remonter à la hâte.

Vincent, toujours couché à terre, entendait le raffut que faisait le Brûlé dans son énervement. La valse n'était plus qu'un long meuglement sonore et le meurtrier semblait s'en être rendu compte. Dès qu'il arriva à la voiture, il se glissa derrière le volant pour éteindre la musique. Il tourna ensuite la clé dans le contact. Seul le démarreur se fit entendre. Il recommença, mais le moteur refusait de se mettre en marche tandis que le démarreur faiblissait, s'étranglant jusqu'à l'agonie. Le Brûlé sortit de la Ford, ouvrit le coffre. Il se mit alors à frapper la voiture avec un objet dur. Les vitres et les phares volaient en éclats. Jamais dans sa vie Vincent n'avait vu un tel déchaînement de rage.

Après plusieurs minutes de folie, le Brûlé retourna dans l'habitacle, actionna le levier de transmission au volant. Il sortit se placer derrière la voiture et

entreprit de la pousser. La vieille Ford roula lentement et dévala le talus pour s'abîmer lourdement
contre un arbre.

Si le Brûlé avait toujours l'avantage d'être armé,
pensa Vincent, il venait de perdre sa rapidité.

Le maniaque monta sur le toit du véhicule et se
déchaîna de nouveau contre l'acier en hurlant dans
un étrange patois. Vincent s'aperçut qu'il ne l'avait
jamais entendu parler.

Il avait repris en catimini sa montée du raidillon
quand Frison glissa soudain de son sac. Désespéré,
le garçon tenta d'empêcher le corps de rouler en
contrebas mais, ce faisant, il trébucha, ce qui attira
l'attention du Brûlé, qui sauta aussitôt du toit pour
courir dans sa direction. Il s'élança sur le talus et la
lumière de sa lampe de poche épingla Vincent, qui
fuyait à grandes enjambées le long de la lisière de
forêt.

Le Brûlé se lança à sa poursuite. Vincent pouvait
sentir le souffle de la bête derrière lui. La lampe de
poche du maniaque lui permettait de se mouvoir
entre les branches. Le Brûlé comprit l'avantage qu'il
offrait au garçon et il l'éteignit. Une branche fouetta
au sang le visage de Vincent, qui ralentit malgré sa
panique. Une main agrippa son chandail et tira, le
rivant à terre. L'impensable venait de se produire.
Au-dessus de lui, un visage défiguré le détaillait avec
un sourire malfaisant.

Le Brûlé dirigea la lampe de poche sur le garçon
étendu à ses pieds. À bout de souffle, il éclaira ensuite
son hideux visage. Sa respiration sifflante laissait sortir
d'étranges sons. Vincent tenait toujours une pierre
au creux de sa main. Le Brûlé s'en rendit compte et
il écrasa du pied la main de Vincent.

Du doigt, l'homme au regard mauvais lui fit signe
de lâcher prise.

Vincent refusa, feignant de ne pas avoir compris. L'homme hurla un charabia incompréhensible et mit encore plus de poids sur la main de Vincent, qui abandonna sa seule défense. Les yeux qui le regardaient semblaient avides, triomphants et maléfiques à la fois.

Vincent pensa à Sébastien. Il se dit qu'il allait sous peu le rejoindre.

31 MARDI, 4 AOÛT, 20 H 55

Le soleil s'était retiré derrière les Laurentides. Des strates bleues, violacées, sur fond abricot épousaient la courbe des montagnes. Une clarté douce baignait la campagne. Duval adorait rouler sur le chemin du Roi. Deux siècles et demi d'histoire défilaient devant lui, de belles maisons patrimoniales à toits en pente, des terres agricoles qui vallonnaient vers le fleuve lisse comme un miroir.

Il dépassa un fardier. Il embraya en cinquième et sa tumultueuse monture mordit l'asphalte un peu plus et le propulsa loin devant le tracteur.

Il ralentit pour lire le numéro sur une boîte aux lettres.

À une dizaine de maisons de là, il reconnut la silhouette carrée du Gros qui fumait une cigarette sur le bord de la route, devant la résidence de Ramona Laperrière.

Duval débraya et stationna la Ducati derrière la Barracuda vert grenouille de son équipier.

Louis lança son mégot, qui étincela sur le pavé, et alla au-devant de son coéquipier.

Duval regarda la maison traditionnelle aux volets bleus. « Payant, la police paranormale non scientifique », pensa-t-il en dépliant la béquille de sa moto.

— Salut.

— Salut, dit Duval en détachant son casque.

— Je suis arrivé en avance. Elle a un client. Elle m'a demandé d'attendre.

Duval était tenté de reprocher à Louis de l'avoir mis devant le fait accompli en présence de madame Hébert quant au recours à un médium. Mais comme il était sur place et qu'il avait sa journée dans le corps, il préféra s'abstenir.

— J'ai ben hâte d'entendre ce qu'elle va nous raconter, s'emballa Louis.

— Je sais déjà ce qu'elle va nous dire. Je vois des arbres, une forêt dense, une rivière agitée, j'entends des pleurs, un homme grand qui...

— Ben, Dan, câlice, t'aurais dû rester chez vous, tant qu'à ça !

— Je suis ici à cause de madame Hébert.

— Je dois te dire que j'ai fait appel à Mona, l'an dernier, quand mes affaires allaient moins bien. Elle m'a annoncé que j'allais me remettre en forme, que j'allais réaliser de grandes choses. Je viens quand même de gagner une médaille de bronze aux Jeux mondiaux des policiers. Elle m'a dit que j'allais faire de belles rencontres. J'ai baisé deux fois au Mexique. Tabarnak ! A' l'savait, elle !

Duval hocha la tête comme il le faisait si souvent quand Louis prenait la parole.

— Moi, j'ai une autre théorie : quand elle t'a dit que tu allais revenir dans une forme splendide, ça t'a suggéré l'idée de faire de l'exercice, de t'entraîner pour le lancer du poids. En améliorant ton apparence et ta condition physique, tu t'es senti mieux dans ta peau et tu as rencontré des filles en voyage puis t'as scoré.

La porte s'ouvrit enfin, mais le client ne cessait de remercier la voyante.

— Qu'est-ce que Gerry faisait au bureau ? lança Duval, que la chose chicotait pas mal. Ça faisait des mois qu'on l'avait pas vu.

— Il est venu me piquer une jasette.

Pour changer de sujet, Louis marcha vers la porte. En soupirant, le lieutenant le suivit.

Madame Ramona Laperrière tendit une main molle au lieutenant, qui lui servit le même traitement. Elle avait de longs cheveux blancs et un visage étonnamment sans rides pour une femme dans la soixantaine. Elle dégageait un calme planant. Sur sa longue robe d'été était accrochée une broche représentant un papillon.

— Vous allez bien, messieurs ?

— Ça va, marmonna Duval.

— Ça fait plusieurs fois que la police me consulte.

Et quel est votre taux de succès dans la résolution d'homicides ? ironisa Duval en lui-même.

Elle invita les enquêteurs à la suivre dans la salle à manger. Le plancher en grosses lattes de pin craquait sous le poids des policiers. Duval regarda les magnifiques plafonds à caissons du salon et les antiquités que recelait la maison : un rouet, un coffre et une armoire qui datait du régime français. Le vieil âtre en pierre et en chaux séparait le salon de la salle à manger.

La maison était chaleureuse, mais remplie d'une odeur de patchouli et d'encens qui leva le cœur de Duval.

— Vous avez ici certains de mes clients célèbres.

Duval observa les photos sur les murs du passage. Beaucoup de gens connus consultaient la voyante : une chanteuse populaire dépassée, un joueur de hockey alcoolique, un animateur de radio de Québec, un ancien ministre de l'Éducation, ce qui n'était pas rassurant, songea Duval.

— En 1964, lors de l'affaire Dion, les policiers ont fait appel à mes services. J'ai même donné des ateliers à l'école de police de Nicolet, dit-elle en regardant Duval qui, de marbre, n'ajouta rien alors qu'elle espérait un regard ou une parole admiratifs.

Deux chandeliers assuraient l'éclairage, tamisé, de la salle à manger, qui était une vraie serre à plantes. La petite fenêtre à carreaux donnait une vue partielle sur le fleuve.

Mona Laperrière avait posé les photos des enfants sur la table ainsi que celle du grand-père. Toutes les unes des journaux qui relataient l'affaire étaient déposées en éventail de même qu'une carte du Québec.

— Vous pouvez vous asseoir, messieurs.

Duval et Harel prirent place l'un à côté de l'autre autour d'une table antique.

— J'ai réalisé deux sessions jusqu'à maintenant et j'ai obtenu des informations importantes. Je vais vous demander de vous concentrer, de diriger vos énergies vers ceux que vous cherchez et d'essayer de voir où ils se trouvent et dans quelles conditions ils sont.

Elle pencha la tête et ferma les yeux en inspirant longuement. Duval se dit en lui-même : « Dans quel asile de fous je me suis embarqué ! » Les yeux mi-clos, il la regardait délirer. Un chat blanc sauta sur le bord de la fenêtre.

Elle ouvrit les yeux, constata que le lieutenant l'observait.

— Je vous prie de vous concentrer. Je vais essayer d'aller plus loin.

Elle posa les mains au-dessus des photos.

— La forêt est dense. Je vois un grand lac, calme, une roulotte. Quelqu'un a besoin d'aide. Il a mal partout. Je vois aussi un animal…

— Vous dites un animal ? la coupa Louis.

— Un animal, oui ! Ne m'interrompez pas, s'il vous plaît.

Harel regarda Duval, qui ne bronchait pas. L'horloge grand-père sonna le quart d'heure. La voyante replongea derrière son écran intérieur.

— Je n'aime pas ce que je vois. Un être brutal maintient prisonnier les enfants dans la roulotte au milieu de la forêt. J'entends aussi le cri d'un animal blessé.

Impressionné, Harel se tourna vers Duval qui demeurait de glace, affichant un regard hostile. Le lieutenant se demanda comment il allait justifier les honoraires de ce charlatan qui devait bien connaître ce genre d'histoire au schéma souvent répétitif. Pour une rare fois, il ne prenait pas de notes alors que Louis écrivait au fur et à mesure toutes les bribes de révélations spontanées, comme les appelait Duval.

Il vint pour se lever mais Harel, qui connaissait les intentions de son chef d'escouade, le retint avec discrétion.

— Tout n'est que désolation, ruine et détresse. Voilà tout ce que je peux dire, conclut la voyante. L'enfant cherche son chemin.

Duval se redressa en maugréant.

— Combien on vous doit ?

— Ce sera trente dollars.

— Vous enverrez la facture à cette adresse.

— Je ne fais pas crédit. Il faut payer comptant.

— Écoutez, madame, c'est comme ça ou vous ne serez pas payée. Si vous n'êtes pas contente, appelez la police, ironisa le lieutenant.

Le visage du médium se contracta de colère.

— Vous saurez, monsieur, que j'ai beaucoup de clients dans la police.

— Vous venez d'en perdre un. Moi, je m'en vais, lança Duval.

Il déposa la carte sur la table et sortit sans saluer. Louis le rejoignit quelques instants plus tard alors que Duval attachait son casque et enfourchait sa moto. Il actionna le démarreur électrique, mais Louis, qui était arrivé par-derrière, l'éteignit.

— Qu'est-ce qui t'a pris, Daniel ? dit Louis en s'allumant une cigarette.

— Je me sens complètement ridicule d'être ici alors que je t'avais prédit ce qu'elle nous dirait !

— Non, c'est pas vrai.

— Comment ça ?

— Elle a parlé d'une bête qui est blessée.

— Puis ?

— On n'a jamais mentionné dans notre signalement aux journaux que la famille voyageait avec un chien.

Duval parut un instant décontenancé, mais se reprit.

— Ben non, elle a dû le savoir ou elle a deviné. Une bête blessée. C'est n'importe quoi ! Elle ne fait que répéter tout ce qui est plausible dans ce genre de situation. Louis, on se remet au boulot demain. Bonne nuit !

Enragé d'avoir perdu sa soirée, harassé par la fatigue de la journée, Duval prit le chemin le plus court vers l'autoroute 40. La flèche rouge fonça sur Québec à grande vitesse. Dans ses rétroviseurs, les lumières des lampadaires et des phares de voitures semblaient absorbées dans un long trou noir.

À la maison, Laurence dormait. Duval regagna son bureau. Il alluma la lampe. La tourelle du grenier baignait dans un éclairage doux. Tout était calme ici. La tournure de l'enquête commença à l'angoisser.

Il alla chercher la carte du Québec, la déplia et examina le secteur. Il se pencha dessus, plongea dans sa mémoire d'enfance, s'imagina être un des garçons à l'arrière de la voiture. Les emplacements touristiques ne manquaient pas. Le zoo de Saint-Félicien – où la police de Roberval concentrait ses recherches –, le parc national Taillon à l'est du lac Saint-Jean, la zec de la Lièvre et de la Lionne, le village fantôme de Val-Jalbert... Ce dernier site aurait été un point d'attraction pour des enfants, mais il était fermé. Il l'élimina. Il y avait aussi la plage de Métabetchouan, mais là non plus, les enquêteurs de la région n'avaient pas vu le nom du grand-père. Et les emplacements n'étaient pas donnés. Peut-être avait-il souhaité profiter de la plage tout en campant en douce dans le bois ? Les chemins forestiers et les secteurs de pêche abondaient dans le secteur. Avaient-ils été voir les Indiens à Pointe-Bleue ?

Duval écrivit quelques notes. Il avait encore espoir de retrouver les Hébert en vie.

- *L'insouciance du grand-père, son avarice l'ont-elles poussé à s'enfoncer dans le bois au péril de sa vie ?*
- *Demander à parler au médecin de Hébert pour s'enquérir de son dernier bilan médical.*
- *Cache-t-il son véritable état de santé à sa fille pour ne pas l'inquiéter ?*

Duval marcha vers la chaîne stéréo, déposa le bras sur la première plage. Il prit son casque d'écoute et s'assura qu'on n'entendait pas la musique avant de le mettre sur sa tête. Le trio de Brahms pour cor, piano et violon en mi bémol s'ouvrit sur un long crescendo dramatique. Il prit le carnet dans lequel il rédigeait le brouillon de son article. La lettre P le convia au même problème que la veille : peine, prison, pénitencier, probation. La lettre dérivait sur des mots intimement liés entre eux. Il inscrivit pêle-mêle des réflexions à enrichir : les peines pour un meurtre ou un viol sont-elles assez sévères ? Vide-t-on trop rapidement les pénitenciers ? La sanction est-elle une vengeance de la société ou un geste dans le but de réhabiliter le criminel ?

Sa formation en criminologie, qui le disposait naturellement au rachat de l'accusé, se heurtait désormais aux cas d'abus. Certains détenus adoptaient un bon comportement dès lors qu'ils devenaient admissibles à la libération conditionnelle. Leur attitude changeait soudainement... Pourtant, leur dossier démontrait qu'ils avaient été des fauteurs de troubles notoires. Profitant de peines avec sursis, de couvre-feux qu'ils ne respectaient pas toujours, ils récidivaient dans la violence. Aussi, nota le lieutenant, la justice devait protéger les citoyens et non récompenser des criminels violents qui profitaient des largesses du système alors qu'ils purgeaient des peines pour des crimes graves. Les commissaires aux libérations conditionnelles faisaient preuve de négligence et de laxisme, ce qui mettait la vie de citoyens innocents en danger.

Le pleur perçant de Louis-Thomas en contrepoint de Brahms l'extirpa de sa méditation. Il descendit l'escalier en colimaçon.

Il ouvrit la veilleuse en forme de coccinelle. Bébé avait mouillé sa couche et il avait soif. Le lieutenant accomplit sa dernière tâche du jour, du moins l'espérait-il, et déposa le petit sur la poitrine de Laurence.

Malgré la fatigue, Morphée semblait lui interdire le sommeil. Comme il lui arrivait souvent au cours d'une enquête, le lieutenant s'obstina à chercher une piste qui lui aurait échappé, une voie à prendre pour percer le mystère de cette disparition, une clé qui ouvrirait une porte.

32 MARDI, 4 AOÛT, 22 H 08

Le Brûlé le détaillait. La lampe de poche dans une main, l'arme dans l'autre, son sourire sadique annonçait ses intentions. Il dirigea la lumière sur Vincent, qui plissa les yeux, aveuglé, effrayé par la laideur du visage défiguré. Le Brûlé éructa une suite de sons incompréhensibles puis, comme Vincent ne bougeait pas, il retira le pied qui écrasait toujours sa main. Il allongea le bras et pointa le revolver sur le visage du garçon mais se ravisa. Il s'amusait de l'effroi qu'il suscitait chez sa victime, pareille à un petit animal sans défense, affligée de tremblements. Il glissa l'arme dans la poche de sa veste à carreaux et se laissa choir à genoux sur les jambes de sa proie. De sa main libre, il agrippa avec force le pantalon de Vincent en le rabattant et empoigna ses organes génitaux.

Vincent eut un spasme violent pour se dégager, mais le Brûlé hurla en serrant sa prise. Un cri de douleur se coinça dans la gorge de Vincent et ses yeux s'emplirent de larmes. Le souffle coupé, il réprima un nouveau mouvement de panique. Son agresseur ramena la lumière sur son visage et Vincent ferma ses paupières. Le Brûlé émit d'autres sons gutturaux et la pression se relâcha quelque peu. Toujours incapable de respirer, Vincent luttait pour ne pas céder à la panique. Il ne devait pas résister. Il fallait demeurer vivant le plus longtemps possible. Au-dessus de lui, il entendait le souffle haletant, sifflant, de la bête. La lumière s'éloigna de son visage, le poing s'ouvrit lentement et la main commença à remonter son t-shirt vers le haut. Vincent ne bougeait pas, ne respirait plus. Sûr de sa domination, le désaxé se penchait pour humer son ventre, pour lécher sa poitrine. La bouche déformée se posa soudain sur la sienne et Vincent serra les dents encore plus fort que ses paupières. L'odeur répugnante qui émanait de l'agresseur lui donnait envie de vomir. Pendant que la langue fétide se promenait partout sur son visage, Vincent sentit quelque chose piquer fortement sa cuisse droite. Il tâta le sol de la main et ses doigts rencontrèrent soudain du métal. Son cœur s'arrêta presque lorsque le garçon comprit ce que c'était. Le corps du détraqué se pressait contre le sien quand Vincent glissa l'index et le majeur dans les œillets de l'objet. Il remonta alors son bras le plus haut possible et frappa le violeur de toutes ses forces à la tête.

Le Brûlé hurla comme un dément en roulant sur le côté. Vincent remonta vivement son pantalon et se dressa comme s'il avait reçu une décharge électrique. À ses pieds la bête se tordait de douleur, incapable d'enlever les pointes des ciseaux qui, en traversant sa joue, s'étaient enfoncées dans sa gencive en laissant pisser le sang.

Galvanisé par les événements, Vincent sentit jaillir de sa poitrine un cri animal qui submergea la forêt pendant plusieurs secondes. Puis il se mit à courir à l'épouvante le long de la rivière.

Il n'avait pas fait cent mètres que déjà, derrière lui, la bête enragée se remettait péniblement en chasse. Le faisceau lumineux de la lampe s'agitait spasmo-diquement et Vincent tenta de courir encore plus vite, mais la noirceur des lieux et les obstacles qui se dressaient devant lui l'en empêchaient. Un coup de feu le fit sursauter violemment et il manqua de tré-bucher sur une pierre glissante. Pris de terreur, il regrimpa tant bien que mal le talus et, une fois sur le chemin, il reprit sa course éperdue. Un autre coup de feu tonna dans la forêt, mais les jambes de Vincent ne voulaient plus s'arrêter. À la seule lumière des étoiles, il courut et courut à en perdre la notion du temps.

Ce n'est qu'aux premiers éclats du jour levant qu'il s'arrêta devant une cabane qui semblait servir de cache à des chasseurs. Il entra à l'intérieur et s'étala sur le plancher, en proie à un *black out* total.

33 MERCREDI, 5 AOÛT, 5 H 00

Duval ne parvenait pas à dormir. C'était ainsi chaque fois qu'une affaire l'obsédait. Le lit devenait une extension du bureau. Quand sa tête soupesait les pistes du jour, la nuit faisait parfois la grève du som-meil. La raison disputait alors au rêve les faveurs de la nuit. Son alliée nocturne l'aidait à voir clair. Il re-mettait en perspective les pistes qu'il avait, cherchait

à voir s'il n'avait pas omis un détail important. Mais
là, *niet!* La pensée tournait à vide.

Il se leva, descendit à la salle de bain du sous-sol
pour prendre une douche. Tout en se rasant, il se demanda ce qu'il ferait avec les lettres « difficiles » pour
son article dans *Sûreté*. Naturellement, pour Z le mot
zèle s'imposait puisque c'était le qualificatif dont il
était le plus souvent la cible, tantôt de manière positive, tantôt de manière négative. Mais être zélé, dans
un métier où le temps est capital, cela ne signifiait-il
pas avoir une longueur d'avance sur tout le monde ?

En se rinçant le visage, il eut une idée pour X.
Dans sa profession, ce signe symbolisait l'interdiction ;
enfreindre ces barres croisées constituait un délit ou
un crime grave. Il appliqua sa lotion après-rasage,
tapota ses joues. Il jugea l'explication fumeuse, mais
il fallait bien remplir quelques trous. « Voilà pourquoi
tu ne dors pas, tu es trop zélé », se reprocha-t-il en
tentant de ne pas penser aux autres lettres. Devant le
miroir, il lissa lentement ses cheveux vers l'arrière,
s'avança pour examiner ses premières rides.

Il replaçait le bouchon du dentifrice quand la
sonnerie du téléphone le fit sursauter. Le bouchon
tomba dans le lavabo et roula dans le tuyau. Duval
courut à l'étage en appréhendant le pire. Les appels
nocturnes n'annonçaient habituellement rien de bon,
même s'ils venaient parfois mettre fin à l'attente. Ils
étaient le début ou la fin d'un calvaire. Il tendit le
bras pour saisir l'appareil. C'était la voix éraillée du
capitaine Dallaire.

— Daniel, excuse-moi de t'appeler à cette heure,
il y a du nouveau. Un trappeur a rapporté la médaille
du chien de Hébert au poste de Roberval. Il l'a trouvée
au milieu d'un chemin forestier. Le numéro de téléphone sur la médaille est celui de Gilles Hébert.

— Ça s'est passé où ?

— Au nord-est de la Zec de la Lièvre, près du lac à la Loutre et de la rivière aux Iroquois. Pour te situer par rapport à des lieux plus connus, disons que ça se situe au sud-est de Chambord-Val-Jalbert et de Sainte-Hedwidge.

— Harvey est au courant?

— Il vient de l'apprendre. L'équipe de Roberval s'est déplacée vers le secteur et s'est mise au travail dès les premières lueurs de l'aube.

— Je veux des chiens. T'as appelé Madden?

— Je vais l'appeler.

— Bien. À tantôt.

Puis il monta dans la chambre à coucher sur la pointe des pieds. Mais fiston s'éveilla, poussa quelques plaintes. Le lieutenant entra à pas feutrés dans la pièce. Sans doute un mauvais rêve. Il remonta la doudou et s'attendrit d'un sourire aux anges.

Fébrile, le lieutenant ne put se résoudre à fermer l'œil, envisageant des dizaines d'hypothèses. Il se releva pour examiner la carte. Que de lacs, de rivières, de montagnes et de kilomètres de forêt! pensa-t-il. Mais, à tout le moins, cette découverte rapetissait le champ de recherche, même s'il demeurait vaste.

◆

Il arriva au bureau une heure plus tôt qu'à l'habitude. Une mauvaise nouvelle l'attendait. Parent s'était échappé de l'urgence psychiatrique du CHUL pendant que son gardien était allé aux toilettes. Où était-il? Nul ne le savait. Mais la police de Sainte-Foy avait entamé des recherches. Les intervenants de la Lucarne avaient aussi été avisés.

Cette évasion ne changea pas l'opinion du lieutenant quant à l'innocence du père dans cette affaire. Par contre, il craignait le commérage autour de cet

incident alors que tout le monde attendait un développement. Après l'humiliation de n'avoir pu passer
des vacances avec ses enfants, l'angoisse à cause de la
visite des policiers puis l'échec du test du polygraphe,
Parent avait avoué avoir tué ses enfants et son beau-
père pour se punir de tous les maux de la terre. Il
deviendrait à coup sûr le suspect numéro un et Duval,
qui l'avait écarté, verrait son jugement remis en
question. Ce qui leur ferait perdre encore un temps
précieux. Dans son rapport, le psychiatre du CHUL
confirmait que Parent avait fait une crise de psychose
durant l'interrogatoire. Il était sous médication et
perturbé.

Francis entra dans le bureau. Il constata aussitôt
la mauvaise mine de Duval.

— Qu'est-ce qui se passe ?

— Ils ont retrouvé le collier du chien à une quarantaine de kilomètres de Val-Jalbert.

— On devrait donc savoir bientôt ce qui est arrivé.

Duval hocha la tête d'un air grave et soucieux.

— Il y a aussi que Parent s'est échappé de l'hôpital.

— On devrait s'en inquiéter ?

— Oui, mais pas pour les raisons qu'on pourrait
croire.

— Que veux-tu dire ?

— Parent nous a fait perdre déjà beaucoup de temps
et là on risque d'en perdre encore plus à satisfaire tous
ceux qui veulent une réponse à tout prix.

— Je vois ce que tu veux dire.

Duval passa nerveusement ses mains dans ses
cheveux qu'il ramena vers l'arrière. Mais quand il se
pencha sur la carte, une mèche retomba pour la énième
fois devant ses yeux. Il la replaça en soupirant. Cette
grève du zèle commençait à lui peser. Il avait hâte de
passer chez son barbier. Bernard entra à son tour dans
le bureau avec Louis, accroché à sa tasse des Nordiques.

— Comment ça s'est passé avec Madame Irma ? demanda Bernard, prompt à se moquer.

— Viens pas rire de moi, toi, mon… lui conseilla Louis.

— Elle ne nous a rien appris qu'on ne savait déjà, affirma Duval.

— C'est pas vrai. Elle n'était pas au courant qu'il y avait une bête et elle nous a dit qu'un animal était blessé.

— Tu parles d'un scoop, blagua Francis.

— Vous pouvez dire tout ce que vous voulez, mais cette dame a été appelée par la police dans l'affaire Dion.

— Quant à moi, elle devrait se contenter de lire dans les lignes de la main, protesta Duval.

— Vous êtes complètement bornés, maugréa Louis. J'avais déjà consulté cette femme-là. Elle avait prédit qu'il m'arriverait un tas de bonnes choses.

Personne n'osa relever l'affirmation. Duval consulta les notes qu'il avait prises la veille, ce qui signifiait qu'il était temps de changer de sujet. Il saisit le ruban gommé, colla la carte sur le tableau vert et attrapa le crayon marqueur pour tracer un cercle sur la carte dont l'épicentre était le lac à la Loutre. Quand il se retourna, les yeux de ses trois collègues fixaient le cercle.

Duval regarda l'heure : huit heures. Dallaire les attendait pour le briefing dans la salle de conférences.

◆

Les déjeuners-conférences avec le capitaine Dallaire étaient copieux et très caloriques : beignes, brioches et café à volonté. Le diabète du capitaine s'expliquait. Mais rien de tel pour mettre ses hommes de bonne humeur, d'autant plus que le troisième jour d'enquête apportait un nouvel éclairage. Le lieutenant avait accroché au tableau la carte du secteur où l'on avait retrouvé le collier du chien. Le capitaine prit un siège au bout de la table ; Duval et Harel se placèrent côte à côte face à Tremblay et Prince.

Francis examina Louis avec un sourire moqueur. La peau du visage de Louis dérougissait mais avait commencé à peler. Louis, qui détestait qu'on le fixe du regard, s'en prit à Francis.

— T'as jamais vu ça, de la peau qui pèle ? Regarde ailleurs, tannant !

Le capitaine aborda le premier point de la rencontre.

— Écoutez, ce matin, c'est comme si, au lieu de chercher trois aiguilles dans dix ballots de foin, on n'avait qu'à fouiller dans une seule botte.

Duval se leva pour délimiter sur la carte la nouvelle zone de recherche. Il dessina un triangle qui englobait une zone de trente kilomètres carrés située au sud de Chambord, Sainte-Hedwidge jusqu'à la pointe nord-est du lac des Commissaires.

— C'est là qu'on devrait les retrouver.

Dallaire résuma le rapport que lui avait télécopié Harvey.

— Ce périmètre comprend une zone de coupe de bois et des secteurs qui ont été concédés à des compagnies mais qui ne sont pas encore exploités.

Le lieutenant passa ensuite à ses collègues les portraits-robots que Badeau avait laissés dans son casier.

— Le portrait est fiable. Le pompiste du relais routier, la serveuse et la cuisinière ont trouvé le rendu final très ressemblant.

Tous rivèrent les yeux sur le visage émacié et peu rassurant de l'homme. Au-dessus d'un nez bosselé qui avait reçu des coups, les yeux du suspect flottaient dans leurs orbites rondes et creuses ; sa bouche aux lèvres minces était sans expression. La peau semblait avoir été étirée pour le recouvrir. Il avait quelque chose de reptilien. Une barbe d'une semaine l'ombrageait. Des cheveux filasse entouraient un début de calvitie. Le portraitiste avait dessiné la cicatrice sous l'œil droit. Sur l'autre portrait, Badeau avait ajouté la casquette et les lunettes de style aviateur.

— On va pouvoir travailler avec ça, dit Dallaire. Je fais diffuser immédiatement le portrait dans les médias et dans tous les corps policiers du Québec. Je veux que chaque patrouilleur ait cette image en tête.

Duval pensa au choc que causerait à Marie Hébert la parution du portrait-robot. La terrifiante hypothèse de l'agression, qui avait sans doute germé dans sa tête, aurait un visage, anonyme bien sûr, mais la femme comprendrait aussitôt que cet homme avait été vu près de son père et de ses fils. Et ce visage n'avait rien de tendre, il inspirait la crainte. Et cette larme effacée qui...

— Daniel, tu es là ?

Duval sortit de sa méditation.

— À quoi tu pensais ? reprit Dallaire.

— Il faudrait aussi aviser les directeurs des prisons, car les gars libérés avec une larme scarifiée sur une joue ne doivent pas être nombreux.

— Parce qu'il y en aurait d'autres ? s'étonna Dallaire.

— En crimino, le tatouage d'une larme sur la joue d'un détenu signifie, dans certains cas, que le détenu a été victime d'agressions sexuelles.

L'anxiété s'imprima sur le visage de ses collègues, indisposés par cette particularité.

— T'es sûr ? s'inquiéta Prince.

— Oui, je me suis rappelé ce détail en repensant à un cas qui n'a rien à voir avec le nôtre.

— Je m'occupe d'éplucher les dossiers, ajouta Prince.

— Il faudra vérifier aussi du côté des agents de libération conditionnelle. Les bris de probation, les peines avec sursis…

Le capitaine se tourna vers le lieutenant Duval.

— Daniel, j'aimerais beaucoup que tu rencontres les journalistes, ce midi, pour faire le point.

— J'ai pas le temps. Avise le porte-parole des derniers développements et fais-le travailler. Quand on aura découvert les personnes disparues, je tiendrai un point de presse. Pour l'instant, il est plus important de diffuser le portrait-robot, de ratisser la nouvelle zone de recherches. Pendant que Bernard et Francis cherchent dans la banque de données un taré avec une larme scarifiée sous un œil, je vais vérifier avec Louis les noms de détenus ou de patients qui auraient été élargis des prisons, des hôpitaux psychiatriques ou qui se seraient évadés. On commence par Robert-Giffard, puis on vérifie à l'Institut Pinel. Je crois que dans cette talle on va trouver quelque chose.

Le téléphone sonna. Dallaire prit la communication. C'était Jérémie Harvey qui voulait parler à Duval.

— Les recherches en hélicoptère viennent de reprendre. On passe au peigne fin la partie ouest de la route 169. La police de Roberval a des bénévoles qui vont parcourir les chemins forestiers toute la journée.

— Vous avez reçu le portrait-robot ?

— Oui, mon assistant l'a pris. Je l'ai pas encore vu. On a eu un double meurtre à Desbiens et j'ai dû m'occuper de l'affaire. Tout le monde est parti en vacances. C'est l'enfer. En fin d'avant-midi, je vais retourner dans la zone de recherches.

— On devrait être là en début d'après-midi.

— Je vous attends.

◆

Appel après appel, télécopie après télécopie, Duval et Harel parlaient du suspect, expédiaient des portraits-robots. D'une fois à l'autre, ils débitaient le même discours et recevaient la même réponse : on vérifie et on vous rappelle.

Puis la nouvelle arriva vers dix heures comme un coup de gong près d'une oreille. Dallaire entra dans le bureau, l'air sombre.

— Un travailleur forestier vient de retrouver une roulotte qui correspond à celle des Hébert. Elle aurait été incendiée. On ne sait pas s'il y a des cadavres. On l'a repérée entre la rivière aux Iroquois et la rivière à l'Ours. Mais la voiture n'est pas là.

Duval marcha vers la carte pour localiser la position que lui fournissait Dallaire.

— La roulotte se trouve à la jonction de deux lacs, dit-il en pointant un doigt sur la carte : le lac Castor et le lac du Bûcher. Sinistre coïncidence… C'est au sud-ouest par rapport à l'endroit où on a trouvé le collier du chien.

Le lieutenant aurait déjà voulu être sur place. Il se tourna pour fixer Dallaire.

— Il nous faut l'unité de commandement mobile. On se rend tout de suite là-bas. Je veux des projecteurs pour travailler la nuit. Il nous faut aussi un relevé toponymique du secteur.

— D'accord. J'avise les techniciens en scènes de crime et les gens du labo.

— Enfin, il se peut, conjectura Louis, que la roulotte ait passé au feu et que la famille se soit perdue en cherchant de l'aide.

— Non, ils auraient facilement réussi à rejoindre la route avec la voiture, et c'est bien ce qui est inquiétant : la voiture ne s'est pas volatilisée toute seule !

D'un coup de tête, Duval invita Louis à le suivre.

Comme ils allaient partir, Duval reçut un appel du lieutenant Boivin, de la police de Sainte-Foy. On avait retrouvé Parent. Il errait au centre commercial Place Laurier, vêtu de sa blouse d'hôpital. Un travailleur social de la Lucarne essayait de le raisonner.

— Qu'est-ce qu'il raconte?

— Il est totalement confus. Il est encore sous l'effet des tranquillisants.

— Y manquait rien que ça... Tenez-nous au courant. Laissez les messages à l'enquêteur Bernard Prince.

Avant de partir, Duval téléphona à Laurence pour l'aviser qu'il rentrerait tard. Elle lui rappela qu'ils avaient un cours de préparation au baptême à dix-neuf heures. Il allait le manquer pour la deuxième fois. Il commençait à trouver ridicule cette démarche, alors qu'elle et lui ne pratiquaient pas. Mais comme Laurence tenait à la tradition, il ne s'était pas opposé. Au moins, il s'éviterait la morale pontifiante à trente sous servie sur un plateau de reproches.

Louis saurait peut-être lui trouver un prêtre prêt à bénir son enfant sans tout l'exercice de propagande. Mais il semblait bien qu'on n'appelait pas un prêtre comme on téléphone à un plombier. Si ce dernier vous arnaque de trente dollars avant même d'avoir commencé son travail, le prêtre vous détrousse l'âme pour un peu d'eau bénite, songeait le lieutenant en se rendant avec Louis à la voiture. Puis son esprit revint à l'enquête en cours et la chape d'angoisse s'abattit sur lui.

TROISIÈME PARTIE

LE LAC DU BÛCHER

34

La journée ensoleillée était balayée par un fort vent. Louis avisa Duval de tourner à gauche à Chambord pour prendre la 155 en direction de La Tuque jusqu'à la pointe de la Réserve faunique. Ils passaient le chemin de l'Ermitage et le village de Saint-François-de-Sales quand ils captèrent la nouvelle sur la radio : au moins deux cadavres avaient été découverts dans la roulotte. Duval et Louis se regardèrent, attristés mais pas surpris. À cinq kilomètres de là, deux voitures de patrouille étaient stationnées en bordure de la route pour bloquer l'accès à un chemin forestier. Duval tourna à droite. Un patrouilleur s'approcha. Le lieutenant exhiba son badge de la SQ et la carte routière.

— Vous avez juste à suivre le chemin de la Chute, à tourner après le pont couvert et à aller jusque… là. (Le patrouilleur indiqua un endroit sur la carte de Duval.) Il y a déjà beaucoup de monde sur place. Le lieutenant Harvey vous attend.

La localisation de la roulotte montrait que les Parent-Hébert s'étaient enfoncés loin dans la forêt entre la rivière à l'Ours et la rivière aux Iroquois. Duval

constata vite que le chemin forestier rendait les demi-
tours quasi impossibles avec une roulotte. Tout
autour, de belles percées laissaient entrevoir des
rivières et des lacs époustouflants qui donnaient
envie d'être en vacances.

Le lieutenant passa sous un pont couvert au-dessus
de la rivière Ouiatchouan, aperçut à travers la végétation un panneau criblé de balles qui indiquait la
direction pour se rendre à des refuges pour les chasseurs et au village historique de Val-Jalbert. La voiture
roula encore vingt kilomètres, traversa le ponceau de
la rivière aux Iroquois qui se jetait plus au nord dans
le lac Saint-Jean, puis ils virent enfin deux voitures
de patrouille de la SQ qui étaient stationnées sur le
bas-côté du chemin de terre. Duval se rangea un peu
plus loin. Dès qu'ils mirent pied à terre, un patrouilleur
leur signala du doigt où se trouvait la roulotte.

— À l'orée du bois, près du lac, là où il y a une
petite baie, dit le patrouilleur en les accompagnant.

Pas même nécessaire de voir la roulotte, l'odeur
de carbonisation prenait à la gorge. Gilles Hébert
s'était garé tout près de la baie. Elle s'ouvrait sur un
lac de trois kilomètres en forme de selle pour cheval,
large dans la partie où Hébert avait établi son campement et se rétrécissant dans sa partie ouest. De
l'autre côté du lac se dressait une large paroi rocheuse.

— Le lieutenant Harvey, c'est le plus petit des
deux, annonça le patrouilleur en montrant son supérieur du doigt.

Harvey, qui portait un pantalon kaki de l'armée et
un gilet en coton ouaté gris, examinait à distance les
restes de la roulotte avec un collègue. Dans la jeune
trentaine, râblé, avec des airs de dur à cuire, il avait
les cheveux bruns séparés par une raie au milieu de
la tête, les traits fins, juvéniles à l'exception de son

nez camus ; il avait dû pratiquer la boxe, pensa Duval. Les morsures de mouches à chevreuil et de frappe-à-bord avaient déjà laissé leurs traces sur son visage.

— Bonjour, lieutenant Duval, dit-il en allongeant le bras et en offrant une poigne ferme qui plut à son vis-à-vis. Jérémie Harvey, de l'Escouade des crimes contre la personne. J'ai souvent eu l'occasion de vous lire dans *Sûreté*.

— Merci..

Duval apprécia immédiatement le sourire franc et la politesse du jeune limier.

— Je vous présente Louis Harel.

— Enchanté. Voici le sergent Aurélien Larouche, un collègue d'Alma. On l'a envoyé pour nous donner un coup de main.

Homme svelte à l'aube de la quarantaine, Larouche portait ses cheveux en brosse et se démarquait par un nez grec qui donnait du relief à son profil. Sa tenue vestimentaire, en ces temps de négociations syndicales, se limitait à un bermuda noir et à un t-shirt vert.

D'une main, Harvey écrasa un maringouin qui s'apprêtait à lui piquer l'avant-bras. L'insecte gorgé de sang éclata sur la peau de l'enquêteur.

— Tiens, cher !

— Avez-vous du chasse-moustiques ? dit Larouche en sortant sa bouteille. Mettez-en ! Surtout vous, avec vos coups de soleil, vous tofferez pas une heure, vous allez vous garrocher dans l'eau comme un orignal.

Harel prit la bouteille en le remerciant, appliqua généreusement la lotion citronnée puis passa la bouteille à Duval, qui chassait les mouches à deux mains.

— Les patrouilleurs ont bien protégé la scène de crime, les informa Harvey. Venez voir ce qu'ils ont découvert près de la roulotte.

Duval et Harel s'approchèrent.

Le sergent Larouche, visiblement affecté, désigna avec un bâton les vêtements ensanglantés d'un enfant.

— Ils appartiennent au plus jeune des deux fils, observa Duval en regardant le jean, le t-shirt des Expos et les espadrilles.

— Ah ben criss! s'écria Harel. Si j'attrape le salaud qui a fait ça, je suis mûr pour le comité de déontologie policière.

Duval sentit des nœuds contracter son estomac. Les prochaines heures seraient longues et difficiles. Il pensa à la mère, à l'annonce qu'il lui incomberait de faire.

— Avez-vous trouvé des traces de pas? demanda-t-il.

— Non, il a plu dans les derniers jours. Le maître-chien est découragé. Tout a été lavé par la pluie, déplora Harvey.

Le lieutenant s'avança pour examiner la carcasse calcinée. Le toit avait été complètement brûlé, les matières plastiques avaient fondu, il ne restait que de la tôle.

— Y sont là, murmura Larouche, visiblement mal à l'aise.

Les deux enquêteurs hochèrent la tête, la mine rembrunie. L'odeur s'avérait intenable. Harvey tendit à Duval un pot de Vicks VapoRub.

— Tiens, cher!

— Merci, répondit Duval en s'appliquant l'onguent sous le nez. Le feu, j'ai jamais été capable.

Cette peur était liée à son enfance, aux immeubles qui flambaient dans son quartier de Montréal. Jamais il n'avait pu s'en débarrasser.

Le lieutenant s'avança vers les décombres. Il aperçut aussitôt les restes de deux formes humaines carbonisées et roidies, celles d'un adulte et d'un enfant, qui semblaient soudées l'une à l'autre. L'adulte semblait tenir le plus petit entre ses moignons de bras charbonneux. Les têtes étaient méconnaissables. Les cartilages avaient fondu ; seules les dents restaient bien apparentes. Les muscles à découvert avaient roussi, prenant un aspect fibreux comme des filaments de tapis à poils longs. Les abdomens de l'un et de l'autre avaient éclaté, déversant les intestins qui avaient bruni et séché. La ceinture et sa boucle de métal, tout comme le cuir des chaussures, s'étaient soudées à la peau de l'homme.

Le lieutenant se retira, saisi par la nausée. Le lac du Bûcher aurait une autre signification désormais.

Du bruit en provenance du chemin lui fit relever la tête. Le camion blanc du laboratoire se frayait un chemin entre les véhicules et les arbres qui grattaient sa boîte.

Duval marcha vers l'arrière des restes de la roulotte. Il aperçut le bouchon d'un jerrycan qu'on avait déjà marqué avec un petit fanion et un numéro. Une forte odeur d'essence et de propane se dégageait du sinistre. Ça ressemblait à un incendie criminel. Avait-on cherché à camoufler des meurtres ?

— Penses-tu qu'un incendie a pu se déclarer à l'intérieur et qu'ils ont péri ? demanda Harel, qui avait suivi son collègue.

Duval faillit s'impatienter contre le Gros, mais il freina sa frustration.

— Non. C'est sûr que les jeunes ou le grand-père auraient pu laisser la valve de propane ouverte par accident. Mais ça sent aussi l'essence ordinaire. Et puis les vêtements du petit sont ensanglantés, et la voiture n'est plus là.

— Mais l'autre jeune, peut-être qu'il a pris l'auto pour aller chercher de l'aide ? suggéra Louis.

Le lieutenant ne répondit rien. Toutes les hypothèses étaient envisageables. Il n'avait aucune certitude,

sinon que deux personnes, vraisemblablement Gilles
Hébert et son petit-fils Sébastien, étaient mortes.

Les enquêteurs laissèrent les techniciens en scènes
de crime commencer à recueillir leurs indices. Duval
aperçut les restes d'un feu de camp sur la baie. En
marchant jusque-là, il vit une branche avec une guimauve intacte à son extrémité. Il calcula qu'elle se
trouvait à mi-chemin entre la roulotte et le feu de
camp. Il demanda aussitôt à un technicien de venir
marquer l'objet. Près du feu, il aperçut une autre
branche avec une guimauve à demi mangée, comme
si un événement avait interrompu l'activité familiale.
Pour Duval, ces éléments de preuve racontaient une
sinistre histoire, celle de vies annihilées par un être
malfaisant.

— Vous pensez comme moi ? demanda Harvey en
voyant le lieutenant décrire dans son carnet l'endroit
où l'on avait découvert les branches avec les guimauves.

Duval acquiesça de la tête.

— Il semble bien qu'ils aient été surpris par quelqu'un alors qu'ils étaient autour du feu.

Harel s'approcha d'eux. Duval lui montra les
friandises au bout des branches.

— Ils ont été assassinés.

— Mais il manque un des jeunes, fit remarquer
Harvey.

— Et on va devoir le chercher, répondit Larouche
qui les avait rejoints à son tour.

— Il y avait aussi un chien, rappela Louis. On a
d'ailleurs retrouvé son collier, non ?

— Exact.

— Combien de kilomètres entre ici et l'endroit où
on l'a retrouvé ? demanda Duval.

— Environ dix kilomètres, répondit Harvey. Au fait,
c'est vous qui disiez que le grand-père était grêleux ?

Duval sourcilla.

— Grêleux ?

— Je veux dire séraphin, près de ses sous. Tout ça ne serait pas arrivé s'il était allé dans un camping public.

Des bruits de moteur firent se retourner tout le monde en direction du chemin. Le gros camion blanc de l'unité de commandement mobile de Québec arrivait avec une autre équipe de techniciens en scènes de crime. Duval se dirigea vers elle. Il croisa les techniciens qui sortaient leur équipement. Le caporal Madden jaillit avec Sneak, son berger allemand. Avec sa tenue de camouflage et son teint foncé, Madden ressemblait à un G.I. sortant de la jungle. Sneak, qui prenait plaisir à terroriser ceux qui le rencontraient pour la première fois, montra les crocs devant Larouche et Harvey. La grosse tête noire du berger allemand, entourée de poils roux et blonds, pareils à du feu, lui donnait un air diabolique. Ses yeux luisants épinglaient les vôtres. Son regard intelligent, presque humain, avait quelque chose de stupéfiant. Madden maîtrisa son chien. Une fois l'épreuve de la domination passée et que vous lui aviez montré du respect, Sneak vous adoptait. Mais il en avait fallu du temps à Madden pour en arriver à en faire le chien-pisteur qu'il était devenu.

Autour de la roulotte, les techniciens recueillaient des mégots éparpillés. On en ramassa aussi plusieurs sur le bord du lac, près du quai. Louis s'avança et observa le lac avec ses longues-vues. Il indiqua la décharge.

— Regardez ! Il y a une chaloupe à la dérive de l'autre côté. Elle n'était pas là quand on est arrivés.

— On a un Zodiac, annonça Harvey en demandant à un policier de le mettre à l'eau.

Mais au bout de cinq minutes d'attente, impatient, Duval décida de s'y rendre à pied. Il emprunta la partie accessible de la rive du lac en cherchant des indices. Sur de gros blocs erratiques poussaient de chétives épinettes agrippées à un mince terreau de sphaigne. Duval dut enlever ses chaussures et ses bas, car il lui fallait parfois marcher dans l'eau. Il souhaita que le lac ne soit pas rempli de sangsues. Ses pieds s'enfonçaient dans un fond vaseux, visqueux. Plus il approchait, plus son cœur battait. Il craignait de découvrir le cadavre de l'autre enfant dans la chaloupe. En progressant, il lui fallait chasser des nuées de moustiques et de frappe-à-bord. La chaloupe était un peu éloignée de la berge et il dut s'avancer plus encore. L'eau monta à sa taille. Heureusement, elle était chaude. Sa main saisit enfin la proue de l'embarcation. Celle-ci était vide, avec les deux rames toujours au fond. Près de l'ancre, cependant, il aperçut une branche où se devinaient à une extrémité les restants d'une guimauve. Une truite sauta soudain à quelques mètres de lui.

Deux minutes plus tard, Harvey arrivait à bord du Zodiac. Il coupa les gaz et se laissa dériver jusqu'à la chaloupe. Duval attrapa le bateau pneumatique, qu'il plaça à côté de l'embarcation.

— Montez, dit Harvey en aidant le lieutenant à se hisser à bord.

— Je crois comprendre ce qui s'est passé, déclara Harvey. En prenant la fuite et dans un état de grande peur, l'aîné a couru en gardant la branche dans ses mains sans s'en rendre compte. Il l'a laissée tomber dans le canot. Sinon, qu'est-ce qu'elle pourrait bien faire là ?

Duval hochait la tête en appuyant cette déduction tout en essayant de résumer la sienne.

— Peut-être aussi que le garçon se trouvait sur le lac quand c'est arrivé. Comme c'est un grand lac, il n'a pas eu le temps de revenir à temps pour aider son frère et son grand-père.

— Ça aussi, c'est plausible.

Harvey attacha la chaloupe au Zodiac pour la ramener sur la rive. Duval examina le fond de la barque en quête d'autres indices, mais ne trouva rien de plus. Les techniciens en scènes de crime pourraient recueillir d'autres éléments de preuves, comme des empreintes.

Duval venait de mettre pied à terre quand un technicien de l'unité de Québec l'appela. L'homme en position agenouillée, truelle à la main, semblait avoir trouvé des indices importants entre la roulotte et le feu de camp.

— Qu'est-ce qu'il y a ?

— Près de l'endroit où vous avez découvert la première branche avec une guimauve, j'ai trouvé des fragments osseux, des esquilles, des bouts de matière grise et du sang. On dirait bien qu'une des victimes a été tirée à bout portant.

On déroula aussitôt un long cordon de sécurité pour élargir la zone à ne pas contaminer. Harvey ordonna à deux patrouilleurs qui perdaient leur temps de chercher une douille ou un projectile.

Au moment d'entrer dans l'unité mobile de commandement pour se rafraîchir, Duval entendit un des patrouilleurs mentionner l'arrivée possible d'un photographe de presse qui avait réussi à forcer le passage à l'entrée du chemin de la Chute en se faisant passer pour un bénévole. Duval, qui connaissait l'opiniâtreté de cet autre genre de frappe-à-bord, cria ses ordres à ses hommes.

— Surveillez bien le chemin. Si jamais il se pointe, vous le tenez loin ! Et surtout vous ne lui dites rien.

Avec fermeté, Harvey avisa à son tour ses patrouilleurs de maintenir tout journaliste à l'écart.

— Je veux pas voir ce gigon-là dans nos pattes.

◆

Vers dix-neuf heures trente, Rivard, le chimiste judiciaire, arriva en compagnie de Mireille Santerre, la biologiste judiciaire.

— Tiens, la belle et la bête! s'exclama Louis en parlant du duo de la police scientifique.

Elle portait un jean noir, bien moulant, qui fit retourner les têtes chercheuses s'activant çà et là. Mireille, avec ses longs cheveux châtains, sa taille fine, faisait des ravages dans les milieux judiciaires. Long et maigrichon, Rivard avait un visage tout en arêtes qu'on eût dit sculpté par un artisan peu scrupuleux.

— Tu prends jamais de vacances, Duval? dit Rivard en s'adressant au lieutenant.

— Certains jours, je prendrais congé de tout.

Les regards de la biologiste et de l'enquêteur se rencontrèrent.

— Salut, Daniel.

— Salut, Mireille.

Chaque fois qu'il la voyait, il entendait le sax velouté de Ben Webster ou de Coleman Hawkins dans une sirupeuse ballade. Mireille avait souvent tenté de le séduire. Il avait tant bien que mal résisté aux assauts du désir. Le lieutenant savait qu'elle éprouvait des sentiments très forts à son endroit. Les siens, qui avaient été parfois ambigus, avaient fini par tiédir même s'il la trouvait belle et sexy. Ses nouvelles résolutions, depuis la venue de l'enfant, étaient fermes. Le regard langoureux qu'elle déployait à son endroit le mettait toujours mal à l'aise. Duval savait qu'elle avait eu une brève relation avec le docteur Maher, un stagiaire du docteur Villemure, mais ils s'étaient laissés quand le pathologiste avait obtenu un emploi au laboratoire de sciences judiciaires de Montréal. Les dernières années avaient été éprouvantes. Une scène de crime qu'elle avait été la première à découvrir, quatre enfants tués et leur mère ainsi que le père meurtrier, avait laissé des séquelles qui l'avait amenée à consulter un psychologue.

Larouche et Harvey s'approchèrent, tous deux subjugués par la beauté de la jeune biologiste. Faisant affaire avec le labo de sciences judiciaires et de médecine légale, ils connaissaient bien tant la belle que la bête.

— Tiens, un peu de beauté dans les bois, argua Larouche.

— Écoutez, les gars, si vous êtes en chaleur, la saison du rut bat son plein tout autour. Trouvez-vous une bête sauvage adaptée à votre charge de testostérone, lança Mireille, qui avait toujours su se défendre contre les propos sexistes.

Un chœur de rires gras tonna dans la forêt.

— Fais-toi-z'en pas, chère, tempéra Harvey, on est pas mal pris.

Elle détestait toutes les allusions machistes à son égard, qui fusaient chaque fois que deux policiers et plus étaient en sa présence. Une fois seuls en sa compagnie, ils étaient comme des enfants intimidés. Ce qu'elle aimait du lieutenant Duval, c'est qu'il n'avait jamais eu de commentaires déplacés envers elle, qu'il était toujours d'humeur égale. Elle salua Madden qui passait avec son chien.

— Avez-vous autopsié mes cadavres de Desbiens ? demanda Harvey.

— C'est en train de se faire. Les frigos sont débordés.

— À cause ? demanda Harvey.

— Une collision avec cinq morts sur l'autoroute de la Capitale.

— Il y a deux cadavres dans la roulotte, annonça Duval sur un ton laconique.

Les yeux de Mireille tombèrent dans ceux du lieutenant comme des perles dans un écrin de velours.

— Les enfants ? s'enquit-elle sur un ton empreint de compassion.

— Probablement le grand-père et le petit. Comme si on avait disposé à la hâte le corps de l'enfant sur le cadavre du grand-père. On a retrouvé le pantalon d'un enfant à l'extérieur de la roulotte. La taille correspond à celle du plus jeune.

Elle ne put réprimer une moue de dégoût, même si elle avait vu le comble de l'horreur dans son métier depuis qu'elle remplaçait le docteur Villemure sur les scènes de crime.

En montrant son nez croche et long, censeur infaillible, Rivard fit bifurquer la conversation sur l'incendie.

— Il faudrait être handicapé du pif pour ne pas flairer les accélérants.

— Je te fais confiance, cher, moi, je fais pas la différence, avoua Harvey.

Ils s'approchèrent de la roulotte incendiée.

— La porte a été *blastée* par un souffle très puissant, poursuivit Rivard en ramassant des débris de métal, de verre, de bois et de plastique.

Duval désigna à Mireille les silhouettes carbonisées. Elles étaient méconnaissables, seule la forme donnait un indice valable. La biologiste souleva quelques débris avec une truelle.

— Il faudra les identifier avec leurs fiches dentaires, annonça-t-elle à Duval.

Puis Santerre et Rivard examinèrent plus attentivement la roulotte. Seules les lettres « Ap » de la marque « Appalaches » apparaissaient encore sur le côté gauche. Rivard entra sa tête à l'intérieur de la roulotte.

— Il a fallu une très intense combustion pour réduire les corps à cet état. Ça sent aussi le propane. Le feu a dû être bien alimenté par le vent. Je ne comprends pas pourquoi le bois autour ne s'est pas enflammé.

Larouche leva l'index.

— J'ai consulté mes fiches météo et il a plu souvent dans les derniers jours. L'indice d'inflammabilité était très bas. On n'a même pas retrouvé d'empreintes de pas, c'est dire à quel point le sol a été délavé.

— Où est l'autre enfant ? demanda la biologiste en se tournant vers Duval.

— On ne l'a pas encore trouvé. Il y avait une branche avec un restant de guimauve dans la chaloupe qui dérivait sur le lac. L'aîné a-t-il tenté de fuir ou se trouvait-il sur le lac quand le double meurtre est survenu ? Si c'est le cas, avec la conductivité du son sur un lac et l'écho qui règne ici en raison de la paroi rocheuse de l'autre rive, il a dû tout entendre. Il s'est sans doute retrouvé avec un affreux dilemme : je fuis ou je viens en aide, conjectura le lieutenant.

— Pauvre petit ! murmura Mireille. Comment fais-tu pour annoncer ça aux parents, toi qui as des enfants ?

En voyant ce qu'il y avait dans le regard de la biologiste, le lieutenant baissa le sien sans répondre. Il ne fallait pas que la passion interfère avec son travail. Ce qui ne l'empêcha pas de se demander comment des yeux aussi lumineux pouvaient continuer de scintiller ainsi pour lui alors qu'il restait froid comme un matin de frimas en novembre.

— Ce n'est jamais facile, se contenta-t-il de répondre doucement.

Dans le ciel, les premières étoiles apparaissaient. Le grand écran céleste s'ouvrait sur la constellation du Lion alors qu'un grand-père et son petit-fils étaient entrés dans celle de l'enfer, songea Duval.

Rivard jugea qu'il faudrait transporter la roulotte sur une remorque jusqu'au laboratoire.

— Il va faire noir et ce sera difficile avec la brume matinale. Il nous faut des bâches, une grue et un camion-remorque pour déposer les restes. On va faire l'analyse de la roulotte au laboratoire, mais on pourrait récupérer les corps maintenant.

— Je m'en occupe, lança Larouche qui avait entendu la demande.

Quelques instants plus tard, bien enveloppés dans leurs combinaisons blanches, les techniciens du labo commençaient à dégager les restes carbonisés à bras d'homme. Les corps brûlés présentaient un grave danger de contamination et ils devaient éviter tout contact avec la peau.

Le regard du lieutenant fut alors attiré par un éclair lumineux. Tapi derrière un arbre, un photographe qui n'avait rien de judiciaire prenait des photos.

— Ah ben ! le tab…

— Qu'est-ce qu'il y a, Daniel ? s'inquiéta Louis.

— Un photographe !

Le lieutenant avança à grandes foulées vers l'homme qui portait une casquette des Reds de Cincinnati avec une moustiquaire faciale.

— Qu'est-ce que tu fais ici ?

— Je prends des photos pour mon journal.

— T'as pas le droit !

— À cause ?…

Duval pointa son index sur la poitrine du photographe tout en le toisant du regard.

— Je t'avertis, toi. Tu ne vas pas publier tes photos demain. On n'a pas encore averti les proches. Et je ne tiens pas à ce qu'ils apprennent la nouvelle par vous autres.

— Vous allez pas me dire quoi faire !

— Quoi ?

— Vous n'êtes pas mon patron ! J'ai le droit de circuler ! cria le photographe, qui prit une photo supplémentaire.

Le lieutenant n'apprécia pas l'arrogance de l'autre. Il lui arracha son Nikon et appela Harvey. Le photographe voulut reprendre de force son appareil, alors Duval ouvrit celui-ci et en retira la pellicule.

Harvey s'approcha d'un pas martial en fixant le sol, mâchouillant son exaspération. « Crisse d'hostie de seineux de tabarnak d'gigon d'seineux… », marmonnait-il.

— C'est qui ce gars-là, là, pour me parler de même ? lui demanda aussitôt le photographe, qui semblait bien le connaître.

— C'est le lieutenant Duval de Québec. C'est lui qui dirige l'enquête.

Harvey se tourna vers Duval, qui tenait toujours entre ses mains l'appareil aux entrailles béantes.

— C'est Clément Lamothe, du *Progrès*.

— Tu le fais arrêter pour entrave au travail d'un policier, ordonna Duval.

— Non, vous ne pouvez pas faire ça, cria Lamothe. Je vais me plaindre au Conseil de presse.

— Il ne faut pas que cet imbécile parle à un journaliste, reprit Duval en regardant toujours Harvey. Vous le mettez en garde à vue jusqu'à demain après-midi, le temps que j'aie annoncé la mort du petit et de son grand-père à madame Hébert.

Deux policiers s'approchèrent pour calmer le photographe et le mener à la centrale.

— Si tu résistes à ton arrestation, Lamothe, je te colle une autre accusation, tonna Harvey.

— Vous n'avez pas le droit !

— Oui, cher, je l'ai ! Pis je m'en priverai pas.

Harvey ordonna à un patrouilleur de le mener à la centrale de Roberval, où il passerait la nuit. Décidément, ce petit lieutenant au nez busqué, qui donnait du « cher » à tout venant, plaisait à Duval. C'est avec des hommes de cette trempe que l'on gagnait les guerres.

Le soleil avait disparu derrière les montagnes. Les dernières lueurs du crépuscule rougeoyaient dans un ciel indigo. Le chant d'un huard ajouta une note triste au décor funeste de la roulotte. Le brouillard avait commencé à se lever et rendait la tâche ardue. Bientôt, la nuit freina les recherches. Elles reprendraient à l'aube, au point de rosée. La voûte stellaire multipliait ses picots de lumière, découvrant les longs filaments de la Voie lactée. Minuscule sous ce dôme étoilé, le lieutenant eut envie de croire que l'homme n'était rien d'autre qu'un sale pou dans l'univers, mal adapté, dégénéré par l'hérédité et le vice. Mais il se ravisa en voyant le va-et-vient autour de lui. Une trentaine de personnes exténuées, piquées par les bestioles de toutes sortes, s'esquintaient au milieu de la forêt à comprendre le drame de leurs semblables afin de rendre justice. Le terme agent de la paix prenait ici tout son sens. Chacun cherchait, selon ses compétences, une part de vérité à rassembler pour redonner à la vie humaine son caractère sacré. Le lieutenant n'avait pu réprimer une grimace en lisant sur la carte que le chemin qui les avait menés là s'appelait le chemin de la Chute et des Brumes. Et outre l'étendue d'eau devant lui qui portait le nom de lac du Bûcher, il y avait à proximité un lac Noir, la chute Maligne, la Grande-Eau-Morte, « Saint-André de l'épouvante »... Comme si les lieux prédisaient les couleurs du drame. Ce n'était pas la première fois qu'il remarquait cette étrange coexistence de l'appellation d'un lieu et d'un crime.

D'ici la reprise des recherches, il fallait protéger la scène de crime. Harvey disposa des patrouilleurs à plusieurs endroits. Il déployait ses patrouilleurs quand son collègue Larouche le fit demander d'urgence à l'unité mobile de commandement.

Vers vingt et une heures, un camion-remorque doté d'une grue arriva sur la scène de crime. Il fallut faire avancer les voitures pour permettre au camion de passer. Rivard dirigea toute l'opération de hissage de la roulotte sur une bâche et, une fois la pièce à conviction bien scellée, la sinistre cargaison fut déposée dans le camion de Saguenay Transport.

Le lieutenant allait rejoindre Rivard et Mireille qui discutaient avec Louis. Mais au même moment, il vit Harvey s'approcher d'un pas vif vers lui.

— Lieutenant Duval, je viens d'apprendre du sergent Larouche que l'homme sur le portrait-robot correspond à l'individu qui aurait été vu à Desbiens, près de la maison, le jour du double meurtre. Un voisin l'a formellement reconnu en voyant le portrait diffusé à la télé. Il s'agirait de Joey Simard, le fils d'une des victimes de Desbiens.

Duval sourcilla, se gratta la tête, mais Harvey n'en avait pas fini avec ses révélations.

— Notre bureau a consulté vos collègues Tremblay et Prince, qui ont découvert que Simard était en bris de probation. Il ne s'était pas rapporté à son agent et avait déserté la maison de transition. Il n'avait pas le droit de s'approcher ni de son père ni de sa sœur. Voici la photo qu'un patrouilleur vient de m'apporter.

Harvey plaça la feuille qu'il tenait de façon à ce qu'elle soit éclairée par les lumières du camion-remorque et Duval remarqua aussitôt l'étrange larme sous l'œil.

— La larme…

— Oui, si on la regarde bien, elle représente en fait le lac Saint-Jean. C't'hostie de gigon-là s'est fait tatouer une larme qui a la forme de notre beau lac.

— J'ai déjà vu pire : un dégénéré avec un revolver tatoué sur le front.

— Ça, cher, c'est dur à battre… Méchant mongol !

Duval prit la feuille qu'Harvey lui tendait et lut rapidement les informations qui s'y trouvaient. Simard avait fait carrière dans les ligues majeures de la délinquance et de la violence. Son passé criminel, résumé en quelques lignes, montrait qu'il avait séjourné dans des prisons provinciales et dans des pénitenciers fédéraux pour des crimes graves : voies de fait, agressions sexuelles sur des mineurs. Il venait à peine d'obtenir sa libération conditionnelle de la prison de Bordeaux pour une agression sur un mineur. Deux ans moins un jour. Dans son évaluation, le psychiatre de Pinel le classait dans la catégorie des pédophiles homosexuels. Le système de libération conditionnelle lui avait à nouveau ouvert grand la porte pour d'autres agressions sexuelles. Le lieutenant plia la feuille avant de la glisser dans la poche de son pantalon.

— Merci pour ces renseignements, lieutenant Harvey. Au fait, j'aurais une demande à vous faire…

— Vous pouvez me tutoyer et m'appeler par mon nom, lieutenant Duval.

— Pareil pour moi, répondit Duval avec un léger embarras. Penses-tu que c'est possible d'organiser une battue le long du chemin forestier dès demain matin à l'aube ? Puisque nous sommes près du Lac-Saint-Jean, nous pourrions augmenter le nombre de bénévoles. Je pourrais aussi essayer d'obtenir plus d'effectifs de Québec. Je vais faire revenir l'unité mobile de commandement. On sera plus à l'aise.

— Je vais arranger ça sans problème. J'ai plein de contacts dans les postes radiophoniques de la région.

— Comme ça, on multipliera nos chances de retrouver le garçon.

— Je m'en occupe.

— Tiens-moi au courant pour le double homicide de Desbiens.

— Compte sur moi, je fais le suivi. En tout cas, je sais que le portefeuille du père de Simard et celui de sa sœur reposaient à leurs côtés. Il y avait du désordre dans la maison. On dirait que Simard a cherché quelque chose qu'on ne voulait pas lui donner. On a découvert deux boîtes vides de cartouches de CIL de calibre 38 par terre. J'ai l'impression qu'il a vidé le contenu dans ses poches, parce qu'on a retrouvé une balle qui avait roulé sous un meuble.

Duval fut désenchanté à cette nouvelle. Simard pouvait tenir un siège et causer encore plus de dégâts.

— Je vais rentrer à Québec. Je dois contacter madame Hébert pour lui dire qu'on a retrouvé la roulotte et obtenir les fiches dentaires afin d'identifier les cadavres.

Le visage de Harvey se crispa; il n'aurait pas aimé être dans les souliers de son collègue de Québec.

— Bonne chance !

Cette perspective mettait Duval dans tous ses états. Il s'en allait annoncer à une mère la mort violente d'un fils et d'un père. Et comme si ce n'était pas suffisant, elle resterait dans l'angoisse quant au sort de son aîné.

Le lieutenant salua Harvey d'un geste de la tête avant de tourner les talons. Le jeune enquêteur de Roberval l'impressionnait. Duval appréciait son zèle, sa façon de superviser le travail de ses hommes, toujours en mouvement, donnant l'exemple. Il se reconnut en lui, même si une douzaine d'années les séparaient.

◆

Sortir du chemin des Brumes à la noirceur prit une quarantaine de minutes. Le retour à Québec se fit en silence, avec le poids d'un infanticide sur le cœur. À ses côtés, Harel roupillait. Duval songeait à son article pour se changer les idées, mais en vain. Il sut ce que la lettre I allait révéler : infanticide, innocence, indécence, immoralité… Une fois de plus, les mots épousaient la lettre d'origine, se répondaient les uns les autres dans cette série, tel l'écho du crime. Vingt ans de carrière couronnés par un double meurtre et la disparition d'un enfant. Comment pouvait-il continuer d'aimer un métier pareil ? Étrange paradoxe, pensa-t-il.

Les phares aveuglants des véhicules rendaient la conduite ardue à cette heure. Après être remontée vers le Lac-Saint-Jean par la 155, la Reliant K gagna la route 169. Le Lac-Saint-Jean étant en altitude par rapport à Québec, c'était comme dévaler sur un gigantesque toboggan pendant des kilomètres pour se hisser à nouveau et descendre des pentes ahurissantes. L'habitacle du véhicule était noir et presque silencieux. Seuls les phares perçaient les ténèbres et les ronflements de Louis les oreilles.

Duval le tira par la manche et le Gros s'éveilla.

— Tu ronflais.

— On est rendus où ? marmonna Harel en bâillant.

— On arrive bientôt à l'Étape.

— Veux-tu que je conduise ?

— Non merci.

Louis s'étira pour syntoniser une chaîne et, alors qu'il farfouillait sur les ondes, Duval lui demanda de revenir sur une fréquence qu'il venait de passer.

Le lieutenant avait bien entendu le nom « Hébert » : une station de radio de Chicoutimi annonçait qu'on avait retrouvé les cadavres des frères Parent et du grand-père, Gilles Hébert. Sans s'en rendre compte, le lieutenant, enragé, appuyait sur l'accélérateur. L'aiguille marqua bientôt 135 kilomètres. Louis s'en aperçut et lui suggéra de ralentir, ce qu'il fit. Alors que le deuxième enfant ne se trouvait pas dans les débris de la roulotte, on annonçait sa mort.

— Ah ben, les câlices... T'entends ça ? sacra Duval.

N'importe qui avait pu voir sortir du chemin de la Chute le camion-remorque et le fourgon funéraire affrété par le coroner. À voir la bâche géante recouvrir le peu qui restait de la roulotte, il était facile de sauter aux conclusions. Le photographe, mis en garde à vue, avait aussi pu réussir à transmettre son information par le biais de son avocat ou d'une autre manière. Peut-être également qu'un policier ou un technicien avait vendu la mèche pour quelques dollars.

— Tu te rends compte de la situation ? pesta Duval en frappant le volant.

Une heure plus tard, alors qu'il n'avait toujours pas décoléré, il prit l'entrée de l'autoroute de la Capitale et sortit un peu plus loin, à la Canardière. Il roula par les petites rues sombres jusqu'à la résidence de madame Hébert. Elle habitait un modeste bungalow de pierre à Giffard, un quartier célèbre pour son asile, l'un des plus gros du pays. L'énorme bâtiment gris, encadré par ses sinistres tourelles, bloquait l'horizon telle une forteresse médiévale.

— Je vais t'accompagner, Daniel.

Duval le remercia par un sourire et un hochement de tête.

Cette tâche de messager de la mort, il l'accomplissait seul la plupart du temps. Il apprécia le geste de Louis. Il ne fut pas nécessaire de consulter l'adresse pour trouver le bungalow. Quand ils arrivèrent dans la rue, deux camions des médias aux antennes déployées obstruaient le passage.

Dès qu'on les aperçut, des journalistes qui faisaient le pied de grue se ruèrent vers eux.

Les enquêteurs marchèrent vers la porte d'entrée sans répondre à leurs questions. Seul l'abat-jour du salon éclairait la pièce. L'ombre furtive d'un résidant se dessina derrière le rideau de tulle.

Duval frappa plusieurs coups, mais n'obtint pas de réponse. Les journalistes avaient sans doute cogné auparavant et on devait les prendre pour des scribes. Il insista. Un journaliste se posta derrière son épaule et le lieutenant sentit sa patience défaillir. Mais c'est Louis qui s'emporta. Le Gros pivota sur ses talons et repoussa l'homme avec son torse jusqu'au trottoir. Le journaliste protesta, mais Louis ne broncha pas. Finalement, une tête apparut dans le rectangle vitré de la porte. C'était Paradis, qui tenait à la main le combiné du téléphone. Il reconnut Duval et l'invita à patienter un instant.

La porte s'ouvrit tandis que les appareils photo et les caméras roulaient autant de pellicule que possible.

— On a essayé de vous joindre à plusieurs reprises. Ici, le téléphone n'arrête pas de sonner.

— On arrive du Lac-Saint-Jean. Où est madame Hébert ?

— Dans la chambre. Le médecin vient de partir.

— Comment a-t-elle appris la nouvelle ?

— À la télévision. On a annoncé que ses fils et son père étaient morts. Elle est en état de choc.

Duval sentit tout son corps se raidir. Il prit une longue inspiration.

— Je veux lui parler.

— Elle ne pourra pas, ce soir. Le médecin lui a administré un somnifère.

— Écoutez, il y a des faussetés dans ce qui a été rapporté. On n'a même pas identifié formellement les deux cadavres retrouvés. Ce qui est certain, c'est qu'il y a deux corps calcinés à l'intérieur de la roulotte : ceux d'un adulte et d'un enfant. Impossible de déterminer le sexe pour l'instant. Mais il me faut des fiches dentaires. Pourriez-vous me les procurer dès ce soir ? Les dentistes ont toujours des numéros en cas d'urgence. Ou donnez-moi leur numéro de téléphone. Je dois les faire parvenir au docteur Villemure, au labo de sciences judiciaires et de médecine légale. J'enverrai un policier les chercher. Comme ça, on pourra être fixé.

— Oui, je m'en occupe tout de suite. Mais où est l'autre enfant, lieutenant Duval ?

— Je ne sais pas. On dirait qu'il a pu se sauver.

— Lequel ?

— Je ne sais pas.

— Vincent… médita Paradis.

La sonnerie du téléphone retentit.

— C'est comme ça depuis deux heures, se plaignit Paradis.

Devant la fenêtre, Louis avait rabattu légèrement les rideaux pour observer le cirque des médias qui s'installait à résidence devant le bungalow.

— Écoutez, reprit Duval, dites à madame Hébert que je vais revenir aussitôt que j'ai une confirmation de la part du docteur Villemure. Continuez de ne pas vous adresser aux journalistes. Pour vous joindre, je laisse sonner un coup, je raccroche, puis je rappelle. D'accord ?

Paradis hocha la tête.

En sortant, Duval voulut faire une mise au point devant les journalistes, qui se blottirent autour de lui.

— Ce que j'ai entendu à la radio est incorrect. Vous colportez de fausses informations.

— Qu'est-ce que vous voulez dire ? demanda l'un d'eux.

— Que ce que vous rapportez est incorrect.

Louis gronda à côté et tourna son regard vers celui qui avait parlé.

— Si tu connais pas le sens du mot incorrect, connais-tu le sens du mot respect ? pesta-t-il.

— Ben coudon, Louis, pogne pas les nerfs. On fait notre job. Nos patrons nous poussent dans le cul pour qu'on soit les premiers à rapporter la nouvelle.

Sans saluer, Harel et Duval s'engouffrèrent dans la voiture. Quand ils furent rendus au stationnement de la rue Turnbull, Louis monta dans son auto tandis que Duval se dirigeait vers son bureau pour prendre ses messages et rédiger son rapport de la journée.

35   Mercredi, 5 août, 22 h 54

Vincent se réveilla, affalé sur le plancher d'un camp de bois. Des mulots avaient passé sur lui toute la journée. Une petite souris, curieuse, dressée sur sa poitrine, l'observait. Il se sentait indisposé par la nausée. Il avait des crampes. Des borborygmes résonnaient comme des coups de tonnerre dans son estomac. Il ressentait un étrange engourdissement à sa main droite. Il la regarda. Le dessus avait commencé à enfler. Il distinguait le dard d'un insecte qui était resté planté dans l'épiderme. Il essaya de le retirer mais en vain. Les murs gris de la cabane étaient rongés par l'humidité, les fenêtres étaient fracassées. Il essaya de se lever mais fut saisi de vertige. Il sentit qu'il allait vomir. Il redressa le tronc et la gerbe jaillit puissamment. Tous les rongeurs apeurés allèrent se cacher. Vincent comprit qu'il n'aurait pas dû boire cette eau mais, en même temps, il n'avait pas eu le choix de s'hydrater pour survivre. Sa tête lui faisait mal. Ses jambes étaient comme de la chiffe, incapables de le soutenir. Comment pourrait-il se tirer de là ? Il aperçut un grabat rouillé au fond de la pièce. Il se traîna jusque-là et se coucha sur le matelas souillé. Il referma les yeux et s'endormit. Dix minutes plus tard, il se réveilla pour restituer à nouveau. Il se rendormit, se réveilla alors qu'il faisait toujours nuit, et il sortit prendre l'air. Mais immédiatement, il se vida encore, même si presque plus rien ne venait. Il essayait d'étouffer les bruits qu'il émettait mais en était incapable. Il était plié en deux, le souffle coupé par la bile qui remontait péniblement.

Il retourna à son grabat en tâtonnant. Les ténèbres l'enveloppèrent. Plusieurs fois durant la nuit, il s'étira pour vomir à côté du lit. Sa tête lui semblait un casque de plomb en proie à la fièvre. Son sang battait partout où il souffrait. Tantôt pris de tremblements, tantôt frissonnant ou le corps brûlant, Vincent passait machinalement sa main gauche sur sa main droite et constatait que l'enflure progressait vers le poignet. Il se rappela qu'il avait mis dans sa poche les articles de premiers soins de son grand-père. Fourrageant au fond, il sortit la boîte métallique et en retira deux comprimés d'Anacin. Il ouvrit ensuite la bouteille de peroxyde. Il mouilla une gaze et désinfecta la plaie. Le dessus de sa main était totalement insensible. Dix minutes après, Vincent restitua l'analgésique. Il n'en restait plus que deux et il préféra les ménager. Il finit par s'endormir, mais il avait la conscience erratique. Il se butait à un problème algébrique qui lui échappait et il recalculait sans cesse, comme une obsession insoluble se prolongeant à l'infini.

Il s'éveilla en sursaut. Il regarda le cadran fluorescent de sa montre. Elle marquait une heure cinq. *Thursday*/Jeudi. Il était là depuis presque vingt-quatre heures. Cela ferait bientôt une semaine qu'il était perdu. Recroquevillé, il essayait de se réchauffer. Il changea de position. Dans la fenêtre, une lune pâle, blottie sous une couche de nuages, laissait deviner ses contours. Vincent sentait les souris et les mulots marcher sur lui. Mais ils ne l'inquiétaient pas. Il tenta de se rendormir. S'il ne parvenait pas à quitter cet endroit, il savait qu'il allait mourir.

Obnubilé par cette frayeur qui le rongeait d'heure en heure, il se fit à nouveau la leçon: « Oui, je vais sortir vivant du bois. Oui, je vais revoir ma mère. » Mais l'inquiétude s'insinuait en lui, forte comme une eau qui fait son chemin: « Quand les secours vont-ils arriver? » « Sauront-ils où me chercher? » « Ont-ils abandonné les recherches? » Le grand-père avait gardé secrète leur destination, puisqu'il ne s'était décidé qu'à la dernière minute. Ça faisait partie de l'aventure. Celle qu'il était maintenant seul à poursuivre.

36

Le lieutenant rentra tard à la maison. L'écriture du rapport détaillé de la journée, l'examen des cartes géographiques et l'envoi des fiches dentaires au coroner l'avaient absorbé pendant plusieurs heures. Toutes les lumières étaient fermées, à l'exception du néon de la bibliothèque vitrée. Le ronronnement du réfrigérateur venait rompre le silence des lieux. Le cadran numérique de la cuisinière marquait trois chiffres identiques, 1:11, ce qui le surprenait chaque fois, aussi rationnel cela fût-il.

Avant de monter, il ouvrit le frigo et se prépara une collation. Sur le tableau dans la cuisine, Mimi lui rappelait son concert qui avait lieu le lendemain. Ou plutôt ce soir ! « C'est pour le Liban. Parles-en à du monde. Bises, Mimi ». Il lut le programme : *Syrinx*, Claude Debussy, *Le Merle noir*, Olivier Messiaen…

Il lui fallait amortir la fatigue et l'excitation causées par la longue route et les événements des dernières heures. Avachi sur le canapé, il avala lentement son sandwich jambon-fromage en buvant un verre de lait. Ses pensées le ramenaient au garçon disparu. Vivant ou mort ? La première perspective le stimulait, la seconde le démoralisait. Il secoua la tête comme pour échapper à l'emprise de ses réflexions. Il eut le réflexe d'appuyer sur la télécommande du téléviseur, mais se ravisa. Il n'y aurait rien sur les ondes, que le vide habituel. Comment dormir après cette journée ? Plus machinalement que par envie, il regarda ses chaussures de jogging. Non, pas à cette heure-là. De toute manière, il s'imposait toujours une trêve après un marathon. Ses muscles endoloris demandaient du repos. Mais il cherchait à se calmer avant le coucher. Toute la fébrilité de cette journée titillait ses nerfs ; des images défilaient dans sa tête.

Il monta à l'étage sur la pointe des pieds, grimpa l'escalier en colimaçon jusqu'au bureau. Il ouvrit à peine le rhéostat. Dans la pénombre, il sortit son carnet, traça la lettre D, à la recherche du mot clé. Il écrivit d'abord « Dieu », mais il biffa le mot puis se ravisa. L'être Dieu n'était-il pas, après la Justice, celui à qui les proches des victimes réclamaient des comptes ? Aux obsèques de victimes de meurtre, il s'étonnait d'entendre le prêtre parler d'injustice et affirmer que Dieu choisissait ceux qu'Il ramenait à Lui. « Laissez venir à moi les petits enfants… » Duval y voyait une étrange antithèse. Dans certains cas, le prédateur sélectionnait aussi sa proie. Servait-il de complice et d'intermédiaire à l'être divin ? Pourquoi alors ne pas envoyer à Dieu une assignation à comparaître ? Ce dernier participait-il à l'injustice au même titre que le meurtrier ? Il inscrivit ce paradoxe chrétien tout en sachant qu'il n'était que rhétorique. Puis il s'aperçut qu'il n'avait pas la tête à chercher. Demain serait une journée fastidieuse.

À le voir entrer aussi tard, Laurence se doutait bien que l'affaire avait pris une tournure dramatique. Après avoir déposé ses vêtements sur le valet de chambre, Duval se glissa sous les couvertures. Elle alluma la veilleuse. Elle n'avait qu'à voir les traits tirés de son conjoint pour comprendre que les nouvelles étaient mauvaises.

— Tu sens le bois.

— Je reviens du Lac et j'ai rédigé mon rapport au bureau.

— Avez-vous du neuf ? demanda-t-elle pour la forme.

— T'as pas écouté les nouvelles ?

— J'ai pas eu le temps.

— Ils nous ont télescopés.

— Qui ça ?

— La radio.

— Non !

— La mère est dans tous ses états. Elle a appris à la télé la mort de son père et de ses fils.

— Non !

— On a retrouvé les restes carbonisés d'un adulte et d'un enfant. On cherche toujours le deuxième garçon. Les cadavres ne sont pas encore identifiés, mais ce n'est qu'une formalité. La marque de la roulotte est identique au véhicule qu'on cherche.

— Et l'autre enfant ?

— On ne sait pas où il est.

— Est-ce qu'il aurait pu se sauver ?

— J'y ai pensé. On n'a pas retrouvé le chien non plus. Une chaloupe flottait sur le lac. Et la voiture n'est pas là.

— A-t-il été enlevé ?

— Je ne sais pas. Toutes les hypothèses sont plausibles. J'ai retrouvé dans la chaloupe une branche avec un restant de guimauve. Deux autres étaient au bord du feu de camp. Là réside mon seul espoir de retrouver en vie l'aîné, Vincent.

— Pauvre mère ! Comment peut-elle affronter ça ?

— Et en plus, les camions de la radio et de la télé campent devant sa maison. Demain, j'en suis sûr, je devrai annoncer à madame Hébert la mort de son père et de son plus jeune fils. Il me restera encore la possibilité de lui laisser croire que son autre fils est toujours en vie. Enfin, si c'est le cas.

Laurence se blottit contre lui.

— Le prêtre a téléphoné. Il voulait savoir pourquoi on n'était pas là ce soir. Je lui ai dit que tu travaillais sur la disparition des enfants et du grand-père.

— Puis ?

— Il a dit qu'on ne prenait pas le sacrement du baptême au sérieux.

— Ah, le tabarnak ! Y sont-tu imbus d'eux-mêmes ! Qu'est-ce que tu lui as répondu ?

— Que retrouver un grand-père et ses petits-fils perdus en forêt est plus important qu'un cours sur le baptême qui prend en otage les parents qui veulent faire baptiser leur enfant.

— Bravo ! C'est ce que j'aurais répondu.

— Tu sens tellement bon le bois…

— Toi, tu sens bon.

L'ardent assaut du désir les gagna lentement, mais les gémissements et les cris aigus de Louis-Thomas freinèrent leurs ardeurs amoureuses.

— Je sens que ça va devenir sa marque de commerce : nous empêcher de faire l'amour. On dirait qu'il a développé cet instinct de défense pour s'accaparer totalement sa mère.

Duval se releva. Pour ne pas aveugler son enfant, il alluma la veilleuse en forme de papillon dans le passage. Fiston tendit les bras en le voyant. Le lieutenant le souleva et le pressa contre son épaule. Il tâta la couche. Elle pouvait encore suffire à la tâche. Il embrassa le poupon, le colla contre lui en fredonnant la *Poulette grise*. L'enfant s'abandonna dans ses bras et se rendormit aussitôt. En le déposant, il pensa à Marie Hébert qui n'aurait plus la chance d'étreindre son fils. Il enveloppa Louis-Thomas dans ses couvertures, le regarda un instant avec tendresse. Cette vie fragile dont on ne contrôle jamais tout à fait le destin l'émut.

De l'autre côté du passage, Laurence l'attendait dans un beau halo tamisé de lumière. Le moment était venu de passer à l'action.

37

Vincent se réveilla dans le silence frais du matin. En ouvrant les yeux, il aperçut encore une souris debout sur sa poitrine qui le dévisageait en agitant son museau, les moustaches vibrantes. Il la chassa et elle s'enfuit sous le plancher. L'odeur de vomissures était atroce. Il avait l'impression que l'haleine fétide du Brûlé était restée dans sa bouche. Il aurait aimé se gargariser. Il consulta sa montre. Il avait réussi à dormir malgré l'angoisse qui l'étreignait. Il regarda autour de lui. Il sentait son estomac très fragile. Se lever fut ardu. Son premier réflexe fut d'ouvrir la porte pour aérer et surtout sortir de là. Son mal de tête avait disparu, mais l'enflure avait gagné son poignet.

Après avoir appliqué de nouveau du peroxyde sur sa main et son bras, il avala les deux dernières Anacin.

Avant de partir, il regarda le chemin à gauche et à droite afin de s'orienter. Il devait marcher en direction nord s'il voulait se rendre au village historique.

Il amorça sa progression. Autour de lui, la végétation était dense. Il voyait plusieurs souches moisies par les champignons et l'humidité. Il sortit une des deux guimauves qui restaient dans son sac et, malgré son apparence douteuse, il la mâchouilla longuement avant de l'avaler. Il avait les jambes comme de la guenille et il avançait lentement. Il n'avait aucune idée de la distance qui le séparait du village historique, mais il savait qu'il ne pouvait revenir en arrière.

Ses pensées le replongeaient dans la scène de viol. Non, ce n'était pas un viol, rectifia-t-il pour lui-même. Il avait résisté à l'assaut du violeur. Il revit les ciseaux plantés dans la joue de l'agresseur. Il se convainquit de ne pas avoir été violé. Mais alors qu'il tâchait de se persuader de sa version de la réalité, il ressentit une vive douleur aux testicules. Il sentit sa mâchoire se crisper.

Vincent marchait depuis un long moment quand il aperçut un panneau indiquant qu'un refuge se trouvait à cinq cents mètres. Vincent regarda le sentier étroit qui gravissait le flanc de la colline à sa gauche. Peut-être y trouverait-il de l'aide ?

Après trois cents mètres de montée, il perçut le murmure d'une source souterraine. Cette eau, croyait-il, serait sans doute pure et buvable. Il se rua vers l'oasis. L'eau jaillissait au milieu d'un tapis de mousse et de lichens. Elle était fraîche, cristalline, mais il hésita à se désaltérer en se rappelant les maux de ventre qu'il avait endurés. Finalement, il se contenta de se rincer la bouche pour en chasser le goût amer.

Il accéléra le pas. En arrivant sur la crête, il ne put apprécier la beauté des lieux tant la fatigue l'accablait. Un lac de tête reposait dans un creux de montagnes avec le petit refuge en bois pièce sur pièce au bord de l'eau. Il s'avança jusqu'à la cabane, ouvrit la porte. On eût dit une chapelle avec son toit en pignon et les objets de culte qu'il y trouva : des lampions, une bible et un chapelet sur une table en bois de bouleau, un crucifix sur un mur, un prie-Dieu en bois rond dans un coin. En guise de lit, des branches de sapin s'entassaient à même le plancher. Dans un panier fabriqué de brindilles, il aperçut des pains ronds, des pommes et un cruchon d'eau en grès. Il mangea avec avidité un morceau de pain, en fourra trois autres dans sa poche et s'empara d'une pomme. Comme un oiseau près d'une mangeoire, il regardait tout autour, de crainte d'être surpris. Il porta la cruche à son nez, la sentit puis vida d'un trait ce qu'il en restait.

Qui pouvait bien habiter là ? Il sortit, longea le lac. Mais il ne voyait rien à l'horizon. Il lança deux « Hé ho ! », mais ne reçut que leur écho en guise de réponse. Il refit le chemin inverse pour retourner à la route. À la croisée, il s'assura qu'il n'était pas suivi.

Il botta un caillou par inadvertance, et un bruit le fit sursauter. Il y eut un intense froissement dans les buissons. Des branches et des feuilles s'agitaient. Il pensa au pire : que le Brûlé était caché là. Il recula. Prêt à se défendre, il tourna le regard vers l'orée du bois. Mais le bruit s'éloignait en sens inverse. Il entrevit alors une tache noire qui remontait à grande vitesse et bruyamment la montagne. C'était le gros fessier d'un ours apeuré. On lui avait souvent dit que la rencontre de l'homme et de l'ours noir se résumait à cette phrase : chacun prend une direction inverse. Il venait de le vivre. Après ce moment, il se sentit plus fort et put poursuivre sa route.

38 JEUDI, 6 AOÛT, 6 H 33

Le téléphone sonna. Le bras raide et tâtonnant du lieutenant s'étira hors du drap pour saisir le récepteur. Le docteur Villemure appelait pour lui dire que le docteur Marier, l'odontologiste que le coroner avait réveillé à trois heures du matin, venait de terminer son travail.

— Il est formel, Daniel : les fiches dentaires de Sébastien Parent correspondent aux radiographies réalisées sur le petit cadavre de la roulotte. Les concordances sont irréfutables. Et de notre côté, nous avons achevé les autopsies.

— Comment Sébastien a-t-il été tué ?

— Il a sans doute été étranglé. Comme on n'a pas retrouvé de suie dans les poumons, on sait qu'il a été tué à l'extérieur de la roulotte et qu'il ne respirait plus au moment où le feu s'est déclaré. À voir les taches de sang sur ses vêtements, surtout celles près du col de son t-shirt, et les traces de sperme sur le fessier du pantalon, on est certain qu'il a été agressé sexuellement par en arrière, étranglé et jeté ensuite dans la roulotte. En se relevant au-dessus de sa victime, l'agresseur a échappé du sperme sur le pantalon qui avait été rabattu.

— Savez-vous comment Gilles Hébert a été tué ?

— De deux balles de calibre 38, tirées à bout portant : une dans le cou et l'autre dans la nuque alors qu'il gisait probablement sur le ventre. Les fragments crâniens que vous avez trouvés étaient ceux du grand-père.

— Il a donc lui aussi été tué à l'extérieur de la roulotte et transporté à l'intérieur.

— J'attends toujours les fiches dentaires de monsieur Hébert. Son dentiste à lui n'est pas aussi zélé que son confrère de Vanier… On se voit tantôt.

Le lieutenant se frotta les yeux et marcha vers la salle de bain. Alors qu'il allait entrer dans la douche, il entendit l'appel matinal de Louis-Thomas, une suite sonore d'écholalies, de lallations et de gazouillis joyeux. Duval marcha comme un zombi de la salle de bain à la chambre du bébé. Fiston l'accueillit par une jolie risette, muet de mots mais plein d'amour dans les yeux et dans les gestes. Il émettait des grognements d'ourson heureux en manipulant son module de jeu accroché aux barreaux, se regardant dans le miroir, tournant des manivelles qui actionnaient des engrenages colorés tout en faisant de la musique.

La couche avait tenu le coup, un véritable exploit technologique à voir le ballonnement du tissu. La modernité va jusque-là, pensa le lieutenant.

Il déposa le petit sur le tapis à langer pour le décrottage matinal. D'une main, il souleva les jambes pour accéder au derrière et de l'autre torcha le poupon. Duval opérait cette tâche mécaniquement en pensant à la conversation qu'il venait d'avoir avec Villemure. Il se rendit alors compte qu'il avait posé la couche du mauvais côté, ce qui le faisait tiquer chaque fois. Il rectifia le tir, mit un peu de vaseline et bébé fut porté à la maternité.

Il déposa délicatement son précieux fardeau près de Laurence. Ses seins lourds de lait commençaient à la faire souffrir.

Après s'être douché, il se regarda dans le miroir embué, où il ne vit qu'un fantôme flou et cerné. À peine deux heures de sommeil, maugréa-t-il. Il se sentait néanmoins d'attaque. Il essuya la glace avec sa serviette, passa ses mains sur ses joues. Cette barbe qui ombrageait son visage ne convenait pas ce matin. Il eut été déplacé de se présenter non rasé chez madame Hébert. Il lui fallut ensuite choisir des vêtements appropriés. Pas question de zèle syndical en ce jour. Il sélectionna un pantalon et un veston noir assortis en laine mince. Il sortit du chiffonnier une chemise blanche et une cravate foncée.

— Qui a appelé ? demanda Laurence.

— Le labo. L'autopsie confirme que le grand-père a été tué par balles. Tiré à bout portant. Et les fiches dentaires indiquent que c'est bien le plus jeune fils de madame Hébert qu'on a trouvé dans la roulotte.

Sans le lui avouer, elle le plaignit d'avoir à effectuer ce boulot.

Laurence comprenait, à le voir s'habiller, qu'il allait passer un dur moment, ce qu'elle vivait aussi quand elle annonçait à des parents la mort d'un enfant. La détresse, le malheur des autres qui vous rebondissent en plein visage ne font jamais de bien.

Au début de sa carrière de patrouilleur, Duval avait eu la tâche de dire à un père de famille que sa femme et ses deux filles venaient de se tuer dans un accident de la route. « Mais elles étaient juste parties faire du magasinage ! » avait répété le père avant de s'écraser par terre. Mourir pour rien. Lui-même un jour avait appris la mort de sa femme, Marie-Claude, victime d'un accident de voiture. Il n'était pas préparé. C'était une journée comme une autre, banale, avec son petit déjeuner, du beau temps, les courses à faire et la soirée au cinéma qu'ils avaient prévue. Sans avertissement, il avait su que l'être qu'il aimait le plus au monde ne serait plus jamais là.

Signaler la mort des autres faisait partie de sa tâche. Mais rien ne préparait un enquêteur à ça. Pourtant, il entendait répéter les mêmes préjugés négatifs sur les policiers : grassement payés, fonds de pension abusif, retraite dorée… Depuis quelques jours, des éditorialistes se déchaînaient contre des policiers qui auraient tabassé des manifestants le soir du référendum. Les relations étaient tendues entre journalistes et policiers. Les mots « brutalité policière » étaient lancés sur toutes les tribunes. Au début, le lieutenant répondait à ses dénigreurs : « Auriez-vous ramassé à la pelle tous les petits morceaux que j'ai entassés dans des sacs verts après des collisions violentes, investigué des scènes de suicide et bien sûr annoncé aux parents le décès de ce qu'ils avaient de plus cher ? Vous pourriez faire ça, vous ? » Ceux à qui il destinait ce discours demeuraient le plus souvent bouche bée.

Pour s'encourager, il pensa au travail de Laurence. Il n'enviait pas sa conjointe, urgentiste depuis près de dix ans. Quelques semaines avant son retrait préventif, elle avait reçu un enfant qui venait d'être happé par un camion. Il était mort dans ses bras, le visage ensanglanté couvert de gravillons, le pneu du camion étampé sur le corps. Sachant que la mère venait identifier son fils, elle avait demandé au concierge – le personnel médical était débordé – de l'aider à nettoyer l'enfant pour qu'il soit reconnaissable. Il aimait cette image, qui lui rappelait celle de Marie-Madeleine nettoyant les blessures du Christ descendu de la croix. Mais le public, lui, remettait toujours en question le traitement salarial de spécialistes comme lui et Laurence. Était-ce la négociation syndicale qui le mettait dans cet état ? En tout cas, il se sentait de mauvais poil.

Ils descendirent ensemble à la cuisine. Duval déjeuna en anticipant une longue et dure journée. Ni les fruits, ni les céréales, ni les toasts ne passaient bien ce matin-là.

◆

Il chevaucha la Ducati pour rallier le bureau. Sa tenue attirait bien des regards, les motards en complet-cravate étant plutôt rares. Au coin du boulevard Saint-Cyrille et de la rue Cartier, quatre filles dans une voiture le regardaient, en pâmoison, en le détaillant de pied en cap.

Au feu vert, deux macaques au volant qui se suivaient de près passèrent sur le feu rouge. Pour Duval, cela équivalait à pointer quelqu'un avec une arme à feu et à tirer, mais les lois de sa province voyaient les choses autrement.

Il entra dans le stationnement de la rue Turnbull et stationna sa monture entre deux voitures de patrouille.

Il monta directement à son bureau prendre ses messages. Un mémo indiquait que Villemure l'attendait au labo. Il aperçut Louis qui sortait de son bureau avec sa tasse vide. En voyant Duval, il s'époumona :

— Coudon, tu t'en vas-tu à des noces ?

— Oui, des noces de brume.

Francis, porteur de nouvelles informations, aperçut Duval et Louis sous les néons blafards du corridor. Il regarda son patron de haut en bas.

— Salut, Daniel. T'es chic à matin… On a reçu sur notre ligne téléphonique le message d'un conducteur qui dit avoir fait monter le suspect dans son camion, vendredi matin vers neuf heures trente. Le camionneur affirme que le gars était bizarre, que ses vêtements semblaient tachés de sang et qu'il lui aurait demandé de lui prêter de l'argent, mais il a refusé. Le suspect est devenu agressif et le camionneur, qui a eu peur, l'a fait descendre à six kilomètres de l'Étape.

Pendant que Francis parlait, Méthot, le délégué syndical, qui se dirigeait vers la machine à café, toisa Duval. Il s'arrêta pour l'examiner des pieds à la tête.

— Y a-tu quelqu'un qui t'a dit que les moyens de pression étaient finis ? qu'on avait signé la convention ?

Le lieutenant esquissa un sourire pincé sans en remettre, même si la moutarde lui montait au nez. La journée allait être assez difficile comme ça, pas question de s'emporter contre un idiot. Mais Méthot, qui avait fait deux pas pour s'éloigner, se retourna à nouveau en expirant, la cigarette pincée au coin des lèvres, la fumée qui lui sortait par les narines.

— On mène une lutte syndicale ensemble, c'est pas le temps de se désolidariser. Tu vas aller remettre tes jeans comme tout le monde.

Le sourire énigmatique du lieutenant s'allongea. Qu'entendait-il là ? Méthot, un grand boutonneux pâlot aux cheveux filasse et jaunes, avait le culot de lui parler de solidarité ? de lui dire d'aller se rhabiller ? Il toisa le délégué syndical qui portait un pantalon zébré. Méthot le dévisagea à son tour. Un sourire tordit ses lèvres.

— J'espère que t'as pas mis ça pour aller séduire les petites filles du labo.

Ces mots furent de trop.

Duval l'empoigna et le poussa violemment contre le mur. Louis se rua pour agripper son copain avec l'aide de Francis. Les bras de Duval écrasaient la tête de Méthot sur une affiche contre la prévention de la violence.

— Tu sauras, espèce de poudré, que je m'en vais annoncer à une mère de famille que son fils et son père ont été assassinés. Ça pourrait être ton enfant, ton père. Je vais pas me présenter chez elle habillé comme un plombier. Tu mets ça dans ta tête de linotte et tu fermes ta gueule !

Dallaire, qui avait entendu les esprits s'échauffer, sortit de son bureau. Il s'approcha au pas de course.

— Qu'est-ce qui se passe ici ?

— C'est Duval qui joue au défenseur de la veuve et de l'orphelin, cracha Méthot en se dégageant.

Louis utilisa à nouveau son physique comme rempart tout en écrasant sciemment le pied de Méthot.

— Enlève ton gros pied, tu me fais mal, câlice !

Louis retira son pied et se tourna vers son collègue.

— Laisse tomber, Daniel. Si Obélix est tombé dans la potion magique quand il était jeune, Méthot, lui, est tombé dans un bain d'acide qui rend mongol et la peau crevassée.

Méthot faillit virer fou. Il ne fallait surtout pas rire de son acné.

Dallaire empoigna Méthot pour le retenir et pressa Louis de ne pas ajouter d'huile sur le feu. Puis il indiqua à Duval de passer à son bureau et fit signe à Méthot de vaquer à ses affaires.

Dans le bureau du capitaine, Duval avisa son supérieur qu'il se rendait chez madame Hébert, que Villemure avait le résultat des analyses.

— Peux-tu faire le point devant les médias ? Je convoque la conférence de presse pour onze heures trente, juste avant l'heure des nouvelles. Je serai là avec toi. Vingt minutes, pas plus.

— Bon, d'accord. Des nouvelles du poste de Roberval ?

— Harvey et Larouche sont arrivés tôt sur le secteur des recherches, mais celles-ci ont été retardées par la brume.

Avant de laisser partir son enquêteur, le capitaine salua son initiative de se vêtir décemment en ce pénible matin.

— Je t'appuie pour cette décision, Daniel, et je ne serai pas le seul.

Duval hocha la tête pour remercier son patron. Il retourna à son bureau. En passant, il fit un arrêt dans celui de Francis.

— Tu sais où se trouve Prince ?

— Il est en train de compléter la documentation du dossier de Joey Simard.

Duval remercia d'un signe de tête.

Simard était désormais le suspect numéro un. Il correspondait à l'homme qui avait été vu à l'Étape quand les Hébert s'y trouvaient, et le témoignage du camionneur corroborait le jour et l'heure de son arrivée là-bas. En plus, le médecin légiste avait calculé que la mort de Gerry et Ginette Simard remontait à la soirée de jeudi, la veille du départ des Hébert.

Le téléphone sonnait quand le lieutenant mit les pieds dans son bureau. C'était Harvey.

— Le labo de Québec confirme que l'arme utili-sée pour tuer Gerry Simard et sa fille, un calibre 38, Smith & Wesson, appartenait au père de Joey. Je te dis ça parce qu'on a retrouvé l'étui vide d'un 38. Je suppose que le fils savait où le père cachait son *gun*. Comme on a les balles de cette tuerie, j'ai demandé une analyse comparative avec celles qui ont servi à tuer le grand-père Hébert. Le père de Joey Simard est un ancien agent de la Brinks. Les gars de la Brinks sont les seuls à utiliser des balles blindées avec un nombre de grains spécifique. Gerry Simard était un dur à cuir qui battait ses enfants avec tout ce qui lui tombait sous la main: cintres, bâtons, *strap*. C'était une vraie terreur. Il a perdu son emploi pour mauvaise conduite. Autre élément troublant que les gens con-naissent dans le coin et que confirment nos dossiers, et là tiens-toi bien: la sœur de Joey Simard, qui a été tuée en même temps que le père, était en fait sa mère.

— Attends un instant, dit Duval, j'ai-tu bien com-pris? Joey Simard est le fils de sa sœur et de son père?

— Oui, cher! Paraît que c'était connu à Desbiens. Mais le père, un hostie d'gigon, l'aurait en plus forcé à avoir des relations avec sa sœur, soit sa propre mère. Trouvez l'erreur! Crisse d'univers mongol!

— C'est gai tout ça, alors que je m'en vais chez madame Hébert.

— On se voit tantôt. Nous, on reprend les re-cherches à l'instant. On achève de ratisser la Lièvre.

— Lâchez-pas. Je serai là au début de l'après-midi.

— On va être nombreux aujourd'hui.

— Excellent!

Le lieutenant raccrocha, pressé de rejoindre ses confrères de Roberval.

QUATRIÈME PARTIE

LE SEUIL DE LA MORT

39

Les véhicules de la télévision et de la radio étaient toujours sur place. Les reporters faisaient le pied de grue en espérant qu'une porte s'ouvrirait et qu'ils finiraient par entrevoir un visage. Duval remarqua un chat à l'affût, tapi à l'ombre sous un sapin, prêt à bondir sur sa proie. La scène le fit sourire.

Un groupe de journalistes s'approcha comme un nuage d'atomes prêts à s'agglutiner. Duval et Harel n'émirent aucun commentaire. Mais les spéculations qu'ils entendaient étaient franchement ridicules.

Louis suivait Duval avec un visage tout aussi grave que celui de son chef d'équipe. Dans cette tâche qui revenait toujours à Daniel, Louis se contentait de glisser un mot d'encouragement ou quelques marques de compassion. Pas davantage.

Il dut se dégager de la meute pour se rendre au bungalow et appuyer sur la sonnette. La porte s'entrebâilla. Duval conserva une expression neutre alors que l'anxiété rongeait déjà le visage de Pierre Paradis, qui visiblement n'avait pas dormi de la nuit.

— Elle est dans le salon. Elle vous attend. Elle n'a pas pu dormir même avec des somnifères.

Marie Hébert était étendue sur le sofa. Elle se leva en voyant entrer les enquêteurs. Elle portait un pyjama en coton bleu et de gros bas de laine gris. Son visage était à moitié caché par ses longs cheveux qu'elle avait détachés. Elle avait pris dix ans en deux jours.

— Restez assise, madame Hébert, je vous en prie.

Sur la table basse du salon, des photos de Vincent et de Sébastien à différents moments de leur jeune vie étaient étalées.

Le regard de Duval accrocha celui de Marie Hébert. Duval sentait une mèche lui forer l'abdomen. Il expira longuement. Il vivait l'un des pires moments de sa carrière. Franchir le seuil intime de la douleur des autres ne se faisait jamais sans mal, et ce, malgré la distance qu'il se devait de conserver.

— Écoutez, madame Hébert, on a pu identifier formellement Sébastien, dans la roulotte incendiée. On croit aussi que l'autre personne est votre père, mais il faut attendre l'analyse des fiches dentaires pour pouvoir le confirmer.

Il n'avait pas à en dire davantage. Le cri qu'elle poussa fut l'un des plus durs à encaisser dans sa vie. À la fois humain et animal. Il exprimait la colère, l'incrédulité et l'impuissance devant l'injustice. Elle frappa plusieurs fois l'accoudoir du sofa. Pierre Paradis s'approcha pour la serrer contre lui, mais elle le repoussa. Le lieutenant baissa la tête. Louis fixait les photos sur la table.

Après une minute qui lui parut une éternité, elle essuya ses larmes.

— Comment ont-ils été tués ?

— Je ne le sais pas encore précisément.

Il allait justifier sa réponse par l'état des cadavres mais il se ravisa.

— Est-ce que Sébastien a été agressé sexuellement ?

Il aurait aimé mentir, retarder d'une heure sa réponse, mais il se devait de rapporter les faits.

— On croit que oui, même si l'état du corps ne permet pas de le démontrer hors de tout doute ; mais on a trouvé des indices sur le pantalon de Sébastien qui le laissent supposer.

La mère éplorée était anéantie, dévastée par la peine. Ses sanglots entrecoupés de hoquets, de soupirs et de gémissements étaient insoutenables. Duval la regarda avec compassion, puis son regard dériva sur la reproduction d'une toile de Jean Paul Lemieux qui décorait un des murs du salon, montrant une mère et son enfant au milieu d'un vaste champ.

Duval décida que ce n'était pas opportun à ce stade-ci de parler de Joey Simard et de présenter la sale gueule du pédophile. Marie Hébert tamponna ses yeux avec un mouchoir, renifla un coup et prit ensuite une grande inspiration.

— Où est Vincent ? finit-elle par demander en sanglotant.

— On ne l'a pas trouvé. Il y a peut-être encore un espoir… Il semble qu'il ait pris la chaloupe pour fuir les lieux. Comme on a retrouvé la médaille du chien à plusieurs kilomètres de la scène du crime, on pense que Vincent est avec le chien de votre père.

— Vous pensez ?

— C'est une probabilité forte.

— Qu'est-ce qui vous fait croire qu'il aurait pris la chaloupe ? dit la mère, gagnée par l'espoir.

— On a retrouvé une branche avec des traces de guimauve au bout dans le fond de la chaloupe.

— Où était la roulotte ?

— Ils se sont beaucoup enfoncés dans la forêt. Ils étaient à une quarantaine de kilomètres de la route. Je crois que votre père a souhaité faire demi-tour, mais en raison de la longueur du véhicule et de la roulotte, il a dû rouler longtemps avant de trouver un endroit où tourner. Je suppose que quand ils sont arrivés devant ce lac, ils ont décidé d'y passer la nuit.

— Ç'a pas de bon sens !

Elle se remit à pleurer, le corps tremblotant.

— Je vais appeler au boulot pour dire que je ne rentre pas, annonça Paradis, la voix pleine de compassion.

— Avant de partir, reprit Duval, j'aimerais que vous me parliez du caractère de Vincent.

Mais la question provoqua un flot de larmes. Duval regarda la femme avec commisération. Elle éponge a ses pleurs, puis ravala sa salive et afficha un magnifique sourire qui éclaira son visage.

— C'est un garçon merveilleux, courageux... Il n'aurait pas abandonné son frère et son grand-père... Il a été dans les scouts, c'est un débrouillard.

Le lieutenant accueillit cette nouvelle avec soulagement. Vincent avait donc une certaine connaissance de la forêt et la probabilité qu'il y survive augmentait.

— Mon fils est très intelligent, lieutenant Duval, mature, réfléchi, toujours dans les premiers de classe. Il a sauté deux années à l'école. Il pratique plusieurs sports. C'est un athlète. Au hockey, il est excellent. Depuis un an, il a tellement changé... Il grandit, il se développe. Il est plein de projets.

— Est-ce que je pourrais jeter un coup d'œil à sa chambre ?

— Oui, dit-elle en se levant.

— Je m'en occupe, dit Paradis. Reste assise, Marie.

Duval passa devant une chambre. Les neuf lettres du prénom Sébastien, toutes de couleurs différentes, étaient collées sur la porte. Une affiche de *Passe-Partout* y était aussi épinglée. Paradis ouvrit la porte adjacente.

— Pouvez-vous me laisser seul un instant ? demanda le lieutenant.

— Oui, allez-y, lieutenant Duval.

La chambre était petite, avec des murs blancs couverts d'affiches. À première vue, le sport occupait une place centrale dans la vie de Vincent. Au-dessus du lit, des trophées de hockey étaient alignés sur une tablette. Vincent Parent, meilleur compteur, Bantam A, Pee-Wee A. Vincent Parent, meilleure recrue, Pee Wee AA… Duval observa une photo du garçon prise sur la glace du Boston Garden lors d'un tournoi de hockey. Son regard décidé et sa robustesse encouragèrent le lieutenant. Le garçon avait des cheveux noirs, un visage aux traits fins et des yeux vifs. Un autre cliché le montrait en compagnie de Peter Stastny, des Nordiques de Québec, durant le Tournoi de Hockey Pee-Wee du Carnaval. Le jeune Slovaque semblait l'idole de Vincent, qui affichait lui aussi un regard fier. Duval, un partisan des Canadiens, reconnut que cet ex-olympien s'avérait un beau modèle pour les jeunes : un homme combatif, instruit, un hockeyeur de grand talent qui ne se laissait pas intimider sur la patinoire. Une photo de Vincent le montrait en tenue scoute dans la forêt. Son *bushsoul*, « Couguar radiant », était inscrit sous sa photo. Le couguar était l'animal le plus redoutable de la forêt québécoise, même s'il se faisait de plus en plus rare. Si Vincent avait fait du couguar son totem, c'était parce qu'il reconnaissait en cet animal de la force et des qualités. Une autre photo encadrée montrait Gilles Hébert et sa femme, tout sourire, lors de leur cinquantième anniversaire de mariage. Duval remarqua qu'on ne voyait sourire Vincent sur aucune photo. Sur un autre mur, une affiche de Gilles Villeneuve dans sa Ferrari côtoyait celles de Muhammad Ali et de Charlie Chaplin, assis sur une marche avec le Kid.

Sur la bibliothèque se trouvaient des modèles réduits à coller, dont le LEM posé sur une surface lunaire, et une photo de Sébastien et Vincent prise à Expo-Québec à côté d'un manège. Une carte du ciel, au-dessus de la tête de lit, fit penser à Duval que le garçon pouvait se diriger à l'aide des étoiles. Le meuble était rempli de livres, surtout des encyclopédies et des romans d'aventures.

Dans un coin étaient entassés la poche de hockey, les patins et les bâtons du garçon. Le lieutenant prit un des bâtons. À voir la taille des patins et la hauteur des bâtons, il conclut que Vincent était grand pour son âge.

Avant de partir, Duval apporta un modèle réduit afin de comparer les empreintes de Vincent à celles des rames. Il sortit ses gants stériles et glissa l'objet dans un sac. Il confisqua ensuite un bâton de hockey, qu'il saisit par la palette pour prendre les empreintes palmaires sur du bois.

Duval sortit rassuré de la chambre : il avait acquis la conviction que Vincent avait la détermination pour échapper à son prédateur, contrairement à d'autres enfants qui, se figeant d'effroi, se révélaient des proies faciles pour leurs agresseurs.

Duval aperçut Louis qui discutait avec le couple. Le Gros, malgré son manque de tact légendaire, réussissait parfois à trouver les mots qui consolent. Était-ce son expérience à la radio communautaire, où il animait une tribune téléphonique fréquentée par des travailleurs sociaux, des criminels et des intervenants en pastorale, qui l'aidait ? Toujours est-il qu'il savait dans certaines occasions parler avec son cœur.

— Nous allons fouiller tous les endroits où il aurait pu aller, madame Hébert, disait-il justement. Aujourd'hui, nous allons organiser une grande battue. Il ne faut pas perdre espoir.

— Ramenez-moi mon Vincent, implora-t-elle avant d'éclater en sanglots.

— On va tout essayer, madame Hébert, répondit Duval. Je vous le promets. On va tout faire. Pour l'instant, j'ai besoin de ces objets-là pour comparer des empreintes.

En sortant de la maison, les enquêteurs furent encerclés par la meute affamée. Duval et Harel ne dirent pas un mot. L'expression « air de beu » prenait tout son sens. La consigne du silence prévalut jusqu'au moment de fermer la portière.

— La conférence de presse aura lieu à onze heures trente, annonça alors Duval, plus laconique que jamais.

40

Le répartiteur lui annonça qu'il avait reçu un message de Rivard. Le lieutenant regarda sa montre. Son horaire chargé le bousculait : avait-il le temps d'aller au labo avant la conférence ? L'année précédente, il avait complètement omis de se présenter à l'une d'elles, c'est dire à quel point il en faisait une maladie. Avant de se rendre au labo, il se demanda s'il devait aller revêtir un jean et un t-shirt. Mais il n'avait pas le temps.

Dix minutes plus tard, Duval, toujours accompagné de Louis, tournait dans la rue Semple. Le labo était situé dans le quartier industriel de Saint-Malo, dans la basse ville. Il était coincé entre une usine de salaison, une compagnie de transport et des entrepôts frigorifiques, ce qui l'avait toujours fait sourire ; le sel était un agent de conservation, le froid aussi, et il fallait bien conduire tous ces morts au paradis, disait-il à la blague.

Ils retrouvèrent Villemure, Rivard et Mireille dans la salle de réunion. Sa tenue chic lui valut des regards étonnés.

— Tu fais bande à part ? demanda Villemure.

— Non. Je ne pouvais pas annoncer à une mère de famille la mort de son enfant habillé en col bleu.

— T'as dû faire pousser des hauts cris, conclut le médecin légiste, un homme de droite et surtout un antisyndicaliste.

— Disons qu'il a eu droit à un blâme syndical, dit Louis en mimant un combat de boxe.

La jeune biologiste regardait le lieutenant avec un sourire séraphique.

— Tu as bien fait, Daniel, je suis 100 % avec toi.

— Merci.

Il changea rapidement de sujet en leur apprenant qu'une nouvelle identification visuelle confirmait que Joey Simard était bien leur suspect numéro un, puis il demanda :

— Alors, quelles sont les nouvelles ?

Villemure épingla des radiographies sur le négatoscope.

— J'ai finalement reçu les fiches du dentiste de Hébert. L'odontologiste a comparé les photographies de ses moulages avec les photos des radiologies. La concordance est parfaite : les deux couronnes, les traitements de canal, les plombages correspondent bien à ceux de Hébert. Il nous reste à établir si l'arme qui a servi à tuer Gerry et Ginette Simard est identique à celle qui a servi à abattre le grand-père. On devrait avoir le rapport du balisticien d'ici la fin de l'avant-midi.

— As-tu eu le temps d'analyser les rames ?

— Pas encore. Je vais essayer tantôt de stabiliser le sébum des mains sur le bois avec de la supercolle. On va savoir si les empreintes palmaires sont celles de Vincent ou de l'agresseur.

Rivard conduisit ensuite Duval et Harel dans le garage où l'on avait installé la roulotte. L'air sentait mauvais et prenait à la gorge. Le chimiste-toxicologiste feuilleta son rapport et souligna un point en se tournant vers le lieutenant.

— Deux types d'accélérant ont été utilisés. Simard a volontairement allumé les bonbonnes de propane à l'intérieur et a aspergé la roulotte d'essence. Elle provenait d'un petit jerrycan qui devait servir de réserve à Hébert. L'incendiaire l'a répandue avant d'allumer le poêle. Les deux accélérants ont généré une forte explosion. La roulotte a été consumée en peu de temps : environ cinquante à soixante minutes. C'est comme ça que Simard a voulu masquer son crime... Les débris sont bel et bien ceux d'une déflagration. Ils correspondent au matériau utilisé sur la porte de la roulotte.

— Je suppose qu'après avoir abattu Hébert, Simard s'en est pris aux enfants, des témoins gênants, pesta Louis.

— La scène de crime parlait d'elle-même, reprit Duval. Les branches avec des guimauves à moitié mangées près du feu laissent supposer qu'ils ont été surpris par un individu. Il s'en est d'abord pris au grand-père, qui a dû se défendre. Le chien a probablement cherché à le protéger, mais il semble bien avoir échappé au tueur. Peut-être était-il avec l'aîné dans la chaloupe au moment du drame ?

— C'est une possibilité, admit Rivard. Une chose est certaine, c'est que, après sa tuerie, Simard a jeté le corps du petit par-dessus celui de son grand-père.

Duval regarda l'heure. Il constata qu'il pouvait encore se rendre chez lui pour se changer avant la conférence de presse. Le syndicat ne lui pardonnerait pas de se présenter au point de presse en complet devant les caméras nationales. Il fallait montrer au public des policiers en négociation salariale.

Après avoir remercié Rivard, les deux enquêteurs filèrent vers leur voiture et Duval conduisit plus vite qu'il ne se le permettait à l'ordinaire.

— Cool, Dany, lança le Gros alors que les pneus crissaient en tournant à une intersection, les journalistes vont pas s'en aller si t'es pas là à l'heure.

— Malgré tout ce qu'on apprend, j'ai toujours l'impression qu'on est en retard sur le tueur.

Laurence était sortie avec le bébé. La dernière couche souillée était restée sur le coussin à langer du salon et le petit déjeuner sur la table.

Duval monta à l'étage, enfila un jean et un t-shirt noir.

Le retour au bureau fut tout aussi rapide. Quand il arriva, Duval alla directement rejoindre ses collègues dans la grande salle. Il y régnait une intense activité. Des policiers prenaient des appels téléphoniques, d'autres épluchaient des dossiers, établissaient des contacts.

— Tiens, t'as mis tes culottes de négo… railla Bernard en voyant le jean de Duval.

— Qu'est-ce que dit le résultat des autopsies ? demanda Francis.

— Meurtre dans les deux cas. Le grand-père par balles, mais pas l'enfant. Il aurait été étranglé. On a trouvé du sperme sur son pantalon, mais l'état du corps ne permettait plus un examen génital.

— Dans ce cas-là, viens voir ça, Dan, dit Bernard, penché au-dessus d'une fiche signalétique. Le dossier est lourd et pas beau du tout. J'ai rarement vu ça. Regardez-moi cette tête d'insignifiant.

Duval prit le document. La photo montrait le criminel avec cette larme stupide sous l'œil droit. Joey Simard avait trente-cinq ans. Il avait transité plusieurs fois de la prison au pénitencier en passant par les maisons de transition tout en séjournant à Pinel, où il se faisait passer pour fou.

Agressé sexuellement dans sa jeunesse par son père, d'après le rapport du psychiatre, il devient à son tour agresseur dès l'âge de quinze ans sur un garçonnet de huit ans dont il avait la garde. Après quelques délits, il se retrouve dans un centre de réadaptation. Diagnostiqué sociopathe à seize ans, il est accusé la même année, en 1962, d'avoir tué un cousin, dans des circonstances nébuleuses, au cours d'une partie de chasse près de Sainte-Hedwidge. L'affaire avait défrayé les manchettes; on l'avait appelée « Le mystère de la chute Simard ». Un témoin avait juré que Simard avait poussé délibérément son cousin en bas de la chute. Mais comme ce témoin n'était pas crédible, Simard s'en était tiré avec un verdict d'homicide involontaire.

À dix-sept ans, il est arrêté une première fois pour agression sexuelle avec lésions sur un garçon de cinq ans qu'il a séquestré. Ensuite, il se livre à des vols dans des commerces. Il se fait pincer pendant le braquage d'une épicerie et se retrouve en prison. Libéré sous condition, il agresse violemment son père qui l'avait provoqué. L'affaire passe pour un cas de légitime défense. Quelques mois plus tard il est accusé d'attouchement sur des enfants dans un parc municipal. Il se prend deux ans moins un jour. Il passe six mois à Pinel, suit des traitements, puis les psys jugent qu'il est apte à être rendu à la société. La libération conditionnelle étant en vue, il devient un détenu modèle. Il suit un cours pour être conducteur de machinerie lourde.

Dès sa sortie, Simard regagne sa région natale et travaille comme conducteur de débusqueuse sur un chantier forestier. Les conditions de libération l'empêchent de s'approcher à plus de deux kilomètres de la résidence de son père. Il s'installe à Normandin avec un bûcheron du coin, mais il est accusé de voies de fait sur son colocataire après une beuverie et retourne en prison. Il en ressort une nouvelle fois et...

Duval pensa aussitôt que Hébert avait pu offrir à Simard de le conduire quelque part ou que Simard s'était caché dans la roulotte, car il apparaissait clairement que Hébert et ses petits-enfants n'avaient pas été inquiétés pendant les premières heures de leur bivouac. Ils avaient mangé, mis le bateau à l'eau, s'étaient fait un feu.

Au fur et à mesure que Duval tournait les pages, il constatait que Simard était un de ces cas limites. Des serpents qui finissent toujours par échapper au système par négligence ou par stratégie. Il était en liberté surveillée depuis deux semaines, sujet à un couvre-feu. Mais il ne s'était jamais présenté devant son agent de probation. Bref, il était clair que le mot « DANGER » aurait dû apparaître en grosses lettres sur le dossier de ce désaxé.

La dernière photo montrait Joey Simard de face et de profil. Il était gros et fort, d'après la fiche signalétique : 5 pieds, 11 pouces, 190 livres. Ses cheveux recouvraient ses oreilles et son toupet de côté retombait près de l'œil droit. Ses grosses lèvres, asymétriques, semblables à des larves, étaient remarquables, son front bas aussi. Les yeux rapprochés de Simard lui conféraient une mine patibulaire. Le rapport mentionnait qu'il souffrait d'asthme chronique.

— Excellent travail ! ajouta Duval.

Le lieutenant remit le document dans le fichier.

— Penses-tu que l'autre jeune a été tué ? demanda Francis.

— Soit il a été amené plus loin alors que les flammes faisaient rage dans la roulotte parce que l'agresseur avait peur de se faire prendre, soit le garçon, que sa mère dit très débrouillard, a réussi à se sauver avec le chien. Le moins pire des scénarios est celui de Vincent qui essaie de sortir du bois. En tout cas, il connaît la forêt. Il a été scout. Et il est grand pour son âge, même s'il ne fait pas le poids devant Simard.

Le lieutenant marqua une pause, regarda l'heure.

— Je vais donner ma conférence de presse. Vous autres, vous vous rendez au poste de commandement mobile sur le chemin des Brumes. Je vous rejoins aussitôt que c'est fini.

— En passant, ajouta Francis, nous avons beaucoup de bénévoles qui sont montés de Québec pour donner un coup de main. Robert Gillet a lancé un appel en ondes. La station était prête à remplir le nombre d'autobus nécessaire et payait le lunch. Ils doivent être une bonne soixantaine, sans parler de ceux qui sont montés en voiture et qui ont amené des véhicules tout-terrain pour ratisser les sentiers.

— Parle-moi de ça !

En se rendant rencontrer les journalistes, il se dit qu'il lui faudrait, sitôt le point de presse terminé, appeler madame Hébert pour lui confirmer que son père avait aussi été assassiné. Après, il aurait juste le temps d'avaler un sandwich. Il se voyait déjà prendre d'assaut les montagnes avec sa Ducati.

◆

Les chroniqueurs judiciaires, à part deux ou trois, lui répugnaient. Trop souvent ils rapportaient mal la nouvelle et ils faisaient un show pathétique en se donnant des airs d'acteurs grossiers, manquant de tact et de discernement à l'égard des proches de la victime. Son travail n'était pas un spectacle, mais la triste réalité.

Une horde de photographes, de cameramen et de journalistes s'était massée devant la table de conférence recouverte d'une nappe verte avec l'emblème de la SQ et sa devise : « Service, intégrité, justice ». Devant un rideau noir se déployaient deux drapeaux de la SQ et celui du Québec. Une secrétaire déposa un pichet d'eau et deux verres sur la table. Sur le parterre, la horde discutait âprement de l'affaire Hébert.

Dallaire attendait Duval en coulisses pour le briefer avant la conférence. Le lieutenant arriva à l'heure prévue.

— Madame Hébert n'est pas encore avisée que son père est mort par balles, informa-t-il aussitôt son supérieur.

— Dans ce cas, on ne dit rien là-dessus.

— De toute manière, cette information n'est pas capitale.

— On a diffusé le portrait-robot mais, à la fin de la conférence, on va leur remettre la fiche signalétique de Joey Simard.

Le lieutenant reprit toutes les notes factuelles qu'il avait accumulées depuis le début de l'enquête. Sur une page, il avait écrit le menu-réponses qu'il allait servir : « Pas de commentaires là-dessus, je ne peux commenter pour l'instant, aucune information ne nous permet d'avancer cette hypothèse. Je n'ai pas cette information à ce stade-ci, je ne peux dévoiler ce genre d'information. Il est prématuré d'aller dans ce sens-là… » Par contre, il allait décrire de long en large Joey Simard tout en le présentant comme un homme extrêmement dangereux, qui pourrait se terrer dans le bois ou se trouver dans la région de Québec. Il savait que cette information ferait la une. Mais il valait mieux prévenir que guérir.

— On y va, dit Dallaire en tapant sur l'épaule de son lieutenant.

Ils marchèrent sur la tribune, bombardés par les flashs des photographes.

Dallaire parla en premier pour annoncer que le corps de Sébastien Parent avait été retrouvé dans la roulotte incendiée et qu'un homme, dont on attendait l'identification mais que l'on croyait être Gilles Hébert, le grand-père, avait aussi été tué.

— Je laisse la place au lieutenant Duval, chargé de l'enquête.

Tout le monde voulut parler en même temps. Les questions sortirent toutes en rafales. Le lieutenant choisit un reporter qu'il estimait.

— Est-ce que les corps portaient des marques de violence ?

— Les corps étaient carbonisés, non identifiables. Il a fallu utiliser les fiches dentaires, ce qu'on a fait ce matin.

— Dans quelles circonstances et quand avez-vous trouvé les corps ?

— Hier, en fin d'après-midi. Un travailleur forestier a fait la découverte de la roulotte.

— Oui, mais est-ce que ses occupants ont été assassinés ?

— Oui.

Duval indiqua un autre journaliste.

— Est-ce qu'il y a des chances de retrouver l'autre enfant ?

— On le souhaite. Et je tiens à le dire : cet enfant est considéré comme disparu, contrairement à la nouvelle qui s'est répandue et qui le disait mort.

Une voix criarde s'imposa du fond de la salle.

— Le père des enfants a-t-il quelque chose à voir avec ces meurtres ?

— Non.

— Même s'il a avoué les avoir tués ?

— Il a livré un faux témoignage après avoir échoué le test du polygraphe. C'est un homme qui souffre d'une maladie nerveuse.

— Pourquoi l'écartez-vous, lieutenant ?

— Parce qu'il n'a pas tué.

— Comment pouvez-vous en être sûr ?

— Parce que j'en suis sûr !

Duval regarda sa montre, pointa un reporter du doigt.

— Le portrait-robot que vous avez diffusé correspond-il toujours à votre principal suspect ?

— Principal témoin et suspect numéro 1. Un individu très dangereux.

Comme une meute qui glapit, six questions furent posées en même temps. Duval leva les mains afin de calmer tout le monde, puis il fit un signe de tête à un journaliste de la première rangée.

— Avez-vous l'identité de cet homme ?

— Oui. On vous remettra sa fiche signalétique et sa photo à la fin de ce point de presse.

— S'agit-il du même homme que sur le portrait-robot ?

— Évidemment.

Pendant que Duval écoutait la question suivante, Dallaire lui passa un mémo qu'il venait de recevoir du laboratoire.

C'était la confirmation que Duval attendait.

— Avez-vous reçu de nouvelles informations ? lança la voix criarde.

Duval consulta du regard le capitaine qui, d'un signe de la tête, autorisa la divulgation.

— On vient de nous confirmer que les balles qui ont servi à tuer Gerry Simard et sa fille Ginette, à Desbiens, sont identiques à celles qui ont été trouvées dans le crâne de l'une des victimes du parc.

— Dans la tête de l'enfant ou celle de l'adulte ?

— Je ne dévoilerai pas cette information pour l'instant. Une dernière question.

— Il y a un photographe qui vous accuse de l'avoir malmené, hier, lieutenant Duval.

Le sang du lieutenant ne fit qu'un tour.

— Hier, un photographe nuisait au travail des enquêteurs, il n'a pas obtempéré à l'ordre de s'éloigner. Il s'était immiscé à l'intérieur de la zone de recherches. Il a insisté et nous l'avons arrêté pour entrave au travail des policiers. Personne n'est au-dessus de la loi. Maintenant, on va vous présenter le suspect numéro 1.

Le capitaine demanda à un policier d'éteindre les lumières tandis qu'un autre passait la photo de Joey Simard. Duval appuya sur le bouton de contact du carrousel de diapositives et deux photos judiciaires de Joey Simard, vu de profil et de face, glacèrent le sang des journalistes. Après avoir fourni les informations sur le suspect, Duval s'éclipsa dans un brouhaha indescriptible de questions lancées à la volée. Il était impatient de filer pour participer aux recherches.

— Tu vas pouvoir profiter de l'hélicoptère, dit Dallaire. Le pilote va être ici à quinze heures.

— Je te remercie, mais je vais prendre ma moto. Si je pars tout de suite, je gagnerai un peu de temps.

Il monta à son bureau en compagnie du capitaine, à qui il demanda d'annoncer à Marie Hébert la mort de son père.

Le lieutenant prit son casque dans son bureau et sa veste de cuir.

— T'es sûr que tu veux y aller en moto ?

— Oui, je veux être là-bas au plus sacrant.

— Fais pas le fou…

— Inquiète-toi pas. J'ai de bons contacts dans la police…

41

Si le bitume convenait bien à la Ducati, il en était tout autrement des chemins de terre bosselés. La vue des rapides du Diable en amont de la Ouiatchouan, juste avant le pont couvert, lui glaça le sang. Le long du chemin des Brumes, Duval vit plusieurs dizaines de véhicules stationnés sur le bas-côté de la route, et l'autobus affrété par la station de Robert Gillet. L'apport de bénévoles dans ces recherches était essentiel. Ils étaient aussi venus nombreux à la demande de Louis Champagne, un autre animateur de Chicoutimi.

Il aperçut des Samaritains qui fouillaient la lisière du bois. Aux mouches qu'ils chassaient devant eux, l'humidité semblait rendre difficiles les recherches.

Arrivé à destination, il stationna Bella derrière l'unité de commandement. Sa moto attira tous les regards. Il aperçut Louis qui discutait avec un technicien en scènes de crime. En voyant son collègue, le Gros s'approcha.

— Salut, Dan. T'es venu sur ton cercueil à deux roues. Roulais-tu à tombeau ouvert? s'esclaffa Louis.

— Louis, tu es à l'humour ce que Fernand Gignac est au disco.

— J'ai découvert un autre projectile. La balle était plantée dans l'arbre là-bas, celui qui a un petit fanion. Un technicien a dit que c'était le même calibre que celui utilisé pour tuer Hébert.

Il devait y avoir des années que Louis avait trouvé une pièce à conviction, se dit Duval. La journée promettait. Grâce à cette découverte, le lieutenant commençait à croire que l'histoire du gamin en fuite était une réalité. Avec la sapinière qui bordait le cours d'eau, il était difficile d'atteindre une cible mouvante. Il calcula mentalement que, de l'endroit où Hébert avait été tué jusqu'à l'arbre, la trajectoire menait plus ou moins en direction de la décharge du lac.

— Je ne serais pas surpris que Simard ait tenté de tuer Vincent, poursuivait Harel. Peut-être que le garçon a essayé de sauver son petit frère.

— Oui, c'est possible. Mais tant qu'on n'a pas retrouvé l'aîné, on ne peut rien présumer.

Tremblay descendit de l'unité de commandement.

— Salut, Daniel. Bernard et moi, nous nous sommes arrêtés à l'Étape avec la photo de Simard et les deux employés certifient que c'est bien l'homme qu'ils ont vu.

La porte de l'unité de commandement s'ouvrit à toute volée et Bernard Prince s'y encadra.

— Daniel, je viens de recevoir un message de Mireille Santerre. Les tests réalisés sur les rames montrent les mêmes empreintes palmaires que celles trouvées sur le bâton de hockey et le modèle réduit. Vincent Parent est donc monté à bord de la chaloupe. On a aussi identifié les empreintes de Vincent sur le collier du chien.

Le lieutenant se réjouit en serrant les poings. Ces confirmations lui donnaient encore plus d'espoir en son hypothèse. Le garçon était en fuite.

— Comment s'est passée la conférence de presse? demanda Francis.

— Le brouhaha habituel, répondit distraitement le lieutenant, qui songeait à tout autre chose.

Il planta là tout le monde pour se diriger vers la rive. Il attrapa les avirons du Zodiac et alla droit vers la chaloupe. Il se demandait si Vincent, en tentant d'échapper au maniaque, ne se serait pas noyé. Il aurait aussi pu être jeté à l'eau et asphyxié par l'agresseur. Cette perspective le troubla. Il mit l'embarcation à l'eau et s'éloigna de la rive; les mouches volaient en nuées autour de sa tête. La chaloupe prit lentement la direction de la décharge. Duval explora la petite baie, scruta le fond de l'eau. Normalement, le corps aurait déjà dû remonter, mais Simard avait pu l'attacher à un objet lourd. Il faudrait faire venir des plongeurs pour ratisser le fond du lac. Il regarda l'endroit où le garçon aurait pu descendre de la chaloupe. Il vit de gros rocs bizarrement empilés sous lesquels s'étalait une petite zone de sable. Il descendit de l'embarcation, la monta sur la rive. En examinant plus attentivement les rochers, il distingua une ouverture par laquelle l'enfant aurait pu se glisser pour se cacher. Il s'approcha du massif, se pencha pour observer de près une série de taches foncées sur l'un des rochers. Il grimpa jusqu'à l'ouverture. Il dégaina son talkie-walkie et demanda à Harvey de le rejoindre avec un technicien en scènes de crime pour un prélèvement.

— Peux-tu aussi faire venir des plongeurs de Chicoutimi ou d'Alma pour fouiller le fond du lac?

— Ceux d'Alma sont plus proches! Je m'en occupe.

Harvey et le technicien arrivèrent deux minutes plus tard à bord du Zodiac.

— Du nouveau ? s'enquit Harvey.

— Oui. Regarde : on dirait du sang.

Le lieutenant désigna des taches sur la pierre.

— Je vais dire comme toi, cher : ça ressemble à du sang.

Duval se tourna vers le technicien.

— Vous pouvez envoyer ça tout de suite au labo de bio à l'intention de Mireille Santerre, avec la mention « urgent » ?

— Je m'en occupe, lieutenant, dit le technicien en ouvrant sa mallette.

— Est-ce que le grand-père fumait ? s'informa alors Harvey.

— La pipe.

— L'aîné ?

— Je ne sais pas. Je ne crois pas. Il fait beaucoup de sport. Je n'ai pas vu de cendriers dans sa chambre. Il faudrait demander à sa mère…

Harvey pointa le doigt vers une anfractuosité dans la roche. Duval vit le mégot.

— Ça ressemble à ceux qui étaient autour de la roulotte. Mark Ten.

Duval acquiesça pendant que le technicien plaçait la pièce dans le sachet approprié. Puis il demanda sa lampe de poche à Harvey.

— J'aimerais jeter un coup d'œil dans la cavité avant qu'on retourne. Tu peux me tenir les jambes ?

Le lieutenant plongea sa tête dans le trou et s'y glissa jusqu'aux cuisses. Mais il n'eut pas besoin de la lampe puisqu'il s'agissait plus d'une galerie que d'une véritable grotte. Il voulut s'avancer un peu plus, mais l'ouverture était très étroite et elle réveilla sa claustrophobie. Il avisa Harvey et retraita prudemment.

Puis il se tourna vers le technicien qui déposait un coton-tige dans une éprouvette.

— Vous êtes plus mince que moi. Pourriez-vous vérifier à l'intérieur, au cas où ?

— Oui, bien, je m'en occupe.

Duval et Harvey retournèrent à l'unité de commandement en chaloupe pour laisser le Zodiac au technicien. En les voyant arriver, chacun avec son aviron, Louis ricana.

— Tiens, vous avez l'air d'une belle tarte aux bleuets. Toi en bleu, Dan, et l'autre bleuet en jean blanc.

— Heille, toé, le gars de Québec, tu fais simpe en hostie ! lui lança Harvey.

— Je suis de Sorel.

— Ben, c'est pire, ricana Harvey.

— Dis donc, le bleuet, comment ça que le monde du Lac aime pas ceux du Saguenay ?...

— À cause tu veux savoir ça, toi ?

— Parce que je veux savoir !

— Quand on est à l'extérieur du Saguenay–Lac-Saint-Jean, on est ensemble, on brille en commun. C'est la trêve. Mais lorsqu'on se retrouve chacun chez nous, ça tient plus. Y a nous autres, le monde du Lac, et y a eux autres, là là, le monde du Saguenay. Pis nous, du Lac, que c'est qu'tu veux, on est les meilleurs. Ça répond-tu à ta question ?

— Tu y réponds en lâ-lâ, se moqua Louis.

— Tant mieux, cher.

— Es-tu Canadiens ou Nordiques ?

— Ben, Nordiques, c't'affaire.

— Ben là, je t'aime en lâ-lâ.

Duval soupira. Louis avait la manie d'ouvrir ce genre de conversation inutile juste pour taquiner, et souvent ça dégénérait. Il se tourna vers Harvey.

— Peux-tu me montrer quel est le territoire couvert par les bénévoles ?

Ils se dirigèrent vers le poste de commandement où ils retrouvèrent Bernard et Francis. Après avoir pris connaissance de la zone de recherches, Duval demanda s'il y avait des refuges et des chalets dans les environs.

— Il y en a plusieurs, répondit Harvey. Mais ils sont pas mal plus loin.

— Il va falloir les fouiller tous. Combien de temps il aurait fallu à Vincent pour rejoindre la route ? demanda Duval.

— À pied ? Il y a environ quarante kilomètres d'ici à la route. Il aurait dû la rejoindre en une douzaine d'heures.

— Mais il ne l'a pas fait. Est-ce parce qu'il avait Simard à ses trousses ?

Harvey comprit où voulait en venir Duval.

— Comme il semble probable que ce soit Simard qui ait pris la Ford, il aurait pu devancer le jeune et l'empêcher de se rendre jusqu'à la route.

— Exact, répondit le lieutenant. Ou alors il l'a enlevé et Simard s'est caché quelque part plus loin, en dehors de la zone de recherches. C'est ça qui m'inquiète.

Enfant de la forêt et grand amateur de chasse, Francis envisagea une autre hypothèse.

— Admettons que le garçon ait dû prendre une autre direction, soit par erreur, soit parce qu'il sentait sa vie menacée, où aurait-il pu aller ?

— Il existe de nombreux chemins exploités par l'industrie forestière, dit Louis en désignant la carte.

— Mais il y a longtemps que cette zone n'est plus en exploitation, rétorqua Harvey. Ils ne peuvent pas couper ici avant plusieurs années. La zone de déboisement est plus loin vers le nord.

— Mais il doit bien passer des véhicules de temps en temps ici. Pourquoi Vincent Parent ne s'est-il pas montré ? s'interrogea Francis.

Duval crut pouvoir répondre à cette question.

— Écoute, Francis, si Vincent est vivant et qu'il n'est pas aux mains de Simard, il faut se rappeler qu'il a vu son grand-père assassiné de sang-froid. Il a assisté d'une manière ou d'une autre au viol et au meurtre de son petit frère et il a senti sa propre vie menacée par un être monstrueux. À partir de ce moment-là, il ne peut faire confiance à personne. Il a peur. Chaque personne représente un risque pour lui. Il est effrayé, mais il cherche à sauver sa peau par lui-même. Sa seule issue est d'avancer, de se cacher, d'avancer, de se planquer, de se remettre en marche.

Les collègues du lieutenant l'écoutaient avec des airs graves. Le poste émetteur grésilla soudain : deux plongeurs de la SQ d'Alma seraient là d'ici une heure pour fouiller le lit du lac.

Duval se tourna vers Harvey.

— À quelle heure les recherches des bénévoles doivent-elles prendre fin ?

— À la brunante. Les gens sont brûlés, mangés par les mouches.

— Est-ce que tes hommes pourraient me fournir un bilan des recherches, de la zone qui a déjà été ratissée ?

Harvey prit son crayon et montra à Duval les endroits qu'il avait tracés comme étant susceptibles de mener à la découverte de Vincent.

— Toute la zone qui va du lac du Bûcher jusqu'au lac Hirondelle a été fouillée. On va ensuite remonter le long de la Ouiatchouan. Il y a aussi une piste qui part du lac Beemer et qui monte au lac des Iroquois jusqu'au trou à l'Ours.

Autour de dix-sept heures trente, Louis suggéra de faire une pause pour souper. Francis, qui excellait à la pêche comme à la chasse, proposa aux collègues d'aller cueillir quelques truites dans le lac avec une canne à pêche télescopique qu'il avait apportée.

— Tu nous fais marcher, le chouaneux ?

— Ben voyons, Loulou, dit Francis en montrant comment s'allongeait l'engin.

— Tu nous niaises, là là !

— Une bonne truite fraîche sur la braise. J'ai même apporté du papier d'aluminium. Demain, je peux aussi vous attraper deux ou trois lièvres avec mes collets. Un bon civet ? La survie en forêt, mon'oncle Francis, y connaît ça. Je peux même vous faire du thé avec des feuilles du Labrador.

— Pis de la bière ? exigea Louis.

— Laisse-moi faire pousser du malt et je vais t'en brasser, de la bière.

— As-tu ton droit de pêche ? s'enquit Duval.

— Ils vont pas nous niaiser pour quelques truites ?

— Non, rétorqua Louis, mais tu t'imagines, le chouaneux : il y a peut-être un cadavre au fond du lac et tu veux nous faire manger du poisson qui l'a picossé !

— Louis, capote pas. Tu bois l'eau du fleuve, qui est pas mal pire…

L'arrivée des patrouilleurs de Roberval avec une cargaison de pizzas et de bouteilles de boissons gazeuses enleva toute envie de truites aux enquêteurs de Québec. Des mains affamées se tendirent pour prendre les boîtes encore chaudes.

Un patrouilleur de Roberval lança des bouteilles aux policiers.

— Tiens, des ti-lézards pour tout le monde, gracieuseté du motel Gagnon !

— C'est quoi c'te liqueur rouge-là ? demanda Louis en lisant l'étiquette. C'est-tu buvable ?

— Oui, cher. Pis ça rend intelligent… T'as jamais bu un Elzéar ? s'étonna Harvey.

— Bois pas ça, Louis, t'es assez rouge comme ça, lança Francis en déclenchant l'hilarité générale.

— Va chier, l'chouaneux.

Harvey en rajouta pendant que Louis continuait d'examiner sa bouteille avec suspicion.

— Tu connais pas le Red Champagne ? C'est le Coke du coin.

Larouche relaya son confrère.

— C'est Elzéar Plourde, un gars de la place, qui a inventé la recette, secrète bien entendu, et qui rend beau et intelligent…

Les éclats de rire si salvateurs dans ce métier récompensaient les hommes du dur labeur. Harvey déboucha sa bouteille et avala une longue rasade.

— Un bon Elzéar ! dit-il en expirant longuement, comme dans une annonce publicitaire.

Louis, en feignant une grimace, se risqua à avaler une gorgée.

— Ça chasse-tu les mouches, au moins ?…

Les enquêteurs et les policiers s'esclaffèrent devant les facéties du Gros. Pendant que Francis ramassait du bois pour faire un feu de camp, les deux patrouilleurs distribuèrent les assiettes et les ustensiles de plastique. Quelques instants plus tard, une dizaine de policiers avalaient leur pizza en regardant les plongeurs préparer leur équipement. Des essaims de maringouins assaillaient les enquêteurs, qui les chassaient du revers de la main ou les écrasaient avant qu'ils ne piquent.

— Un peu de pizza avant de plonger ? dit Louis en montrant une pointe au plongeur qui portait déjà son masque.

— Non, mais pensez à nous, les cocos, soyez pas grêleux.

— Gardez-nous des ti-lézards, répondit son collègue, qui avait entendu la conversation sur l'histoire de la boisson gazeuse.

Madden s'amena avec Sneak, son berger allemand. Il pestait. Ils n'avaient rien trouvé. Non seulement la pluie qui avait suivi le double meurtre avait brouillé les pistes, mais l'interférence des odeurs des nombreux bénévoles avait nui au travail de Sneak. En voyant des policiers qu'il ne connaissait pas, le chien montra les crocs.

— Doux, Sneak ! ordonna Madden.

— Serrez vos cuisses, lança Louis à la blague. Ce chien-là a tellement de pif qu'il peut dire qui vient de Roberval ou de Chicoutimi.

Les gars du Lac rirent de nouveau. Ils trouvaient Harel de plus en plus drôle.

Le chien pisteur leva la truffe en flairant les bonnes odeurs de pizza.

— Je vous avertis, les gars, Sneak adore le fromage.

— Et les gosses de poulet, reprit Harel, mais y mange pas de bleuets.

Duval, en regardant les nouveaux arrivés, souhaita que la séquence d'allusions sur les bleuets prenne fin. Le lieutenant passa sa main dans le pelage du berger allemand. Madden adorait Sneak. Ils formaient un couple inséparable. Certains disaient qu'ils se ressemblaient. Ils avaient tous deux les yeux charbonneux. Foncé de complexion, la chevelure tout aussi noire que le pelage de son chien, Madden avait un corps élancé et nerveux.

Sneak avait été décoré par le lieutenant-gouverneur. À lui seul et sans jamais rechigner, il avait fait coffrer des dizaines de voleurs, de violeurs et de meurtriers. Une vraie aubaine pour l'État québécois. Maints

limiers rêveraient d'un tel bilan à la fin de leur carrière. Or, le brio du chien avait trop souvent éclipsé
le travail de Madden. Pourtant, il n'existait pas de
bon chien pisteur sans un bon maître. Mais comme
dans tous les milieux grégaires où la jalousie règne,
le chien avait tout le crédit, le maître-chien n'étant que
le distributeur de récompenses. Néanmoins, Madden
passait trois heures par jour à entraîner son chien. Il
faisait des centaines de sorties par année, marchait
des milliers de kilomètres avec lui, avec toujours
comme décor les couleurs du drame. Souvent, ils
étaient les premiers à faire la sinistre découverte.
Madden entrevoyait, la mort dans l'âme, la mise au
rancart de Sneak dont les années de service achevaient.

Francis détacha une pointe de pizza et la refila à
Sneak, qui l'avala avec voracité.

— Francis, si jamais t'as encore faim à la fin du
repas, je te fais avaler des boulettes de Dog Chow,
plaisanta Louis.

Le feu crépitait, les braises rougeoyaient, chassant
les bestioles. Francis cassa quelques branches de
bouleau avec une hachette pour nourrir le feu. Madden,
que la journée avait frustré, détacha une tranche de
pizza, qu'il enfourna.

— Je r'tourne là-bas.

Il voulait profiter des dernières lueurs pour ratisser un secteur qu'il n'avait pas encore examiné. Juste à
voir la démarche de son maître, le chien savait que le
quart de travail allait reprendre. Sans recevoir d'ordre,
il le suivit et monta dans la fourgonnette.

Un peu plus loin, les bénévoles goûtaient eux aussi
à leur récompense. Dans une heure, ils repartiraient
pour Québec, La Tuque, le Saguenay ou le Lac-Saint-
Jean. Ils seraient déçus, certes, puisque l'enfant n'était
toujours pas retrouvé, mais ils auraient le sentiment
du devoir accompli.

Vers dix-neuf heures, Duval obtint la localisation des refuges qui n'avaient pas encore été inspectés. Il y en avait une trentaine sur un territoire très vaste. Il encercla un certain nombre de cabanes que Vincent aurait pu trouver sur son chemin.

Les policiers de Roberval avaient apporté des petits véhicules tout-terrain. Duval avisa Francis qu'ils allaient faire des heures supplémentaires.

— Si je te comprends bien, on va dormir ici ?

— Disons qu'on va pas dormir très longtemps. On va travailler.

Il restait à peine une heure de clarté, mais le lieutenant tenait à poursuivre les recherches durant la nuit. Elle s'annonçait fraîche, mais elle ne mettrait pas en danger la vie de l'enfant. Pas de risques d'hypothermie encore, même si les nuits d'août marquaient une baisse appréciable de la température.

Duval et Tremblay, qui étaient tous deux nouvellement pères de famille, se levèrent pour marcher au bord du lac et discuter de paternité, de nuits blanches, de tir à l'arc et de chasse. Ils pratiquaient ce sport ensemble depuis quelques années. Mais l'arrivée des bébés avait mis un frein à plusieurs de leurs activités sociales. Il fallait composer avec la fatigue et les horaires imprévus.

Duval et Tremblay allaient longer la rive en chaloupe pour observer le travail des plongeurs quand Harvey arriva en trombe à bord d'un véhicule. Il courut vers la rive. Il cria que le chien de Madden avait découvert la voiture de Hébert et le petit caniche.

— Vivant ou mort ? s'enquit Duval en courant vers son confrère.

— Mort. La voiture semble avoir été poussée en bas du talus qui borde le chemin où Madden l'a trouvée.

Harvey étendit sa carte sur le capot d'une voiture de patrouille pour encercler la position de la Ford.

C'était à la limite de la zone de recherches, soit à trente kilomètres, près du croisement d'un chemin forestier, et à trois kilomètres d'un pont couvert.

— La voiture était complètement invisible du chemin. Sans le chien, on l'aurait jamais trouvée. Il y avait des éclats de verre sur le chemin.

Anxieux, Duval dépêcha aussitôt les techniciens en scènes de crime à cet endroit. Sa crainte était de découvrir le cadavre du garçon dans le coffre de la voiture. Après un instant de réflexion, il décida de déplacer aussi l'unité de commandement mobile. Il fit signe à Francis et à Louis de le suivre. Ces derniers montèrent dans le camion de l'UM tandis que Larouche et Harvey repartaient dans leur Reliant K. Duval enfourcha la Ducati et dépassa le convoi pour arriver le premier sur place.

◆

L'étroit chemin où avait été retrouvée la voiture de Gilles Hébert longeait la rivière Ouiatchouan, qui coulait en contrebas. Dix kilomètres à peine séparaient l'endroit où la voiture avait été découverte de la route 155. Le véhicule avait été poussé sur le talus pour disparaître au milieu des fourrés denses, mais beaucoup de débris de vitre étaient éparpillés sur le chemin. Le lieutenant descendit la pente avec Harvey et Tremblay.

La Ford Mercury était inclinée selon un angle de cinquante degrés. Il faisait déjà noir dans la forêt et les torches peinaient à éclairer suffisamment les lieux. Pour ajouter au manque de visibilité, une nappe de brouillard commençait à se mouvoir au sol, donnant un aspect sinistre à la scène. Le lieutenant ordonna qu'on aille chercher les projecteurs afin d'éclairer le chemin.

— Où est-ce qu'on a trouvé le chien ? demanda-t-il.

— Un peu plus loin, à environ cent cinquante mètres d'ici, répondit Harvey en pointant la main en direction nord. Un photographe et un technicien judiciaires travaillent déjà sur le site.

— Bien, on ira voir après. Et Madden ?

— Il poursuit la recherche avec Sneak un peu plus avant sur le chemin et à la lisière de la forêt qui borde la rivière.

Les faisceaux des torches éclairèrent l'habitacle. Aucun cadavre aux alentours de la voiture. Mais un désordre sans nom régnait à l'intérieur de la Ford. Une douzaine de bouteilles de bière jonchaient le plancher à l'arrière. Le tissu de la banquette avant et le dossier étaient maculés de sang. Des taches de sang se voyaient aussi sur le tableau de bord. Duval éclaira le tapis de devant, aperçut ce qui ressemblait à un sous-vêtement d'enfant. Sébastien Parent avait-il été agressé dans la voiture ?

La tête de Francis apparut de l'autre côté de l'automobile, à travers la vitre du passager. Duval montra du doigt ce qu'il y avait sur le plancher. Son collègue eut une mine déconfite.

Après avoir vérifié la position délicate de la vieille Ford, dont le capot était enfoncé dans le tronc d'un gros érable, Harvey remonta la pente pour appeler un garagiste de Saint-François-de-Sales. Duval essaya de comprendre avec ses collègues pourquoi Simard avait laissé le véhicule à cet endroit.

— J'ai l'impression que, dans les premières heures, Simard a été aux trousses de l'adolescent avec la voiture. Il a peut-être manqué d'essence ou il est tombé en panne. Voyant qu'il lui était impossible de suivre sa proie en voiture, il n'a eu d'autre choix que de la suivre à pied et de cacher le véhicule. Jusqu'à maintenant, il semble désireux de masquer ses crimes.

— En tout cas, il a sérieusement endommagé la Ford là-haut, argua Francis, et il n'a pas cherché à camoufler les débris.

— Tu as raison. On dirait qu'il a piqué une méchante crise !

Alors qu'Harvey redescendait vers eux, la voix de Madden retentit au loin.

— Hé ! Ici ! Venez voir.

— Ça y est ! murmura Duval, convaincu qu'un cadavre venait d'être découvert.

Les enquêteurs rejoignirent en hâte le chemin et ils se guidèrent sur le rayon lumineux de la torche que Madden agitait comme un sémaphore.

Ils le trouvèrent quelques centaines de mètres plus loin, en plein milieu de la lisière de la forêt.

— Je viens de retrouver ça.

Près de lui, Sneak était assis sans bouger. Il fallut éclairer l'objet de très près pour le distinguer dans la noirceur et la brume. Les têtes des cinq enquêteurs formèrent un cercle alors qu'ils s'approchaient pour mieux voir, et chaque regard convergeait vers une paire de petits ciseaux ensanglantés. Tous affichaient un air sombre, rembruni.

— C'est pas le genre d'objet qu'on souhaite découvrir, dit Louis sur un ton sinistre.

— Ça regarde mal, concéda Harvey.

— J'ai peur de découvrir le cadavre de Vincent dans le coffre.

— Je ne crois pas qu'il y ait un cadavre là, affirma Duval.

— À cause ? demanda Harvey.

— Sneak l'aurait senti.

— C'est vrai. Bon point !

Ils attendirent l'arrivée d'un technicien, qui sécurisa le périmètre, puis remontèrent sur le chemin. En attendant la remorqueuse, ils se dirigèrent vers le site où se trouvait le chien. Ils en étaient à émettre des hypothèses sur les blessures de la pauvre bête quand se manifesta le puissant vrombissement d'un moteur.

C'était un bruyant Mack tout en courbes des années cinquante, qui enfumait d'un long panache noir l'épais brouillard recouvrant peu à peu la forêt. De l'habitacle s'échappait *Suspicious Mind*, d'Elvis Presley, qui tranchait avec l'état d'esprit des enquêteurs. Une poupée nue dansait suspendue au miroir. Le garagiste bedonnant sauta avec élégance de sa cabine sur le marchepied de son camion. Sa coupe afro débordait de sous sa casquette. Il rota très fort. Harvey le toisa du regard en marmonnant : « Crisse de gigon ! »

— Perdon ! lança tout bonnement le malotru. J'ai avalé en vitesse mes roteux quand vous m'avez appelé.

Harvey lui montra l'emplacement de la voiture. Tout en mâchouillant un cure-dent, le gars retira sa casquette, se gratta le dessus de la tête où ses cheveux avaient été tapés. Son nom, Martel, était inscrit en grosses lettres attachées sur le dos de sa veste. Il se parlait à lui-même, y allait de gestes nerveux en étudiant la manière d'extirper le véhicule de là. Il remonta dans son camion, dont la cheminée enfumait toujours les lieux. Il recula la remorqueuse de biais et sauta de l'habitacle directement sur le sol. Avec l'agilité d'un singe, il descendit le talus. On aurait dit que son ballet était chorégraphié sur la musique de Presley. Les enquêteurs se regardaient, médusés, sourire en coin, mais la gravité du moment les rattrapa rapidement. Le frisé attacha le crochet sous le châssis de la Ford et gravit le raidillon à la course. Hors d'haleine, la respiration sifflante, il grimpa dans sa boîte et actionna une manette rouillée. Le câble se tendit, puis il hissa lentement la voiture sur le chemin. Harvey monta sur le marchepied.

— Hé, cher ! Peux-tu baisser ta maudite musique, on est pas dans le *mood* pour danser, là là !

— À cause ?

— Parce que ça nous décrisse le moral, ta musique, avoua candidement Harvey.

Le garagiste obtempéra tout de suite. Duval salua le geste du jeune Harvey.

Quand la Ford fut de nouveau sur le chemin, les techniciens complétèrent l'installation des projecteurs. L'un d'eux mit le contact et la puissante source lumineuse jaillit, éclairant les lieux comme le jour. Chacun vit comment la Ford que Gilles Hébert avait fidèlement entretenue avait été démolie par Simard. Toutes les vitres avaient été fracassées, la tôle bosselée, froissée de partout. Le véhicule était une perte totale, mûr pour le cimetière d'autos.

— Tu parles d'un malade ! pesta Louis.

— Est-ce que je l'amène au garage ? demanda le camionneur.

— Non. Mais tu restes disponible, répondit Harvey.

Les techniciens se mirent au travail pour recueillir des empreintes et autres indices. Duval aperçut sur le tableau de bord le reçu du dîner fatidique de l'Étape. Le cendrier débordait de mégots de cigarette, ce qui indiquait que Simard avait passé beaucoup de temps dans le véhicule.

Comme les clés ne semblaient pas être dans l'habitacle, Duval demanda à un technicien d'ouvrir le coffre arrière.

Debout tout autour de l'arrière de la voiture, chacun appréhendait le pire, même si Duval savait bien que le coffre ne contenait aucun cadavre. Mais il pouvait y avoir des indices précieux.

Le silence pesait lourd. Le technicien, après avoir relevé les empreintes, dégagea le mécanisme de la serrure. Duval retint sa respiration. D'un coup sec, l'homme souleva le hayon. Le coffre était vide, à part un pneu qui semblait avoir été jeté là.

Tandis que le technicien continuait son relevé des empreintes, le photographe numérotait ses cartons d'identification. Après avoir marqué les indices découverts dans la voiture, il les photographia.

Duval vérifia la jauge du réservoir d'essence. Il constata qu'il y en avait encore assez pour rouler plusieurs kilomètres. Les enquêteurs conjecturèrent sur ce mystère jusqu'à ce que Martel propose sa solution. Il leur montra la manette qui permettait d'allumer les phares, qui étaient en position de marche, et le bouton qui les amenait en position haute, et qui était enfoncé. Duval demanda au garagiste de vérifier la charge de la batterie. « Est à terre », répondit-il.

L'équipe d'enquêteurs fit cercle autour de Duval.

— J'ai l'impression qu'il a essayé de poursuivre Vincent à pied et qu'il est revenu au véhicule pour constater qu'il ne pouvait plus l'utiliser, résuma Duval à ses collègues. C'est peut-être à ce moment qu'il a eu sa crise de rage, puis qu'il a poussé la Ford dans le fossé pour continuer la chasse à pied.

Laissant les techniciens à leur travail, les enquêteurs retournèrent dans l'unité de commandement mobile, qui était stationnée un peu en retrait.

Duval se pencha au-dessus de la carte et essaya de comprendre la logique des déplacements de Simard. Il se demandait si ce dernier avait voulu empêcher Vincent de se rendre jusqu'à la route et l'avait forcé à emprunter un autre chemin afin de le coincer. La route 155, pour le jeune, c'était la survie, le point que l'enfant devait rejoindre.

— Si on examine la position de la voiture, expliqua le lieutenant, on peut en conclure que l'enfant n'a pas eu la possibilité de reprendre le chemin des Brumes qui mène à la 155. On l'en a sans doute empêché.

— Ça semble logique, argua Francis, appuyé par Harvey.

Duval questionna son collègue Tremblay, un véritable homme des bois.

— Penses-tu que le jeune aurait pu tenter de rejoindre la route en coupant à travers le bois ?

— Dans une forêt comme ici, il aurait à mon avis peu de chances d'y parvenir. Tu renonces rapidement, tu te désorientes. On avance difficilement dans une forêt aussi sauvage. Trop dense, trop de mouches. J'espère juste qu'il n'a pas essayé cette solution. Comme il a été scout, je pense qu'il devait être conscient de ce danger.

— Il faut donc poursuivre les recherches vers le nord, conclut Duval.

— Finalement, qu'est-ce qu'on fait de la voiture ? demanda Harvey.

— On va la remorquer jusqu'au garage du laboratoire. Il faudra recouvrir les fenêtres avec du polythène pour que le vent n'endommage rien dans l'habitacle.

— Bien, je m'occupe de ça.

Une nouvelle arriva du laboratoire au moment où sortait Harvey. Mireille avait téléphoné au poste de Roberval pour indiquer que le sang prélevé sur les rochers était celui d'un animal. Duval, qui était persuadé que le chien avait été blessé par Simard, conclut que cette information renforçait sa thèse à l'effet que Vincent et le chien avaient réussi à fuir ensemble les lieux du drame.

Le sergent Aurélien Larouche apporta du café fumant sur un plateau de fortune. Des mains rapides saisirent les verres de styromousse. Mine de rien, l'humidité rongeait les os et cette chaleur faisait du bien.

Chacun se préparait à une longue nuit dans les bois.

— Bon. On va aller inspecter les refuges, décida Duval. On va faire ce qu'on peut.

— Il va aussi falloir passer au peigne fin tout ce secteur demain, ajouta Francis. Quand je pense qu'on a perdu une journée à chercher au mauvais endroit.

— Dis pas ça. On a retrouvé le véhicule d'Hébert, ce soir. On est un peu plus avancés.

Le hululement d'un hibou parut acquiescer aux paroles du lieutenant.

— Tiens, il est d'accord, lui, dit Francis.

Louis et Bernard s'activèrent pour assurer l'approvisionnement en eau.

Un policier qui était resté au lac du Bûcher informa Harvey que les plongeurs n'avaient pu terminer leurs recherches à cause de la noirceur. Ils reprendraient le travail le lendemain.

Le lieutenant sortit de l'unité. La voiture était repartie, on avait éteint les projecteurs. Il observa le couvert nuageux. Au nord, la foudre lézarda le ciel. Pareil à des roulements de mailloches sur des timbales, le tonnerre annonçait le déluge. L'enquêteur se gratta la tête, murmura un blasphème.

42 JEUDI, 6 AOÛT, 20 H 15

Les trois petits pains et la pomme avaient suffi à lui redonner un peu d'énergie. Mais la soif le tenaillait après cette marche ininterrompue. La rivière devenait de plus en plus tumultueuse, pleine de rapides et de chutes. Vincent s'apprêtait à fouler la crête d'une colline. Une autre, pensa-t-il. Mais il se ravisa en découvrant le paysage en bas de la vallée. Il s'immobilisa. Il se frotta les yeux pour s'assurer qu'il ne rêvait pas. La joie gagna chaque muscle de son visage. Un pittoresque petit village avait poussé dans ce décor bucolique. Tout semblait si tranquille, si beau. Il hurla de joie. Il crut même entendre au loin le roulement d'un train et le sifflet d'une locomotive.

— Je suis sauvé ! Je suis sauvé ! Oui !

Il descendit la longue pente d'un pas vif. Arrivé en bas, son nez pointa vers le ciel. Il distingua le bruit d'un hélicoptère qui survolait la région. Il localisa l'appareil qui filait au loin et agita les bras. Mais le fort couvert nuageux lui donnait peu d'espoir qu'on l'aperçoive. L'hélicoptère, qu'il discernait par à-coups dans les nuages, l'avait déjà dépassé. Il se tourna pour suivre sa trajectoire et son attention fut alors attirée par un point en mouvement au faîte de la colline. La tête d'un marcheur pointa, puis son corps et ses jambes se profilèrent. Vincent, qui agitait toujours les bras, vit l'homme lui répondre tout en accélérant. Cet homme était sans doute un villageois ou un secouriste. Vincent fit quelques pas dans sa direction, puis il hésita. Il connaissait cette démarche. Il s'en assura avec sa longue-vue. Il sentit son cuir chevelu s'engourdir. C'était le Brûlé qui venait rapidement vers lui. Vincent décampa vers le village pour demander de l'aide.

Mais plus il s'en approchait, plus il se sentait désarçonné. Alors que le jour tombait, il ne voyait nulle âme qui vive, aucune lumière dans les maisons, pas de voitures dans les rues, même pas de lampadaires. Seul le bruit de la chute au loin venait rompre la paix des lieux. Il se crut en proie à un mauvais rêve. Les maisons vétustes étaient plus ou moins en ruine. Aucune ne semblait habitée. Il se rappela soudain le panneau indicateur qu'il avait vu sur le chemin et comprit qu'il avait abouti au village historique que son grand-père aurait aimé visiter. Dévasté, Vincent se retourna. Dans la lumière déclinante, le Brûlé courait. Vincent se mit à courir lui aussi, les jambes douloureuses. Il filait droit devant lui, traversant sans la voir une longue rangée de maisons délabrées. Il se dirigeait vers la chute, qui grondait de plus en plus. À bout d'énergie, il appréhendait la côte qui approchait, il ne voulait pas replonger dans la sombre forêt. Il se trouva face à un immense bâtiment, pareil à une manufacture, qui jouxtait la chute, que l'on entrevoyait par les châssis sans fenêtre. Une ancienne usine de pâte et papier, comprit Vincent en remarquant une affiche à l'intention des touristes. Un cordon de sécurité en plastique, avec la mention « Danger / CSST / interdiction d'entrer », le fit hésiter à franchir le portail. Mais en se retournant il aperçut le Brûlé à moins de trois cents mètres. Vincent enjamba le cordon et monta les marches du portail. La porte était verrouillée. Mais les fenêtres à droite et à gauche étaient grandes ouvertes. Il grimpa sur le muret du portail et, s'agrippant au linteau, il se glissa facilement à l'intérieur. Jetant un regard furtif vers dehors, il entraperçut le Brûlé.

Le bâtiment baignait dans la pénombre. La superficie de l'usine était immense, les plafonds hauts et les murs en vieilles pierres grises suintant d'humidité. De gros appareils oxydés, aux formes étranges, qui servaient à fabriquer la pâte à papier, semblaient figés à jamais dans ce mausolée. Il se pencha pour ramasser un vieux cintre qui laissa son empreinte dans la poussière. Devant lui, un grand escalier menait à une mezzanine. Vincent le grimpa deux marches à la fois. Au-dessus de lui s'élançaient des passerelles sous le plafond et de vieilles poutres. Des fenêtres éventrées, il apercevait la chute, rageuse, écumante.

Vincent passa devant une centaine de casiers alignés le long du mur de la mezzanine. L'autre escalier devant lui, au fond du corridor, aboutissait à un entrecroisement de passerelles. Une corde en interdisait l'accès avec une affiche où s'étalait le mot « Danger » en grosses lettres rouges. Le garçon s'arrêta pour revenir sur ses pas. Son instinct lui dictait de ne pas aller là.

Au fond du mur à droite s'étendait un vaste espace avec une énorme turbine que l'on avait démantelée qu'à moitié. Les entrailles de métal avec pales lui rappelèrent le cauchemar récurrent d'une machine qui l'avalait. Au mur était encore accroché un crucifix. Par les fenêtres, la chute semblait si près. Puis un bruit sourd le paralysa. Comme si quelqu'un avait sauté sur le plancher de béton. Où était-ce un objet tombé du plafond ? S'ensuivit un bruit de percussion à répétition.

Il regarda les casiers. Tous pareils, comme des confessionnaux. Des trous d'aération étaient percés sur les portes noires. Il parcourut toute la ligne en sens inverse, sans plus savoir où aller, et ouvrit la porte de l'un d'eux. Il y avait une petite tablette en haut, un vieux crochet métallique sur chaque paroi du cagibi. Il tendit l'oreille en croyant entendre des pas. Il s'engouffra dans le mince espace, les épaules à l'étroit, et se retourna tant bien que mal pour refermer la porte. Sa tête frottait sur la tablette, mais les trouées étaient juste à la bonne hauteur pour lui permettre de voir une partie de la passerelle et, plus loin, par les fenêtres de l'usine, le ciel de plus en plus sombre.

Tout en reprenant son souffle, Vincent écoutait mais, pour l'instant, il n'entendait que le grondement de la chute.

Très rapidement, la noirceur fut totale, angoissante. La minute qui passa lui parut une éternité dans ce cercueil. Puis, à travers le bruit de la chute, il perçut de nouveaux sons, secs et saccadés. Et des pas dans le tumulte de la chute. Le Brûlé se rapprochait. Il montait les marches de l'escalier.

Il semblait battre le fer de la rampe avec un objet métallique. Une lourde et lente pulsation. Tout à coup, Vincent perçut un rayon de lumière dansante par les trous d'aération. Le faisceau d'une torche. Il remarqua que les traces de ses pas étaient visibles dans les deux directions qu'il avait empruntées. Paniqué, il se demanda s'il devait chercher un autre endroit pour se cacher ou prendre la fuite. Il savait qu'à l'autre bout de la mezzanine se trouvait l'autre escalier, mais qui menait où ? Vers une impasse avec le mot « Danger » ?

Une vive lumière illumina toute l'usine pendant une fraction de seconde, puis un roulement sourd de tonnerre qui allait en progressant recouvrit tous les autres bruits. La foudre était tombée à proximité. De forts courants d'air s'infiltrèrent dans la pulperie, générant une étrange musique dans les tubulures d'acier et les conduits d'aération. Des tintements métalliques, des grincements de portes et le bruit de la chute derrière ajoutaient à l'anxiété du garçon, qui ne savait plus où était le Brûlé.

Tant bien que mal dans l'espace exigu, il déplia le crochet du cintre et l'étira pour en faire un long fouet métallique. Un nouveau coup de tonnerre ahurissant ébranla l'édifice. Vincent retint son souffle. Par son minuscule point d'observation, il apercevait les formidables hachures qui zébraient le ciel.

Pendant de longues minutes, il demeura le corps cambré, prêt à surgir. Sa main serrait son arme improvisée à en avoir mal. Un autre formidable coup de tonnerre résonna, le faisant sursauter. Tout tremblait autour de lui alors que le ciel s'embrasait encore et encore. Puis un autre genre de vacarme le terrorisa : des coups de masse s'abattaient sur les casiers métalliques comme des détonations. Cela dura plusieurs secondes, puis Vincent entendit le choc de quelque chose de pesant qui heurtait le sol et qui roula. Le Brûlé se pencha pour le ramasser. Le regard oblique à travers la fente, Vincent revit soudain le rayon lumineux. Le Brûlé se mit alors à ouvrir avec frénésie les portes des casiers, qui claquaient violemment métal sur métal. Le bruit devenait de plus en plus fort, le Brûlé s'approchait de sa cachette.

Vincent calcula à rebours le nombre de portes qui le séparaient du Brûlé. Ses yeux grands ouverts derrière les trous ne pouvaient distinguer le Brûlé, mais la lumière se rapprochait. Quand la porte du casier d'à côté s'ouvrit, il poussa violemment sur la sienne. Elle heurta de plein fouet le Brûlé qui, sous le choc, perdit l'équilibre alors que sa torche tombait par terre. Vincent voulut s'en emparer, mais il la botta par inadvertance et elle roula jusqu'au bord de la passerelle. Le rayon lumineux virevolta pendant une seconde et la torche disparut un étage plus bas. Le Brûlé se releva en crachant des hurlements de rage. Profitant de la lumière spasmodique de la foudre, il essaya d'attraper Vincent mais, sonné par sa chute et dérouté par les variations d'éclairage, il n'arrivait pas à mettre la main sur le garçon. Alors qu'il le croyait à gauche, l'autre se trouvait à droite. Alors qu'il le pensait derrière, il le voyait devant. L'instant d'un éclair, Vincent aperçut l'arme dans sa main. L'obscurité revenue, il se projeta en avant. Le coup de feu rata la cible, étincela contre la ferraille. Vincent courut vers l'escalier du fond. Derrière lui, le Brûlé continuait de hurler. Entre deux éclairs, Vincent entendait le bruit de ses pas qui déclinait. Il en déduisit que le monstre dévalait l'autre escalier pour récupérer sa torche.

Le ciel fut de nouveau enflammé par la foudre et Vincent se rua vers l'escalier, qu'il escalada le plus silencieusement possible. Mais en haut, il hésita sur la direction à prendre. Dans le noir total, il opta pour la droite, où se trouvait la turbine. Il attendit que le ciel s'illumine et se réfugia dans les boyaux de la machine en acier. Ce cimetière de ferraille serait son salut ou sa mort.

Un liquide coulait dans sa main. L'extrémité du cintre avait entaillé sa peau. Mais il ne sentait plus la douleur, il était devenu insensible.

Plus bas, il entendait les pas enragés du Brûlé qui cherchait sa torche. Un long feulement hystérique surpassa soudain le mur sonore de la chute, puis il entendit le choc d'un objet métallique contre un autre. Vincent comprit que la torche ne se rallumerait plus. Encore une fois, la nuit devenait son alliée.

Jusqu'aux premières lueurs de l'aube.

CINQUIÈME PARTIE

LE PASSAGE DE L'ORIGNAL

43

Comme l'avait prévu le bulletin météo, la brume s'épaississait d'heure en heure. Le tonnerre grondait au nord, les éclairs enfourchant le ciel. Le ciel était tourmenté par une lumière électrique ; s'y mouvaient des nuages gris, noirs, mauves, qui menaçaient à tout instant de larguer leurs trombes d'eau.

Ces conditions hostiles n'avaient pas freiné la détermination des enquêteurs. Duval et Harvey avaient décidé de remonter l'étroit chemin de terre en direction nord. Madden les suivait avec son berger allemand, à qui l'on devait cette piste inespérée. Prince et Tremblay compléteraient l'escadron de nuit alors que Harel resterait à l'unité de commandement mobile pour établir le relais. Larouche, lui, devait retourner à Alma.

Avant de partir, Madden refit sentir à Sneak un chandail appartenant à Vincent. Duval et Francis prirent des munitions en quantité. Ils étaient sur le point de se mettre en route quand Duval retourna au véhicule de commandement mobile pour s'emparer d'un porte-voix et d'une boussole. Francis déposa sa Remington dans la remorque où prendrait place le chien. Louis apporta deux thermos de café et des sandwichs qu'il remit au lieutenant Harvey.

Duval aurait aimé appeler Laurence pour lui expliquer la situation. Il se rappela le concert de Mimi. Il lui avait promis d'y assister. Il se tourna vers Louis.

— Peux-tu demander à un patrouilleur de Roberval d'appeler le répartiteur pour qu'il dise à Laurence que je ne rentrerai pas cette nuit ?

— Dis-lui de téléphoner aussi à Adèle, demanda Francis.

— Hostie que vous faites dur les gars, se moqua Louis. On dirait des ti-culs qui veulent appeler leur môman pour lui dire qu'ils vont pas rentrer à sept heures mais à huit heures. Ça s'peut-tu !

— Loulou, niaise pas. Fais juste passer le message.

— OK, OK, inquiète-toi pas.

Madden monta sur son tout-terrain et Sneak bondit dans la remorque sans attendre l'ordre. Plus habitué au secteur, Harvey, qui avait le poignet prompt sur la manette des gaz de son VTT, décolla en trombe en prenant les devants, suivi de Duval, Tremblay et Prince.

On ne voyait rien à cinq mètres devant soi. Un mur de brouillard à trancher au couteau absorbait la lumière des phares. Ils roulaient depuis une vingtaine de minutes quand Duval eut peine à voir la lumière de frein du VTT de Harvey. Il ralentissait pour mieux localiser les sentiers menant aux refuges. Quelques minutes plus tard, l'enquêteur s'arrêta en désignant une piste si étroite qu'une voiture n'aurait pu y circuler. Une pancarte indiquait une pente abrupte et la présence d'un refuge au sommet.

— La plupart des gîtes sont juchés en altitude, expliqua Harvey.

On laissa Sneak flairer la piste. Sa truffe huma le sol et le chien s'engagea aussitôt dans la pente. Il se fondit rapidement dans la brume.

Madden se tourna vers Duval et cria :

— On a quelque chose.

Quand Sneak fleurait l'objet de sa quête, il ne se trompait jamais. Les tout-terrain prirent d'assaut le sentier bosselé, un vrai champ de mine. Il n'était pas entretenu et les branches frôlaient les poignées de véhicules, grafignaient les mains. Les phares ne perçaient plus la brume que de quelques pieds seulement. À travers la lueur des faisceaux lumineux, des papillons de nuit et autres bestioles voltigeaient par centaines. Sneak se frayait un chemin au cœur du brouillard. Soudain, le voile anthracite s'éclaircit et laissa deviner un lac niché au creux des montagnes. Puis le refuge.

Duval ressentit une montée d'adrénaline en voyant une lueur dans une fenêtre embuée. Il semblait bien y avoir de la vie dans la cabane en rondins. Après que tous eurent coupé les moteurs, Duval s'étonna d'entendre du chant grégorien. Les enquêteurs se regardèrent, interloqués, en marchant vers le refuge.

Devant la porte, Sneak jappait, signalant la présence d'un suspect.

Duval sortit son arme. Il courut en se penchant et se cacha sur le côté du bâtiment.

Mais de l'intérieur du refuge, une voix douce demandait au propriétaire du chien de le tenir en laisse.

— Police ! cria Duval. Vous pouvez sortir.

Madden s'approcha pour calmer son chien. La porte s'ouvrit lentement et un homme au visage émacié, d'une effroyable maigreur, apparut sous le chambranle. Il portait un pagne blanc, un crucifix autour du cou et de petites lunettes rondes. Ses yeux

ébaubis et opalins, grossis par les verres, semblaient
sortis de leurs orbites.

— Qui êtes-vous? demanda le lieutenant, qui tenait
toujours son arme.

— Je suis un anachorète. Je m'appelle Pierre de
Saint-Thomas-Dydime.

En voyant les autres policiers surgir dans son champ
de vision, il sursauta.

— Ne craignez rien, nous sommes tous de la police.

— Avec le Seigneur près de moi, je ne crains
jamais personne. Je suis fort comme un bataillon.

Harvey afficha une mine dédaigneuse, pas convaincu du tout. La musique médiévale planait sur le
paysage qui émergeait au-dessus de la brume, épou-
sant la beauté du panorama mais en contraste avec le
ciel orageux.

— Que faites-vous ici? s'enquit le Jeannois.

— Je prie.

D'une main osseuse striée de grosses veines
bleuâtres, il les invita à l'intérieur du refuge. Un lit
de branches de sapin était posé par terre. Sur une
table de bouleau, servant d'autel, l'homme avait déposé une bible et un lecteur de cassettes. Une lampe
à huile lui servait d'éclairage. Un sac de petits pains
ronds et des pommes reposaient dans une corbeille
artisanale.

Madden avait de la difficulté à contenir Sneak. Le
chien voulait renifler partout.

— Vous êtes ici depuis combien de temps? reprit
Duval.

— Depuis cinq ans. Je me promène de refuge en
refuge.

— Même l'hiver? demanda Harvey.

— Oui, je me chauffe avec le petit poêle à bois.

Les enquêteurs arboraient tous un visage sceptique.

— Je vis hors du monde pour mieux le comprendre quand le moment viendra d'y retourner. Qu'est-ce que vous cherchez, mes amis ? demanda-t-il en regardant Duval.

— Nous cherchons un enfant.

— Vous aussi ?

— Comment ça, nous aussi ?

— Un homme est monté ici dernièrement. Il avait beaucoup de mal à s'exprimer. On aurait dit qu'il avait un grave retard de langage. J'ai fini par comprendre qu'il cherchait son enfant.

— Avez-vous vu le garçon ?

— Non. J'étais sans doute à la source quand il est venu.

— Pourquoi pensez-vous ça ?

— Parce qu'à mon retour il manquait des pains, une pomme, et ma cruche d'eau avait été vidée.

— L'homme qui recherchait son fils, vous lui avez parlé ?

L'anachorète hocha la tête, affichant un air triste.

— Il fallait vraiment se forcer pour le comprendre. C'était une sorte de ruminement vocal. Je n'aimais pas ce qu'il dégageait. J'ai voulu le soigner et il m'a repoussé.

Harvey sortit la photo de Simard de son veston de jean et la montra à l'ermite.

— Est-ce lui ?

— Je crois bien que oui, mais comme je vous dis, il était blessé. Il semblait avoir été grièvement brûlé aux mains et au visage.

Duval se tourna vers ses collègues. Les dires du mystique étaient un air connu dans son métier.

— Il s'est sans doute blessé en allumant l'incendie de l'intérieur de la roulotte. L'essence et le propane lui ont explosé en pleine face.

Il reporta son attention sur l'occupant des lieux.

— Quand l'avez-vous vu ?

— Vous savez, je ne tiens plus le compte du temps.

— Monsieur, l'individu que vous avez vu a assassiné un enfant et le grand-père de ce dernier. Et c'est pour le tuer qu'il veut retrouver l'autre enfant.

Le visage compassé, le vieil homme susurra un « Doux Jésus ».

— Quand ? répéta plus durement le lieutenant.

— Aujourd'hui, en début d'après-midi.

— Vous en êtes sûr ?

L'ermite recompta mentalement dans sa tête et fit signe que oui.

— À quelle heure ?

— Je revenais de mes ablutions.

— À quelle heure ?

— Je ne pense plus en heures depuis longtemps. D'après la position du soleil sur le lac, je dirais qu'il devait être trois heures.

— Et quand croyez-vous que le garçon aurait pu vous prendre des pains ?

— Pendant que j'étais à la source. Et donc quelques heures avant l'arrivée de l'homme.

— Avez-vous parlé davantage à ce dernier ?

— J'ai montré de l'empathie pour cet étranger qui cherchait son fils, mais tout ce j'ai senti, c'est de la haine. J'ai vu le mal dans ses yeux.

— Comment décririez-vous l'état de ses blessures ?

— Il n'était pas beau à voir, son visage était à moitié défiguré par le feu, mordu par les mouches. Je lui ai recommandé d'aller se soigner et sa réaction a été très agressive. J'ai senti qu'il aurait pu me faire du mal si j'avais insisté. Il m'a demandé de la nourriture. Je lui ai remis une pomme, des pains, et il a aussi bu l'eau que je venais d'aller chercher à la source.

— Est-ce qu'il marchait encore d'un bon pas ?

— Oui, mais il avait une démarche d'automate, comme un zombi. Il semblait déterminé à retrouver son enfant. Il est reparti avec une énergie redoutable. Depuis son départ, je prie pour cet homme et son enfant que je croyais perdu.

Avant de poursuivre leur route, Duval demanda à l'ermite de se rendre à l'unité de commandement mobile pour faire une déposition.

— Maintenant ?

— Oui, ce soir ! On devra mettre sous scellés votre cabane. Des techniciens vont faire des prélèvements demain matin.

— Mais je n'ai nulle part où aller.

— Mon collègue Prince vous accompagnera et on vous relogera à Roberval.

— Est-ce que je peux marcher jusque-là ?

— C'est trop loin d'ici. Je préfère que mon collègue vous escorte.

Sans enthousiasme, Prince accepta de conduire l'anachorète à l'unité de commandement mobile. Le vieil homme pressa la touche « stop » du lecteur, ce qui coupa net le psaume lancinant des moines, puis il souffla la lampe pendant que les enquêteurs sortaient. Il se couvrit enfin d'un sac de plastique qui lui servait d'imperméable avant de fermer soigneusement la porte derrière lui. Prince, qui avait communiqué par talkie-walkie avec Louis pour lui dire qu'ils arrivaient, aida le vieil ascète à monter sur le siège arrière.

— N'allez pas trop vite, implora le religieux.

— Vous n'aurez pas à faire vos prières, blagua Prince en démarrant le moteur.

Le policier salua ses collègues et le véhicule s'éloigna sur le sentier.

La température avait descendu de plusieurs degrés et, plus bas, le brouillard se dissipait peu à peu. Le tonnerre roulait toujours au loin, mais les éclairs qui zébraient le couvert nuageux s'approchaient.

Duval se tourna vers ses collègues.

— En tout cas, vous avez compris la même chose que moi : on est sur la bonne piste, mais ils ont une nette avance sur nous. Si Vincent était, disons à une heure de l'après-midi ici même, quelle distance raisonnable a-t-il pu parcourir ?

— Il ne doit pas être en état d'avancer très vite, répondit Harvey. Une vingtaine de kilomètres, une trentaine, tout au plus. Il n'a donc pas pu atteindre le village le plus près, qui est Chambord.

— Considérant son état, on peut penser qu'une heure à peine sépare maintenant Simard du garçon, fit remarquer Madden.

— C'est juste, statua Duval. Il faut calculer que l'enfant doit se mettre souvent à l'abri parce qu'il est terriblement apeuré. Il a peut-être visité tous les refuges sur son chemin, pour ce qu'on en sait.

— Dans ce cas, est-il possible alors que Simard ait pu le dépasser sans s'en apercevoir ? demanda Francis.

— Tout est possible ici, répliqua Duval.

Harvey alluma les phares de son VTT et montra sur la carte l'itinéraire qui les séparait du prochain refuge, lui aussi situé sur un sommet. Duval, Madden et Tremblay observèrent le tracé, qui devait faire quatre ou cinq kilomètres tout au plus. Une goutte s'écrasa soudain sur le papier, suivie d'une autre.

— Y manquait plus que ça ! soupira Harvey.

Madden s'inquiéta, car la pluie priverait Sneak de ses repères olfactifs.

— Allons-y donc avant que la flotte lave toutes les traces, lança le lieutenant.

Duval enfourcha son véhicule et alluma le démarreur. Il laissa passer Harvey et roula juste derrière.

La pente abrupte qu'ils venaient de gravir demandait de négocier les virages serrés à basse vitesse. Les profondes ornières laissées par les dernières pluies présentaient aussi une difficulté supplémentaire à la descente. Ces véhicules, soi-disant tout-terrain, manquaient de stabilité et il s'en échappait, maudissait Duval, des émanations de monoxyde de carbone qui donnaient la nausée.

Ils rallièrent enfin le chemin et Harvey remit les gaz à fond. Moins de dix minutes plus tard, ils atteignaient le nouvel embranchement, à droite celui-là. La pente semblait encore plus raide.

Une série fractale d'éclairs illumina le ciel comme en plein jour et un coup de tonnerre plus fracassant que les précédents se prolongea. La pluie se mit à tomber de manière plus soutenue. Les véhicules montaient avec peine le chemin pentu qui tournait autour de la montagne.

Duval plongea son regard dans la vallée. La Ouiat-chouan, gonflée par les eaux de pluie de la semaine, mugissait en contrebas. Ils arrivèrent enfin à la cime. Le refuge en bois, identique au précédent, était inhabité. Madden dépêcha Sneak. À la lueur des torches, les limiers cherchèrent des indices, mais ils ne trouvèrent rien de significatif, pas plus à l'intérieur qu'à l'extérieur.

La foudre tomba sur un sommet pas très loin d'eux et le lieutenant se rappela que ces éclairs au-dessus des montagnes n'avaient rien de rassurant. Un mauvais souvenir du temps où il était patrouilleur lui traversa l'esprit. Deux électriciens qui travaillaient sur un poteau avaient été littéralement extirpés de leurs bottes de travail. Les seules menaces de la forêt québécoise, ce ne sont pas les loups, les ours ou les carcajous, comme le disait Francis, mais la foudre qui dévaste des milliers de kilomètres carrés et surtout l'homme, qui braconne, allume des feux et laisse des coupes à blanc derrière lui.

Il leur fallait recommencer ailleurs. Duval sentait monter son angoisse : si Sneak ne pouvait plus percevoir la trace de Vincent, ils devraient se taper tous les refuges. Et pendant qu'ils cherchaient à tâtons, Simard, qui avait de l'avance sur eux, aurait toutes les chances de rattraper le garçon. Le lieutenant comprit qu'il devait agir. Il saisit son talkie-walkie pour demander à Louis d'appeler des renforts malgré l'heure tardive, mais il lui fut impossible de rejoindre l'UM. Il demanda à Harvey de faire un essai avec son appareil. Le Jeannois n'eut pas plus de succès. La distance et le relief accidenté de la Réserve faunique avaient raison de la technologie moderne. Duval jura.

— Il nous faut des renforts dès cette nuit, lança-t-il en expliquant son raisonnement à ses collègues, qui acquiescèrent. Et puis il faudrait rapporter de l'essence : comme on ne sait pas combien de temps on va rouler...

— J'y vais, dit Francis.

— Non, non, contra Harvey, c'est à moi d'y aller. Je ferai l'aller-retour jusqu'à l'UM beaucoup plus vite que n'importe qui.

Duval convint de la justesse du raisonnement. Harvey avait l'habitude des VTT. Les quatre hommes regardèrent la carte afin de se fixer un point de rendez-vous.

— J'aurai le temps de faire le trajet pendant que vous inspecterez le prochain refuge, alors disons qu'on se retrouve à l'embranchement du sentier qui mène au suivant. Si vous n'y êtes pas encore, j'en profiterai pour y aller moi-même, on avancera plus vite ainsi.

Le lieutenant donna son accord et Harvey décampa à toute épouvante sur son VTT. La pluie tombait dru et le ciel s'électrifiait de lumières vives. Obéissant au doigt de Madden, Sneak sauta dans la remorque. Duval et ses hommes enfourchèrent de nouveau leurs véhicules et plongèrent à leur tour dans la pente tout en se méfiant des énormes fondrières. Le ruissellement des eaux rendait le chemin plus glissant, les roues patinaient. Duval préférait de loin la conduite d'une Ducati à ces tape-culs japonais.

Ils rejoignirent enfin le bas de la pente. Duval pouvait encore sentir les émanations du VTT de Harvey, mais l'autre s'était déjà volatilisé. Ils tournèrent à gauche en direction du prochain refuge et accélérèrent. Sur le chemin étroit, les branches servaient souvent de parapluie et les enquêteurs recevaient un peu moins d'eau. Une minute plus tard, Duval aperçut soudain dans le faisceau des phares une masse géante sortir du fossé. Il appliqua les freins en même temps que ses coéquipiers derrière, qui avaient vu eux aussi. Un orignal au panache démesuré posa deux longues pattes sur le chemin, puis son train arrière. Ses mouvements étaient d'une lenteur infinie. Sneak jappa, défiant le roi des bois. Madden dut retenir son chien. Avec majesté, le *buck* tourna sa tête allongée vers eux. Duval et Francis, qui chassaient ensemble l'automne venu, se regardèrent, ébahis, émus par tant de beauté. Pourtant, ils en avaient vu des orignaux dans leur vie, mais chaque fois était comme la première. La bête mythique les fascinait. Elle traversa lentement les quelques mètres qui la séparaient de l'autre côté du chemin avant de disparaître.

— Wow ! Il n'était pas pressé, dit le lieutenant.

— Plutôt relax, l'ami ! conclut Francis.

Duval ressentit une étrange prémonition après le passage de l'animal. Sans pouvoir dire s'il y voyait un bon augure pour la suite de l'enquête, il se sentait regaillardi, encore plus déterminé à poursuivre les recherches.

D'un geste de la main, il avisa les deux autres enquêteurs de reprendre la route.

Le lieutenant ne pouvait se défaire de l'image de Vincent. Elle l'accompagnait. Il soupesait les chances de survie du garçon en tenant compte des qualités que la mère lui avait attribuées et de ce qu'il avait vu dans sa chambre. Les indices découverts démontraient que Vincent luttait pour sa survie. Il avait pris de la nourriture dans la cabane de l'anachorète et ne s'était pas attardé. Une fois sa faim apaisée, il avait continué son chemin.

Duval se réjouit en pensant que Simard devait être terriblement incommodé par ses blessures. Elles avaient pu s'infecter, causer une forte fièvre au pédophile. Le meurtrier n'en était pas moins dangereux pour autant. Le lieutenant espérait que les renforts demandés par Harvey se mettent en place le plus vite possible. S'il obtenait une dizaine de policiers supplémentaires pour les épauler cette nuit, l'étau se resserrerait plus vite et ils mettraient peut-être la main sur Simard avant de retrouver Vincent. Rien ne garantissait qu'ils y parviendraient, mais il voulait croire à une fin heureuse, même si sa carrière lui apportait trop souvent la preuve du contraire. La foi et la logique ne formaient pas un couple crédible dans son métier.

Duval jetait un coup d'œil de chaque côté de la route au cas où il verrait un corps ou quelqu'un d'embusqué. Il aperçut bientôt le nouveau panneau avec la mention « Refuge » et ralentit pour ne pas rater l'entrée du sentier. La pluie ressemblait de plus en plus à un déluge et le tonnerre grondait toujours.

Il indiqua aux hommes la direction et engagea son engin. L'eau ruisselait et la montée devint rapidement plus périlleuse. Les roues tournaient à vide et le manque de traction rendait la conduite hasardeuse. L'humidité sciait les os du lieutenant. Ses vêtements inconfortables étaient trempés et boueux.

À deux cents mètres du sommet, Sneak sauta d'un bond de la remorque et se rua vers le haut à grandes foulées, passant comme une flèche à côté de Duval. À voir le chien décamper, il crut que ça y était. Il essaya de suivre la cadence, mais son véhicule glissait sur le sol vaseux. Il pesta : si les conditions se dégradaient encore, ils ne pourraient plus se rendre aux gîtes avec les VTT.

Le refuge était tapi entre des conifères. L'attention de Duval se tourna vers Sneak, qui tournait autour d'un objet caché sous les sapins. Le cœur du lieutenant battait la chamade. Le berger allemand avait flairé quelque chose et c'était forcément lié à l'enquête.

Le VTT de Duval s'immobilisa à quelques mètres du chien, qui se tenait immobile. Les policiers s'approchèrent. Madden tapota la tête de son chien pendant que Duval dirigeait l'éclairage de sa torche vers un sac de guimauves vide de marque Kraft.

— Il est passé par ici.

— Bon chien ! dit Madden en le récompensant.

Sneak se releva aussitôt et fila devant la cabane, où il se figea net de nouveau. Les enquêteurs se déplacèrent. Il s'agissait cette fois d'un mégot.

Duval le tourna avec une branche pour voir la marque. Mark Ten, comme dans le cendrier de la voiture. Il le recueillit et le déposa dans un sac d'échantillons.

— Simard est toujours sur les traces de l'enfant.

— Et nous sur les leurs, dit Francis.

Le vent soufflait de plus en plus fort, secouant les trembles qui ployaient les uns sur les autres. Le ciel tourmenté était encore plus strié d'éclairs.

Avec leur torche, les enquêteurs passèrent plusieurs minutes à chercher d'autres indices, en vain. Le refuge était vide, il n'y avait rien à signaler. Sneak avait trouvé ce qu'il y avait à trouver.

Duval prit le porte-voix, appela Vincent à plusieurs reprises, mais ne reçut en retour que des coups de tonnerre. Il regarda sa montre et fut étonné de constater qu'il était déjà une heure du matin. Il n'avait pas vu le temps passer.

— Samuel, Francis, rendons-nous au point de ralliement. Harvey doit déjà être là.

L'état de la pente représentait un risque de tous les instants. Un raidillon obligea le lieutenant à mettre les freins avant et arrière, mais le VTT glissa quand même en zigzaguant. Duval se mit au neutre et reprit *in extremis* le contrôle du véhicule dans une partie moins pentue. Toute la côte ressemblait à un ruisseau et les roues du VTT sous-viraient continuellement.

Il leur fallut quinze minutes pour rallier sains et saufs le chemin. Arrivé en bas de la montagne, Sneak, désorienté par la pluie, tourna un bon moment en rond, le museau sur le sol détrempé, puis indiqua enfin que la piste continuait vers le nord. De toute manière, et en toute logique, pensa Duval, le garçon avait dû maintenir son cap.

Le lieutenant avait estimé qu'ils étaient encore à une dizaine de kilomètres du lieu où devait les attendre Harvey. Les VTT filaient à vive allure et Francis avait pris la pole position, suivi de Madden puis du lieutenant. Chacun conservait une bonne distance, car les véhicules projetaient de longs jets de boue tant le chemin était gorgé d'eau.

Fatigué, le lieutenant aurait souhaité faire une pause, boire un café, mais Louis avait remis les thermos de café et les sandwichs à Harvey, qui les avait placés dans un compartiment de son VTT.

La lumière de frein du véhicule de Francis s'alluma subitement, puis celle de Madden. Duval freina sec et faillit emboutir la remorque du tout-terrain. De la main, Francis lui fit signe qu'il y avait un problème devant eux. Le ponceau enjambant un ruisseau qui se jetait dans la Ouiatchouan avait cédé. Francis, le visage dégoulinant de pluie, descendit de sa monture pour évaluer la situation. Duval et Madden le rejoignirent.

— Maudite calvette ! Harvey est peut-être passé sans savoir qu'on est maintenant pris derrière.

Le tablier, de travers, s'était détaché et sa partie avant était à plus de deux pieds de l'autre rive. En dessous, le ruisseau, gonflé par la pluie abondante, se donnait des airs de rivière. La pente boueuse, trop à pic, ne pouvait être franchie sans risque par les véhicules.

— Je crois qu'on pourrait traverser en redressant le tablier et en remblayant avec du bois mort, lança soudain Francis.

— Tant qu'à être mouillés, dit Madden en secouant la tête de dépit. Et Sneak, lui, a décidé qu'on devait traverser.

Le berger allemand était déjà rendu de l'autre côté et jappait pour qu'on l'y rejoigne, preuve que Vincent était aussi passé par là.

Chacun descendit la rive boueuse en se tenant à la partie du pont qui avait résisté. Sans outils, il leur fallait relever et replacer le pont sur ses poutres. À la force des bras, ils parvinrent tant bien que mal à redresser le tablier, mais il restait toujours un vide de trente centimètres entre son extrémité et l'autre rive.

Fébrile, Tremblay s'activa à ramasser du bois mort pour combler le trou. Madden et Duval étendirent un tapis de branches par-dessus pour relier le tablier à la rive. Ainsi arrangé, le pont, souhaitaient-ils, serait assez solide pour leur offrir au moins un aller simple.

Francis monta sur l'ouvrage pour tester sa solidité. Il sauta sur le tablier et fit signe à ses collègues que le ponceau tiendrait. Afin de confondre Madden le sceptique, il passa le premier. Les branches, non fixées, se déplacèrent au passage du VTT, mais le pont resta droit. Madden traversa à son tour, puis Duval.

L'avancée vers le nord reprit de plus belle sous le déluge qui ne faiblissait pas. Mais à trois kilomètres de leur destination, la guigne se poursuivit. Des épinettes avaient été déracinées, emportées par un éboulis, et trois grosses pierres obstruaient la voie. Duval regarda le cap vertigineux duquel les morceaux de roc s'étaient détachés. Aucun moyen de les contourner. Il était impossible de passer par la gauche et le talus à droite piquait vers la rivière de façon beaucoup trop abrupte pour qu'ils puissent espérer passer là avec les VTT.

— Tabarnak ! Pas encore ! grommela Tremblay.

— Pour moi, c'est Harvey qui roule trop vite ! dit Madden pour détendre l'atmosphère.

Tremblay, qui avait épousé Adèle Marino récemment mais la forêt dès son enfance, chercha aussitôt une solution.

— On va pas rester bloqués par des hosties de cailloux, câlice.

Francis gratta ses cheveux mouillés, essuya ses lunettes. La plus imposante des pierres faisait plus d'un mètre cube. Ils essayèrent de la déplacer à trois. Elle bougeait un peu, mais il aurait fallu un tracteur pour la déloger de là. Toutefois, en roulant la plus petite et en basculant l'autre, dont le poids reposait sur une arête, les VTT pourraient passer.

Tandis que les trois policiers s'activaient à la tâche,

Sneak se mit à geindre et à japper. Les hommes s'arrêtèrent, surpris.

— Qu'est-ce qu'il a, lui ? Je l'entends jamais japper comme ça… commença Madden…

C'est à ce moment que le sol se mit à trembler.

Comme trois chevreuils apeurés, ils se ruèrent vers le talus. Du haut de la falaise, un nouvel amas de rochers et de la boue tombaient à grande vitesse, couchant les arbustes sur leur passage. L'éboulis traversa le chemin avec fracas. Des pierres de toutes tailles continuèrent leur ruée jusqu'en bas du talus pour finir leur course dans la Ouiatchouan, mais les policiers s'étaient blottis d'instinct derrière les plus gros troncs et ne furent pas touchés. Après le vacarme, il y eut encore une chute de petits cailloux et une coulée de poussière de pierre, aussitôt rabattue au sol par la pluie diluvienne. Le silence relatif qui suivit fut vite rattrapé par le torrent de la rivière et la pluie qui continuait à noyer la région. Les trois collègues se regardèrent, s'estimant bénis d'être encore en vie. Sneak rejoignit son maître.

— Bon chien !

Il reçut une bordée de compliments et de gros câlins de la part des policiers. Il avait senti que le roc allait s'arracher à la falaise et leur avait probablement sauvé la vie. Madden lui offrit quelques biscuits.

— En voulez-vous ? offrit-il à la blague à ses collègues.

— Si au moins tu lui donnais des Whippet, répliqua Tremblay.

— Si je faisais ça, il y aurait toujours des policiers pour lui chiper ses biscuits.

Ils remontèrent jusqu'au chemin et Duval examina la situation. Dans leur malheur, ils avaient eu de la chance. La plus grosse partie de l'avalanche avait roulée sur le véhicule de Francis, une perte totale. À

travers l'amas de boue, de rocs et de branches ar-
rachées, on voyait le cadre d'acier plié, la fourche
tordue... Le véhicule de Madden, stationné plus en
arrière, avait été partiellement écrasé, ainsi qu'une
partie de la remorque. Il ne restait plus que le VTT
de Duval en état de poursuivre la route. Mais il était
du mauvais côté de la coulée.

— On ne va pas rester pris ici, tabarnak! jura le
lieutenant, choqué par la situation.

Il alla prendre sa torche dans le compartiment à
bagages et regarda l'heure. Plus d'une demi-heure
qu'ils faisaient du surplace!

Pendant que Madden vérifiait l'état de l'équipement
qui se trouvait dans la remorque, Francis s'activait de
nouveau comme un chien fou. Il localisa trois grosses
billes de bois et les roula jusqu'au chemin.

— Si les Égyptiens, ciboire, ont réussi à construire
des pyramides avec cette technique-là, on devrait
pouvoir déplacer c'te maudit tas de grosses crisses de
roches.

— Non, non un instant! dit Duval en dirigeant le
faisceau de sa torche pour observer l'éboulis.

Il balaya visuellement la scène, en passant une
main sur son visage pour chasser l'eau, à la recherche
d'un passage. Il y avait jusqu'à trois couches de pierres.
Il se tourna pour s'adresser à ses deux collègues.

— On va plutôt hisser à la main le VTT et on va
le passer de l'autre bord. Après tout, on appelle ça
un véhicule tout-terrain...

— As-tu vu les cavités entre les roches? On risque
de se faire mal, Dan, on voit rien et c'est très lourd,
un VTT, riposta Francis.

— Oui, mais c'est moins pire que de déblayer tout
ça! Les pneus vont trouver un appui. Nous aussi.
Une fois que le VTT sera bien appuyé, on démarrera
le moteur. On n'aura pas à forcer trop fort, juste pour

le lever et le maintenir en équilibre le temps de l'amener un cran plus haut, appuyé sur une autre roche. OK, on n'a plus une minute à perdre. J'ai ma torche, Samuel a récupéré la sienne. On va les accrocher à différents angles sur le VTT pour voir où on met les pieds.

Francis hocha la tête, pas très sûr des chances de réussite du plan du lieutenant. Il eut l'idée d'utiliser la corde de nylon jaune qui se trouvait dans un compartiment de la remorque pour fixer les torches. Duval prit position sur la première rangée de pierres de la coulée, rendue glissante par la pluie. Le lieutenant s'assura de ne pas perdre pied lorsqu'il aurait à forcer. Francis et Madden levèrent l'avant du VTT et appuyèrent les roues sur les pierres. Duval se pencha pour attraper les guidons. Une fois que chacun fut prêt, le lieutenant cria à ses collègues de forcer. À grand renfort de jurons et de « ho hisse », ils amenèrent les roues arrière du véhicule sur les pierres où se trouvaient précédemment les roues avant. Le VTT, presque debout, était en équilibre fragile. Duval, au lieu de mettre en marche le moteur, serra plutôt les freins pour le stabiliser le plus possible, puis il grimpa d'un autre niveau. Madden et Francis montèrent à leur tour sur le tas de pierres, qui montrait des signes d'instabilité. Sneak aboya. Une petite coulée de cailloux roula du haut de la falaise et chacun se figea, regardant les autres avec anxiété tout en maintenant tant bien que mal le VTT dans sa position précaire. Au bout d'un instant, le travail reprit. Duval desserra le frein arrière, donna l'ordre de forcer et ils réussirent à élever de nouveau leur charge jusqu'au prochain appui. Ils répétèrent encore une fois l'opération et le VTT se retrouva plus ou moins à l'horizontale sur le dessus de l'éboulis. Les policiers firent une pause avant d'entreprendre la descente. Duval attrapa sa torche et détermina un tracé, qu'ils attaquèrent en serrant les dents. Après bien des efforts et plusieurs sacres, le tout-terrain toucha enfin la terre boueuse mais plane du chemin forestier.

Le lieutenant l'enfourcha et démarra le moteur. La pluie avait cessé depuis quelques minutes, mais Duval était trempé des pieds à la tête, sensation qu'il détestait. Pendant que Madden décrochait les torches du véhicule, Francis retourna à la remorque récupérer sa 30-30 et les munitions qui, heureusement, n'avaient souffert ni du choc ni de la pluie. Duval regarda le ciel. Des étoiles perçaient enfin le dôme gris et les constellations imprimaient leur géométrie sur la toile céleste. Il savait qu'il devait maintenant prendre une décision qui ferait un malheureux. Il tourna son regard vers Madden.

— Écoute, Samuel, je pars avec Francis pour aller rejoindre Harvey. Toi et le chien, vous attendrez ici que les renforts viennent vous chercher.

Le maître-chien afficha une mine renfrognée.

— Comment vous allez faire pour suivre la piste du garçon?

— Avec cette pluie qui a tout lessivé, Sneak n'est plus aussi efficace, tu le sais bien, Samuel.

Madden hocha la tête et s'assit sans plus de façon sur une des grosses roches. Sans qu'il s'en aperçoive, sa main droite flattait déjà le dessus de la tête de son chien.

Francis s'installa derrière Duval. Sneak jappa, trouvant sans doute injuste qu'on le laisse en plan avec son maître. Après tout, c'est à lui que l'on devait cette piste.

Duval ouvrit les gaz et le VTT fonça vers leur rendez-vous.

SIXIÈME PARTIE

AUX PREMIÈRES LUEURS DE L'AUBE

44

Le ciel commençait à s'éclaircir. Les bleus clairs qui préludent aux lueurs de l'aube facilitaient le repérage. Tout en longeant la Ouiatchouan, de plus en plus agitée, Duval continuait à s'accrocher à l'idée que tous leurs efforts en vaudraient la peine malgré les nouveaux malheurs qui s'étaient abattus sur eux.

Il y avait eu tout d'abord l'absence de Harvey au point de rencontre, ce qui avait surpris les deux enquêteurs. Ils étaient montés au refuge, où ils n'avaient remarqué aucune trace du passage de qui que ce soit. Après être redescendus, ils avaient attendu quelque temps. Le lieutenant avait essayé de joindre un interlocuteur avec son talkie-walkie, sans résultat. Puis il avait décidé de poursuivre les recherches sans plus attendre. En deux heures, lui et Francis avaient inspecté quatre autres gîtes de montagne, tous plus vides les uns que les autres, et chaque fois l'angoisse du lieutenant s'était haussé d'un cran. Où donc se trouvait Vincent ? Et Simard ? Qu'était-il advenu de Harvey ? Et pourquoi les renforts n'arrivaient-ils pas ? Le véhicule survira dans un virage serré et balança une gerbe de boue. La pluie terminée, les moustiques cherchaient de nouveau à planter leur dard dans la peau des enquêteurs. Francis tapa soudain sur l'épaule de Duval et lui montra le panneau qui indiquait une brusque bifurcation et une forte pente.

Le lieutenant ralentit l'allure et descendit d'une vitesse pour s'engager dans la courbe puis attaqua la première partie de la côte. Les roues patinaient parfois sur le sol vaseux malgré les crampons. Puis l'inclinaison devint moins brutale. Au bout de deux minutes, le VTT arrivait au sommet et Duval remarqua que le chemin était plus rocailleux, mieux entretenu. Il reprit de la vitesse et tout à coup la forêt s'ouvrit devant lui et il aperçut en contrebas, à deux ou trois kilomètres, un village. Francis avait vu lui aussi et, comme il était souvent venu chasser près du lac Bouchette, il sut aussitôt quel était ce village.

— C'est Val-Jalbert, Daniel. On est rendus au village fantôme.

Duval s'arrêta pour mieux étudier le panorama. Vers 1900, on avait fondé à cet endroit une pulperie et on y avait construit un village très moderne pour l'époque, appelé Ouiat-Chouan, comme la rivière. La population avait l'électricité, un système d'aqueduc moderne. À l'ouest, la rivière se jetait dans une chute vertigineuse qui alimentait la pulperie en électricité. Tout était réuni pour assurer le succès de l'usine. Dans les années dix, Val-Jalbert comptait jusqu'à quatre-vingts maisons. Puis le malheur semblait s'être établi au village. La grippe espagnole s'était montrée cruelle et avait planté ses croix noires aux portes des jolies maisonnettes. Le fondateur, Damase Jalbert, était mort à peine quelques années plus tard. Les Américains avaient alors racheté l'usine, mais en avait fermé les portes peu avant la Crise en

raison de la faible demande de pulpe de bois. L'espoir
d'une vie meilleure était alors mort dans ces lieux.

— Écoute, Francis, je pense que si Vincent a vu
ce qu'on voit d'ici, il a pu être berné et croire qu'il
s'agissait d'un vrai village.

Il imaginait le garçon qui, après avoir vécu un enfer
de plusieurs jours, avait peut-être cru trouver enfin
du secours, pour finalement s'apercevoir qu'il n'y
avait personne dans ce village. Puis une pensée traversa l'esprit du lieutenant et lui glaça l'échine : aux
yeux de Simard, Val-Jalbert constituait sûrement
l'endroit idéal pour conclure son massacre. C'était le
pire des scénarios. Mais peut-être Vincent avait-il
continué son chemin ? Après tout, Val-Jalbert n'était
qu'à cinq kilomètres de la route 169...

— Qu'est-ce qu'on fait ? demanda Tremblay.

— On se rend tout de suite là-bas.

Duval essaya encore une fois de communiquer
avec son talkie-walkie, mais pas un de ses collègues
ne répondit.

— Je n'arrive pas à comprendre ce qui est arrivé
à Harvey. Normalement, il aurait dû nous rejoindre.

— Il a peut-être eu un pépin mécanique.

— Peut-être, mais pourquoi n'avons-nous pas
encore vu la moindre trace de l'équipe de renforts qu'il
devait nous envoyer ?

Duval se remit en route. Malgré les pluies torren-
tielles, le chemin était moins glissant, ce qui lui permit d'atteindre une meilleure vitesse. Dans le rétroviseur, le ciel bleuissait à la barre du jour mais demeurait sombre au nord, la direction qu'ils suivaient.
Ils traversèrent un pont au-dessus de la rivière.

En contrebas s'étendaient de belles terres val-
lonnées. Le véhicule gravit un raidillon et déboucha
dans la partie sud-ouest du village. Duval ralentit afin
qu'ils puissent scruter attentivement les lieux tout

autour. Il n'avait jamais vu auparavant le village fantôme. Il fut époustouflé par la beauté des lieux, son intégration harmonieuse à la nature. Les constructeurs avaient eu un véritable souci d'urbanisation en érigeant les bâtiments sur des terrains bien cadastrés. Les maisons à deux étages, en bardeaux de cèdre, avaient des toits à double versant. L'ordre des formes et des lignes bien arpentées contrastait avec les dégradations que les maisons avaient subies. Toutes pareilles au départ, le passage du temps les avait ravagées selon ses caprices. Face à une maison toujours debout, une autre s'était affaissée. Un bouleau avait poussé à travers la fenêtre d'une autre, un toit éventré laissait pendre des madriers et entrevoir des bouts de ciel. Une autre encore semblait sur le point de s'écraser par le centre.

Val-Jalbert était divisé en une partie basse et une partie haute. Une côte menait au centre du village, là où se trouvaient la rue principale et les bâtiments qui formaient le cœur du village, le magasin général, l'église, l'école et, tout près, l'imposante pulperie.

Quand on s'en rapprochait, la chute vertigineuse de la rivière Ouiatchouan envahissait de plus en plus le calme du matin. Les hommes passent, songea le lieutenant, mais la nature reste. Jamais tout à fait intacte à cause du premier, mais elle finissait toujours par reprendre le terrain perdu. La chute, tout aussi impétueuse qu'à la fondation du village, déversait ses tourbillons blancs depuis des millénaires.

Duval et Tremblay fixèrent tout à coup en même temps le ciel. Un hélicoptère de la SQ survola la région à grande vitesse avant de disparaître plus au nord. Duval se demanda si ce déplacement était en rapport avec leur enquête. Peut-être avait-on trouvé le garçon ou Simard ? Mais cela n'expliquait toujours pas l'absence de Harvey et des renforts.

Il scrutait attentivement les alentours quand le carburateur du VTT se mit à tousser. Le lieutenant donna un peu de gaz, mais le moteur s'étouffa. Il se mit aussitôt au neutre pour ne pas perdre son élan et essaya ensuite de redémarrer, mais n'obtint qu'une série de hoquets, puis plus rien. Ils venaient de tomber en panne sèche. Il laissa rouler le véhicule jusqu'à ce qu'il s'arrête de lui-même et se tourna vers Francis.

— Terminus: Val-Jalbert. J'avais toujours souhaité voir le village fantôme, blagua le lieutenant en frottant ses yeux fatigués, mais pas dans ces conditions.

— Il fallait bien que ça arrive.

— J'ai faim. La pizza est loin.

— Ouais. J'avalerais bien la moitié du *buck* qu'on a vu cette nuit !

Ils étaient descendus du VTT et arpentaient lentement le chemin du village en regardant tout autour d'eux dans l'espoir de trouver un indice du passage du jeune Vincent. Francis replaçait sa carabine sur son épaule quand un assourdissant bruit de ferraille fit tressaillir les deux hommes. On eût dit un concert d'enclumes ou une structure métallique qui s'affaissait. Les sons s'enchaînaient comme dans un sinistre ensemble de percussion.

— Pas si fantôme que ça, le village, lança Francis en armant aussitôt sa Remington.

— On dirait que ça vient de la pulperie, dit Duval.

Ils se précipitèrent. Plus ils s'approchaient de l'ancienne usine, plus le bruit de la chute répandait sa fureur.

Tout en courant, Duval regarda sa montre : 4 h 08.

— Je crois que c'est l'heure V.

— V pour quoi ?

— V pour Vérité : je pense qu'on va savoir enfin ce qui…

Une détonation puissante coupa net la réflexion de Duval. Le projectile passa à quelques centimètres d'eux, puis un second coup de feu déséquilibra Francis, qui mit sa main sur son épaule.

— Crisse, Dan, je suis touché ! Ayoye, tabarnak, ça chauffe !

— Vite, derrière l'arbre ! cria Duval en entraînant son collègue.

Ils se planquèrent derrière un gros orme.

Duval aida son collègue grimaçant à s'adosser au tronc et examina la blessure. La balle était entrée dans l'épaule pour ressortir sous l'aisselle. Quelques centimètres de plus et l'artère carotide était atteinte.

Francis était incapable de mouvoir son bras.

— C'est pas trop grave, mais ça brûle en maudit.

Comme la blessure saignait abondamment, Duval déchira une large bande de tissu de son gilet en coton pour en faire un garrot.

— J'avais toujours dit que je te donnerais ma dernière chemise, blagua le lieutenant, mais Francis avait trop mal pour sourire.

— De quelle direction venait la balle ?

— De là d'où provenait le vacarme, de l'usine.

La trajectoire descendante de la balle suggérait que le tireur se terrait au dernier étage de la pulperie, ce qui constituait un poste de tir idéal. Duval pencha la tête de côté pour analyser la situation. De biais, l'usine de pâte et papier s'étendait sur la longueur d'un demi-terrain de football. Ses murs en grosses pierres grises lui donnaient un air de citadelle.

Duval avisa un autre arbre d'envergure qui avait poussé encore plus près de l'usine. Une trentaine de mètres l'en séparait. Il inspecta la blessure de Francis. Le garrot improvisé semblait remplir efficacement sa fonction.

— Tu ne bouges pas d'ici, Francis.

— Mais…

— C'est un ordre.

Duval tapota l'autre épaule de Francis pour atténuer la sécheresse de sa dernière phrase, puis il se mit en position. Dès qu'il s'élança, un autre coup de feu retentit. Le tireur était bel et bien embusqué dans l'usine. Duval modifia au jugé sa trajectoire et atteignit sans encombre sa destination. Il se trouvait maintenant à moins de dix mètres du mur en moellons gris. Les ouvertures des fenêtres étaient béantes mais risquées d'accès. Il se mettrait trop à découvert.

Un coup de feu ricocha sur la pierre en faisant fuser des étincelles et, derrière lui, Duval entendit la course de Francis qui le rejoignait, sa Remington à la main.

— Je t'avais donné un ordre, pesta le lieutenant.

Essoufflé, Francis suggéra à Duval d'échanger son revolver contre la 30-30, semi-automatique. Francis ne pouvait utiliser sa carabine, mais un revolver ne lui poserait pas de problème.

— Je vais pouvoir mieux te couvrir ainsi.

Duval hésita puis accepta l'échange. La Remington, dotée d'une lunette télescopique, permettait un tir nettement plus précis. Il repéra un soupirail ouvert au ras du sol. Une fois dans la cave du bâtiment, il pourrait profiter du camouflage que lui procurerait la pénombre du lieu pour remonter aux étages supérieurs. L'endroit était vaste, Duval croyait qu'il pourrait coincer Simard sans trop de difficulté.

Un carreau de fenêtre en haut de l'usine éclata vers l'extérieur et une pierre roula sur le terrain en contrebas. Francis, qui avait aperçu une silhouette, tira un coup dans sa direction.

Duval se tourna vers son collègue.

— Pendant que je fonce vers le soupirail, tu fais feu à volonté.

Francis commença le tir et le lieutenant, carabine 30-30 à la main, sprinta en se courbant. Le forcené tomba dans le piège en tirant vers l'arbre et non sur Duval, qui se jeta la tête la première dans l'ouverture et boula sur le plancher de terre battue en protégeant son arme du mieux qu'il put. Le vaste trou noir empestait les excréments d'animaux et l'humidité.

Duval n'y voyait rien. Il n'avait pas sa torche. Mais puisque l'aube se levait, il se dit qu'il ne tarderait pas à y voir clair. Il souhaitait même que Simard vienne le rejoindre en bas, il aurait alors un avantage sur lui pendant quelques instants. Mais il n'entendait rien au-dessus de lui, comme si Simard demeurait embusqué à son poste à l'étage. Duval avançait à tâtons, cherchant un moyen d'accéder au rez-de-chaussée, quand l'affreuse percussion de quincaillerie reprit à travers un étrange délire de cris assourdis par le bruit de la chute. Il entendit ensuite des bruits de courses, puis un coup de feu fut tiré.

La vision de Duval s'adaptait tranquillement à son environnement et il pouvait enfin distinguer les poutrelles de soutènement, le contour des murs, le plafond… Il examina ce dernier, qu'il pouvait toucher à bout de bras. Il aperçut dans un coin deux planches qui avaient été enlevées. Mais jamais il ne pourrait s'y glisser, l'ouverture étant trop étroite. Il entendit de nouveau des pas au-dessus de lui. Duval, qui n'avait pas aperçu la silhouette à la fenêtre de l'usine, se demanda brièvement si ça pouvait être quelqu'un d'autre que Simard. Quelques instants plus tard, il entendit les pas rebrousser chemin puis un cri indescriptible, comme celui d'un chanteur rock en train de délirer. C'était bel et bien Simard.

Duval trouva une vieille caisse de bois. Sans faire de bruit, il l'amena en position et, grimpant dessus, il glissa prudemment la tête par le trou du plafond.

Les yeux au ras du plancher vétuste de la pulperie, il jeta un regard circulaire sur le vaste espace tout empoussiéré. Il avait devant lui beaucoup de machines rouillées, à l'abandon, du bois pourri, de la pierre et, à travers les fenêtres, la chute Ouiatchouan. Il ne vit Simard nulle part. Un nouveau cri perçant venu de très haut le mit sur le qui-vive. Il aperçut la mezzanine, l'escalier qui y menait. En équilibre instable, il tenta d'agrandir l'ouverture dans laquelle il s'était engagé. Il n'eut pas à forcer beaucoup : les planches étaient vermoulues et il en délogea deux facilement. Il attendit pour vérifier si le bruit qu'il avait fait avait attiré l'attention du tueur, en profita pour prendre son arme et la poser sur le plancher, puis il s'extirpa à la force des bras. Il se faufila aussitôt entre les cuves en direction de l'escalier, qu'il monta le plus silencieusement possible, l'arme en position de tir.

Soudain, alors qu'il regardait vers le haut, un visage de profil s'imposa un peu à la droite de son champ de vision. Son cœur s'arrêta l'espace d'un battement : c'était celui de Vincent Parent !

Il avait retrouvé Vincent, il était toujours en vie !

Le garçon semblait être tout près du plafond de la pulperie, coincé à l'extrémité d'une des passerelles qui couraient tout au long de l'édifice juste sous le toit. Duval voulut lui signaler sa présence, mais il s'aperçut que Vincent paraissait terrorisé par quelque chose que le lieutenant ne pouvait voir de cet angle en raison des nombreuses poutres et poutrelles de la structure. Il descendit de quelques marches afin de mieux saisir la situation et comprit en distinguant, à l'autre extrémité de la passerelle, Joey Simard, qui avait coincé l'adolescent. Duval redescendit l'escalier pour retrouver l'aplomb du plancher puis il dégagea le cran de sécurité de la Remington et épaula. Il n'avait pas tiré depuis longtemps, mais heureusement l'arme était munie d'une lunette télescopique. Au même moment, Vincent enjamba le garde-fou de la passerelle et sauta sur une poutre perpendiculaire qui menait à l'autre passerelle afin d'échapper au tueur. Duval aurait voulu ne pas crier, car il craignait de faire tomber Vincent sous le coup de la surprise, mais il devait absolument distraire Simard, qui levait son bras armé vers le garçon.

— Joey! On est venus te chercher pour te donner des soins.

Simard se retourna à toute vitesse et tira au jugé une balle qui siffla au-dessus de la tête du lieutenant. Le policier se cacha derrière une cuve.

Vincent avait atteint le tiers de la longueur de la poutre en bois. Simard tira un deuxième coup en direction de Duval, puis chevaucha à son tour le garde-fou et avança sur une autre poutre parallèle à celle où se trouvait Vincent. Il semblait plus à l'aise que le garçon dans les hauteurs. Duval épaula de nouveau la Remington, visa sa cible, retint son souffle pour maximiser la précision du tir, mais alors qu'il s'apprêtait à presser la détente, la poutre sur laquelle se trouvait Simard céda dans un bruit fracassant. Elle s'affaissa brusquement et entraîna avec elle le tueur, qui s'accrocha tant bien que mal, mais aussi une partie des chevrons et des solives qui firent vaciller lentement les autres poutres, dont celle où était Vincent. Comme dans une scène au ralenti, Duval vit toute la structure s'effondrer de guingois sur la mezzanine en générant un gigantesque nuage de poussière. Le choc secoua tout le bâtiment. Duval, qui n'y voyait plus rien, se rua néanmoins à l'étage. Il avançait avec précaution dans les débris sur la mezzanine quand il crut apercevoir un fantôme noirci de suie courir et se jeter par une fenêtre dans le bassin de la chute. Puis la tête d'un garçon, tout empoussiérée, s'extirpa des décombres, l'air effarouché comme une bête sauvage. Duval courut vers lui en lui criant de ne pas avoir peur, qu'il était de la police. Le lieutenant était soulagé : la poutre sur laquelle se trouvait Vincent s'était inclinée si lentement que le jeune avait évité de graves blessures, même s'il saignait manifestement du nez et toussait à fendre l'âme.

— Vincent, je suis le lieutenant Duval, n'aie pas peur. Tout va bien aller maintenant. Viens ! On va prendre soin de toi. Il faut sortir d'ici. Tu n'as plus rien à craindre.

Le lieutenant l'aida à se relever. Le garçon grimaça.

— Je me suis blessé au pied.

Il boitait. Sa cheville ou son pied gauche semblait foulé ou cassé. Vincent était sale, rongé par les piqûres de moustiques, ses vêtements déchirés et charbonneux. Sa main droite avait doublé de volume. Ses yeux clairs contrastaient avec la noirceur de son visage.

— Ne t'en fais pas, je vais te porter.

Duval se pencha et le hissa avec délicatesse sur ses épaules afin de ne pas heurter le pied blessé, puis il le tint solidement par les jambes.

Avant de sortir, il jeta un coup d'œil à la fenêtre où grondait la chute. Le bassin écumeux était large et profond. Un plongeon de cette hauteur était loin d'être mortel. Mais Simard savait-il nager ? Alors qu'il retraitait vers la sortie de la pulperie avec Vincent, le lieutenant entendit Francis crier son nom, puis il y eut la détonation d'un coup de feu.

— Il se sauve. Daniel, vite ! Devant l'usine.

Dans sa précipitation, Duval fonça vers la porte, mais elle était verrouillée.

— Il faut passer par les fenêtres, dit Vincent.

Duval maudit son étourderie et se précipita vers l'une des ouvertures béantes. Au moment où il arrivait devant l'une d'elles, il aperçut Simard qui fuyait dans la rue principale. Passer le blessé de l'autre côté requit une gymnastique considérable. Il fallut asseoir Vincent sur le bord de la fenêtre, puis le lieutenant sauta par l'ouverture, s'étira pour saisir Vincent et l'amener de l'autre côté. Il le porta ensuite, moitié courant moitié marchant, sur son épaule droite. Il retrouva Francis assis contre l'arbre où il l'avait laissé. Hors d'haleine, exténué, Duval déposa Vincent à côté de son collègue.

Toute l'attention de Francis se porta aussitôt sur le garçon au visage sombre.

— C'est toi, Vincent? Content de te retrouver, mon garçon. J'étais sûr que ce serait le cas.

Le garçon hocha la tête, encore sous le choc. Il semblait ne pas y croire : il était sauvé.

— Il est blessé à un pied et sa main droite est infectée, fit remarquer Duval.

L'adolescent observait la blessure du policier. Le pansement de fortune maculé de sang et tout effiloché tenait le coup.

— Eh oui, on est tous les deux mal en point. Mais ça, c'est pas grave !

Le revolver de Francis se pointa vers un bâtiment surmonté d'un campanile avec un portail soutenu par des colonnes.

— Je l'ai vu entrer à l'intérieur de l'école, Daniel.

— Tu veilles sur Vincent tandis que je m'occupe de Simard.

En entendant le nom, le garçon parut surpris, comme si le prédateur ne pouvait avoir d'identité autre que « le Brûlé ».

Le lieutenant longea la cour arrière du magasin général, puis se faufila derrière une série de petits cottages en rangée à deux étages qui l'amena jusqu'à l'école. Un long ruban de la CSST interdisait l'accès au bâtiment. L'accident qui avait forcé la fermeture temporaire du village historique s'était produit là. Il inspecta minutieusement la disposition des lieux. Il lui fallait éviter de passer par l'avant, où Simard avait dû se poster. Une large baie sur le côté d'une salle de classe lui permettrait de s'immiscer à l'intérieur.

En position de commando, il courut jusqu'au mur visé. De l'extérieur, il voyait le tableau noir et une carte géographique d'une autre époque. Il chercha par terre un objet pour fracasser la vitre, n'en trouva pas. Il se servit de la crosse de la 30-30 pour casser le panneau de verre, puis du canon pour enlever le reste des fragments. S'appuyant contre le châssis, il se hissa dans la pièce, prêt à tout : Simard avait dû entendre le bruit qu'il avait fait. Son cœur s'emballa quand il aperçut une figure de cire derrière un bureau, celle d'une religieuse qui le regardait comme un élève pris en faute. Le réalisme de la réplique l'impressionna. Elle semblait vivante avec sa cornette et ses traits jaunasses et cireux, comme ceux qui souffrent du foie. Il ressentit un affreux vertige, car il avait été agressé et battu par des religieux durant son enfance. Une image repassa dans sa tête. Il était étendu par terre, avec du sang sur la nuque. Sœur Marie Léa l'avait poussé de toutes ses forces. Sa tête avait frappé le coin du calorifère. Avec des yeux menaçants, la religieuse au-dessus répétait sa défense comme un « Je vous salue, Marie » : « Tu ne le diras pas à tes parents, tu es un grand garçon, maintenant. » *Ne pense pas à ça*, s'enjoignit le lieutenant. Il traversa la classe et se cacha derrière une armoire massive en chêne dont un panneau était ouvert. Il entendait le souffle intense de sa respiration. La salle de classe lui rappelait l'école de son enfance : les petits pupitres à rabats munis d'un porte-encrier, la table du maître sur une tribune, le globe terrestre sur un meuble en bois, l'alphabet au-dessus du tableau noir en lettres attachées, majuscules et minuscules. Une bible reposait sur un lutrin à côté d'une statue de saint Joseph. Une icône du Christ sanguinolent et le visage en sueur, rappel de la brutalité de l'espèce, semblait le suivre du regard. Il passa devant l'armoire, ouvrit l'autre panneau pour se protéger, regarda à travers la porte vitrée de la classe. Il tourna la poignée, entrouvrit la porte lentement sur le corridor. Il voulut dégager le cran de sécurité de la Remington, s'aperçut que, dans l'énervement de la situation à la pulperie, il avait négligé de le remettre. Il se réprimanda pour cette faute d'inattention qui aurait pu être dangereuse alors qu'il portait Vincent.

Le couloir séparait trois autres salles de classe au-delà desquelles il distinguait la rampe d'un escalier. Il avait l'intuition que Simard l'attendait en haut, juste au bout. Mais il lui fallait, avant tout, s'en assurer. Il devait « nettoyer les lieux », comme on disait dans son jargon. Mais faire le ménage en solo devenait plus ardu. Devant lui, de l'autre côté du corridor, se trouvait une nouvelle salle. La porte était fermée. Il s'adossa contre le mur et avança jusqu'au chambranle, la carabine contre sa poitrine. Il tourna la poignée et poussa lentement la porte. Il entra dans la classe, s'accroupit, balaya un large rayon avec son arme. Dans cette classe, un personnage de cire montrait une fillette coiffée de couettes, la tête penchée vers son petit catéchisme. La vue de l'armoire l'angoissa. Elle contenait assez d'espace pour qu'un homme s'y dissimule. Duval s'installa à côté du meuble, tendit le bras pour ouvrir la porte aux pentures grinçantes. Son cœur battait la chamade. Il recula sec, cibla la forme humaine, l'index sur la détente. Le mannequin de cire dans sa soutane boutonnée tomba raide sur le plancher dans un bruit sourd et sec. Dans son énervement, Duval visait toujours le curé. Le long nez rubescent du personnage pendouillait sur sa joue droite. L'air autoritaire du Frère des écoles chrétiennes se superposa sur la figure de cire. Le front du lieutenant perlait de sueur. Le silence de l'école, cette promiscuité et la présence de ce faux prêtre lui donnaient le tournis. *Ne pense pas à ça !* s'ordonna-t-il une nouvelle fois.

Une fois la zone vérifiée, il se dirigea vers la salle de classe contiguë. Elle était vide, elle aussi.

Il avança dans le corridor, en tâchant d'éviter de faire craquer le plancher, mais peine perdue. Les lattes de bois chantaient leur complainte grinçante. Le plancher avait gondolé par manque d'entretien. Les lattes enfonçaient sous les pieds à certains endroits.

Il passa devant une statue délavée de la vierge, ses mains jointes et ses pieds entourés d'un serpent. Au bout du couloir, près du vestibule d'entrée, courait la rampe d'escalier. Ce bel ouvrage en bois dur avait résisté à l'abandon. Duval savait qu'il serait téméraire de monter à l'étage, car il offrirait alors une cible facile au tireur. Il réfléchit à la situation tout en scrutant avec précaution le haut de l'escalier.

— Simard, cria-t-il soudain, descends, tu es coincé maintenant. Si tu te rends, on ne te fera pas de mal. Tu pourras appeler un avocat.

Il entendit une sorte de grognement de cochon. Le bruit se répéta. Simard cherchait-il à le provoquer ? Duval se rappela qu'il avait de la difficulté à s'exprimer.

— Joey, si tu…

Un coup de feu retentit et une balle fit éclater une boiserie. Le désespéré n'entendait pas discuter mais laisser parler les armes. Il valait mieux ne pas monter par l'escalier.

Duval tourna les talons. Il voulait examiner l'arrière du bâtiment afin de chercher un moyen de se rendre à l'étage. Il y avait toujours deux escaliers dans ces vieilles écoles. Il se frayait un passage dans un des espaces de rangement à l'arrière quand Duval entendit au loin l'arrivée d'un véhicule, en fait de deux, puisqu'il discerna l'arrêt de deux moteurs l'un après l'autre. De l'aide, enfin ! pensa-t-il. Harvey était finalement parvenu à obtenir de l'aide !

Alors que les portières claquaient, un coup de feu fut tiré à l'étage, suivi d'un cri à l'extérieur.

— Je suis touché ! hurla quelqu'un.

Duval décida aussitôt de revenir sur ses pas, mais Simard fut plus rapide. Il n'avait pas fait la moitié du chemin qu'il l'entendait dévaler l'escalier avant. Un second coup de feu retentit, suivi d'un autre cri perçant et d'un appel à l'aide.

Quand Duval arriva enfin à la porte avant de l'école, ce fut pour trouver un policier allongé de tout son long alors qu'un deuxième, plus loin, était embusqué derrière la portière de sa voiture. D'un coup d'œil, Duval vit Simard se glisser dans le second véhicule de police et démarrer en trombe. Le patrouilleur qui était près de sa voiture tira deux fois en direction du fuyard, mais sa main tremblait tellement qu'il rata chaque fois sa cible. Puis il aperçut Duval, qui avait toujours la Remington en main, et dirigea rapidement son arme vers lui.

Duval eut un mouvement de recul et il laissa choir son arme avant de lever les mains.

— Ne tirez pas. Je suis le lieutenant Duval de la SQ de Québec. J'avais pris le suspect en chasse. Je travaille sur l'affaire avec le lieutenant Harvey.

Le policier de la Sûreté de Roberval baissa enfin son arme, puis s'engouffra dans l'habitacle de sa voiture où il décrocha l'émetteur pour demander du renfort et une ambulance.

Duval suivit des yeux la trajectoire de Simard, qui roulait à tombeau ouvert vers le chemin boisé qu'il avait emprunté la veille. Il savait bien que le désaxé serait forcé de faire demi-tour à cause de l'éboulis. Il reporta son attention sur le policier.

— Demandez au moins deux ambulances, cria-t-il au patrouilleur, j'ai un collègue qui a aussi été atteint par Simard. Et puis on a retrouvé Vincent Parent. Il est sain et sauf, mais il a probablement une cheville cassée. Mon collègue Madden est également coincé dans le chemin de bois avec son chien. Son VTT a été écrasé dans un éboulis. Mais il est sain et sauf.

Le policier était davantage préoccupé par la blessure de son collègue et ne réagit pas à la nouvelle. Duval s'avança de quelques pas et se pencha sur le blessé. Il gisait toujours au sol dans l'entrée de l'école. Du sang s'écoulait de la vilaine blessure qu'il avait à l'abdomen, mais il semblait conscient. Son visage reflétait la douleur qui l'accablait.

— Courage, l'ambulance s'en vient, lui dit Duval en serrant brièvement l'épaule de son frère d'armes.

— Il a pris mes clés, hoqueta difficilement le policier.

— Je me charge de le rattraper, ne vous inquiétez pas, répliqua doucement Duval, qui constatait les difficultés du pauvre homme. Ménagez plutôt vos forces, les secours seront là dans quelques minutes.

Voyant que l'autre patrouilleur s'amenait enfin, le lieutenant se releva et lui dit :

— Attendez les ambulances ici et passez-moi vos clés, moi, je pars à la poursuite de Simard.

— Mais… voulut protester le policier.

— On n'a pas le temps, le coupa Duval en tendant impérieusement la main. Mon collègue Francis Tremblay est avec Vincent Parent tout près de la pulperie, alors ce serait bien si vous pouviez les avertir que les renforts s'en viennent.

Clés en main, le lieutenant fila vers l'auto-patrouille et appuya à fond sur l'accélérateur de la nouvelle

Reliant. Mais ce récent modèle acheté par le gouvernement en période de récession était aussi lamentable que le précédent, voire pire. Mauvaise tenue de route, accélération ordinaire, suspension trop molle, direction imprécise : un autre citron, jura-t-il en frappant de la paume des mains le volant.

La pédale au fond, il parcourut en sens inverse le chemin qu'il avait fait moins d'une heure plus tôt. L'allant qu'il avait pris lui permit de monter rapidement la longue côte, puis il dut ralentir en entrant dans la forêt, l'état du chemin étant toujours aussi déplorable. Il n'avait pas fait cinq kilomètres que le lieutenant aperçut l'autre Reliant qui fonçait à reculons vers lui. Pour éviter la collision, Duval freina de tout son poids en sacrant, puis embraya en position R et recula à grande vitesse, les yeux dans le rétroviseur. Mais la voiture de Simard se rapprochait dangereusement et Duval, qui ne pouvait accélérer davantage, avisa un petit dégagement. Il braqua soudain en freinant et l'autre véhicule frôla le sien, projetant une rafale de cailloux sur le capot de la voiture. Simard effectua un virage serré en dérapage contrôlé et repartit aussitôt en marche avant.

Duval manœuvra pour tourner lui aussi sa voiture et se remit à la poursuite du tueur. Le pied au plancher, il tentait de le rattraper et, juste comme il voyait de nouveau l'arrière du véhicule, Simard freina brutalement pour s'engager dans un chemin de coupe forestière. Duval l'y suivit. La voiture zigzaguait dans les profondes ornières rendues encore plus boueuses par le déluge de la nuit : heureusement, le chemin était relativement droit. Moins d'un kilomètre plus loin, il entama l'ascension d'une forte pente et la Reliant éprouva toutes les misères du monde à arriver au sommet. En rageant devant la médiocrité du moteur, Duval frappait le volant : « Mais avance, bon Dieu de merde ! » En voyant que le chemin redescendait sitôt après, il laissa le pied au fond, luttant avec le volant pour garder le contrôle de la Reliant qui se dérobait sans cesse. Au bas de la pente, il frisait les cent kilomètres et il aperçut de nouveau la voiture de Simard qui roulait elle aussi à vive allure, mais il la perdit de vue dans un virage où il dut freiner d'urgence pour ne pas s'incruster dans le décor. Les branches d'arbres fouettaient le côté du véhicule. Le chemin devint plus sinueux, mais Duval constata qu'il gagnait du terrain même si l'auto du fuyard tressautait sur les bosses et faisait parfois du vol plané avant de retomber lourdement dans les ornières creusées par la machinerie forestière. Duval se rapprocha à cinquante mètres. Il entendit soudain à la radio que les ambulances étaient en chemin. Il aurait voulu prendre le micro et aviser de sa position, mais il roulait trop vite et voulait raccourcir encore la distance qui le séparait de Simard.

Soudainement le paysage vert qui les enserrait se changea en territoire déboisé. La forêt dégarnie par les coupes à blanc ressemblait à une zone dévastée. Seuls quelques chicots d'arbres avaient échappé au massacre à la tronçonneuse. Après avoir entamé un long secteur plat, les abatteuses et les débusqueuses avaient commencé à ronger la montagne. Même les escarpements à 40 % de déclivité ne leur résistaient pas. Au moins le dégagement visuel facilitait la poursuite.

Duval était à trois mètres de la voiture de Simard quand il se demanda quelle tactique il devait employer pour appréhender sa proie. Si Joey Simard mourait, il n'y aurait pas de procès. Mais il devait empêcher cette bête sadique de s'échapper. Il prit la décision de jouer du pare-chocs pour éjecter Simard de la route. En sortant d'une courbe en survirage, Duval accéléra plus rapidement que Simard et fonça dans l'arrière du véhicule, qui dévia de sa trajectoire. Mais l'autre, bien que secoué, réussit à garder le contrôle. Le lieutenant voulait refaire la même manœuvre au virage suivant quand il aperçut, loin devant eux, une niveleuse rouge qui roulait en direction inverse. Qu'allait faire Simard, qui ne semblait pas vouloir ralentir ? Le conducteur de l'engin klaxonna, puis voyant qu'il s'agissait de véhicules de police qui ne ralentissaient pas, il décida de se ranger le plus près possible du fossé. Simard passa en effleurant la machine et Duval, en jurant, fit de même. Ils s'engagèrent ensuite dans une sinueuse montée escarpée, à pleine vitesse, pour aboutir dans un virage aveugle. Duval se cramponnait à son volant. Le pare-chocs arrière de Simard ne tenait plus que d'un côté, ce qui lui enlevait un peu de vélocité. Le lieutenant en profita dans la descente et, au bas de la pente, il tamponna d'aplomb l'arrière de la voiture et la propulsa hors du chemin. Perdant le contrôle, Simard fit une embardée, et sa Reliant fut catapultée par-dessus le fossé. Elle effectua trois tonneaux dans la zone de coupe à blanc avant de s'immobiliser sur le toit en se balançant d'avant en arrière. Le capot s'était ouvert sous l'impact et le radiateur chuintait en pissant un jet de vapeur.

Duval, qui avait profité du choc pour freiner encore plus vite, sortait de sa voiture, Remington en main, en se demandant si Simard s'en était tiré quand il le vit sauter de la Reliant et faire feu dans sa direction. Le lieutenant se jeta à plat ventre en maudissant son imprudence. La balle siffla à ses oreilles. Il releva la tête et vit que Simard fuyait de nouveau dans la zone déboisée vers la forêt au loin, mais il boitait terriblement. Il était blessé à une jambe. Il n'ira pas plus loin, se félicita Duval en se remettant debout sur le chemin forestier. Puis il réalisa qu'ils n'étaient pas seuls sur les lieux.

Près de la lisière verte, le conducteur d'une abatteuse coupait les arbres à flanc de montagne. Le grappin de la tête d'abattage au bout du bras mécanisé sciait l'arbre à sa base, le tournait à l'horizontale à grande vitesse pour l'ébrancher, l'écorcer et placer le billot sur une haute pile. Un long panache de fumée noire s'échappait de la cheminée de l'engin. En raison de l'angle du véhicule, qui était tourné vers la forêt, le chauffeur n'avait probablement pas vu l'embardée de Simard. Ni ce dernier, qui se dirigeait maintenant droit sur lui.

Duval comprit qu'il n'avait plus le choix. Il épaula la Remington, visa… puis hésita, pris dans un dilemme. Il détestait l'idée de tirer un homme dans le dos, et il souhaitait plus que tout livrer Simard à la justice. Mais il lui fallait aussi protéger ce travailleur forestier. Il abaissa quelque peu le canon pour viser le haut des jambes, puis appuya sur la détente. Simard eut un soubresaut et tomba à plat ventre.

Et se remit à avancer en rampant.

Duval n'en revenait pas. Il voulut s'élancer en direction du suspect, mais ses pieds s'enfoncèrent dans le sol spongieux couvert de branchages. Il était impossible de courir sur une telle surface. En vérifiant la progression de Simard, Duval s'inquiéta : l'autre n'avançait pas vite, mais il se dirigeait vers l'abatteuse. Le lieutenant se rappela soudain que Simard avait été travailleur forestier et cette pensée accrut son angoisse d'un cran. Simard devait savoir que le travailleur qui opérait cette abatteuse avait, comme beaucoup de ses collègues, des bouchons dans les oreilles pour pouvoir endurer le bruit de la machinerie, et qu'il n'avait donc rien vu ni rien entendu de ce qui venait de se passer.

Alors que ces pensées traversaient l'esprit du lieutenant, l'abatteuse fit un demi-tour sur elle-même, puis les chenillettes se mirent en marche en creusant un chemin vers la zone déboisée. Le machiniste semblait avoir aperçu Simard puisqu'il allait dans sa direction. À deux mètres du blessé, il coupa les moteurs et Duval le vit sortir de sa cabine, poser un pied sur une des chenilles. Le policier cria à l'homme de remonter dans sa machine, mais peine perdue, l'autre ne l'entendait pas. Duval épaula de nouveau la carabine, mais Simard étant à terre, il n'avait aucune chance de le toucher. Il tira donc en l'air et, cette fois, le bruit de la détonation alerta le forestier. Il releva la tête et regarda vers Duval et les deux voitures de police. Il se figea un instant, interdit devant cette vision insolite, puis une nouvelle détonation ébranla l'air. L'homme s'affaissa lourdement sur le sol ravagé.

Le lieutenant eut l'impression de recevoir lui-même la balle tant il était choqué. Il épaula rageusement la Remington et tira, même s'il distinguait mal sa cible. Seule une motte de terre se souleva près de Simard, qui rampait avec l'énergie du désespoir. Duval visa, mais le tueur se servit de l'engin comme bouclier. Il grimpa à la force des bras par la porte de l'autre côté pour éviter les balles et démarra le moteur. Il embraya et propulsa l'abatteuse à vive allure vers Duval, qui retraita à toutes jambes jusqu'à la voiture accidentée et se plaça derrière. Simard allongea habilement la flèche et la tête d'abattage dont les scies se mirent à tourner à grande vitesse. En voyant l'engin se diriger droit sur lui, le lieutenant se demanda quoi faire. Il visa la cabine, mais Simard avait prévu le coup et il utilisait l'énorme tête d'abattage comme bouclier en la plaçant entre lui et Duval. Ce dernier tira quand même. Le projectile toucha le fer. Duval pensa une seconde filer vers son auto-patrouille, mais Simard avait toujours son revolver. Ce serait un jeu d'enfant de l'abattre à bout portant.

L'abatteuse s'approchait rapidement et Simard maintenait la tête d'abattage entre lui et Duval. Puis l'abatteuse percuta violemment la voiture accidentée : le bras mécanique se dressa en même temps dans les airs et piqua ensuite vers lui.

Le lieutenant roula sur lui-même. L'une des monstrueuses scies mordit le sol en projetant des gerbes de terre. Pincé par de petits éclats de pierre, Duval se releva en suivant des yeux la tronçonneuse, appéhendant le prochain mouvement. La grue se hissa dans les airs et se rabattit lourdement pour le trucider, mais Duval évita une nouvelle fois la tête d'abattage qui fora avec rage le sol. Le son strident des scies perçait les tympans. Le bras mécanisé remonta brutalement alors que les lourdes chenillettes d'acier grimpaient sur la partie avant du véhicule, qui se retroussa sec de l'arrière. Sous le poids de l'engin, les tôles s'aplatissaient dans un froissement métallique.

En voyant la machine grimper sur la voiture, Duval tenta de se déplacer de façon à pouvoir atteindre Simard de biais. Mais l'autre était diaboliquement habile avec ses manettes, car il faisait virevolter la cabine afin de toujours placer le bras d'abattage entre lui et le lieutenant. Changeant de stratégie, ce dernier visa le moteur en souhaitant toucher le réservoir, mais en vain. Il s'essaya une nouvelle fois et constata qu'il n'avait plus de projectiles. Il voulut prendre la carabine dans la voiture, mais il eut à peine le temps d'entrer la main que l'habitacle était à moitié broyé par le bras mécanisé.

Duval feignit alors de s'éloigner vers la forêt, mais il changea brusquement de direction pour revenir dans le giron de la carcasse dont l'arrière était maintenant dressé comme une sculpture de tôle. Duval avait senti la forte odeur d'essence. Le réservoir fuyait lentement et une large flaque s'étalait au sol. Il s'en voulut pour une fois de ne pas fumer. Il n'avait pas d'allumettes. Il pensa à l'allume-cigarettes de l'auto-patrouille. Il allongea le bras pour presser le bouton et eut juste le temps de retirer sa main avant que les scies s'abattent sur la tôle du véhicule. Une pluie d'étincelles jaillit tout autour et le lieutenant se projeta *in extremis* vers l'arrière alors que les scies mordaient dans le tableau de bord. L'allume-cigarettes était foutu, tout comme son dernier espoir.

Pendant une fraction de seconde, le lieutenant entrevit le visage ravagé derrière les manettes. Le sourire sadique et le regard amusés de Simard disaient tout. Il semblait plus intéressé à décapiter, à dépecer qu'à écraser sa victime. Jouer au chat et à la souris excitait les pulsions du détraqué. Semer la peur, la consternation, était sa récompense.

Le lieutenant joua alors son va-tout. Il retira sa veste de jean, l'imprégna de l'essence répandue avant de la placer contre les scies qui découpaient toujours l'habitacle de la voiture. Le tissu s'enflamma au contact des étincelles et Duval lança aussitôt la veste dans la flaque sous le réservoir, qui prit feu à son tour. Il eut tout juste le temps de se précipiter hors de la zone dangereuse avant que le réservoir explose dans une gerbe de feu, enveloppant du même souffle la cabine de l'abatteuse qui était juste au-dessus.

L'engin, entouré de feu, eut soudain des mouvements erratiques. Simard tentait désespérément de sortir les scies de l'amas de tôle et les chenillettes patinaient sans pouvoir se déprendre de la voiture de police quand une nouvelle explosion intense retentit d'où jaillit une énorme boule de feu. Le réservoir de l'abatteuse venait d'exploser. Une porte de l'habitacle s'ouvrit à toute volée et Simard, transformé en torche humaine, surgit de la cabine et s'écrasa au sol. Il n'eut pas le temps de se relever qu'il était broyé sous l'acier d'une des chenilles. La machine en feu, qui s'était enfin dépêtrée de la voiture sous la force de l'explosion, poursuivit un instant sa course folle vers la montagne puis une dernière déflagration la fit basculer sur le côté. Avec son long dard tordu, l'abatteuse ressemblait à un scorpion monstrueux dont la carapace perdait un à un ses morceaux dans un râle d'acier.

Le lieutenant se releva avec difficulté. Il marcha d'un pas chancelant vers le cadavre. Il jeta un œil sur le corps écrabouillé et carbonisé qui fumait toujours. La scène lui était insoutenable. Les dents de la chenille avaient creusé leurs morsures dans tout le corps. Simard était comprimé dans la terre, comme si la nature avait voulu en disposer sans délai pour rendre service à l'humanité.

S'essuyant le menton du revers de sa manche, le lieutenant se redressa. Il marcha sur le sol mou et traître en direction du travailleur forestier. L'homme, qui portait une veste à carreaux rouge, respirait encore. Duval se pencha sur lui. La balle l'avait atteint à l'abdomen. Il saignait abondamment mais semblait conscient.

— Ne vous inquiétez pas, murmura le lieutenant. J'appelle de l'aide tout de suite.

— Ne me laissez pas seul.

Le lieutenant le rassura, lui dit qu'une ambulance ne tarderait pas à venir le chercher. Il se releva et, en revenant vers la zone du combat, il regarda le long panache de fumée qui s'élevait toujours de l'engin.

Il n'était pas encore rendu au chemin qu'il voyait arriver à grande vitesse trois autos-patrouille.

◆

Assis dans l'auto-patrouille qui le ramenait à Val-Jalbert, Duval aperçut avec joie ses collègues devant l'unité mobile de commandement mobile que l'on avait déplacée. Quand il descendit, Harel, Prince et Larouche se pressèrent vers lui. Louis le taquina aussitôt :

— Qu'est-ce que tu fais à moitié tout nu ?

À tour de rôle, chacun s'approcha pour lui faire l'accolade.

— Tu sens la pitoune ! blagua Louis, ému de retrouver sain et sauf son partenaire.

Après avoir bu un litre d'eau, le lieutenant leur raconta la fin atroce de Simard.

Comme Francis avait eu le temps de leur faire part de la fusillade avant d'être conduit en ambulance avec Vincent à l'hôpital de Roberval, Louis lui expliqua enfin pourquoi Harvey n'avait pu se trouver au point de rencontre. Alors qu'il roulait en direction de l'unité de commandement mobile à grande vitesse sur son VTT, il avait perdu le contrôle dans un virage à quelques kilomètres seulement de l'UM. Sérieusement blessé, il avait quand même pu joindre Harel avec son talkie-walkie avant de perdre connaissance. Pendant que ce dernier pressait le répartiteur du poste de Roberval d'envoyer d'urgence une ambulance, Prince avait enfourché son VTT pour se rendre au chevet du Jeannois et lui prodiguer les premiers soins. Harvey souffrait d'une sérieuse commotion cérébrale et de plusieurs fractures, mais sa vie n'était pas en danger, même s'il se trouvait toujours en salle d'opération, au dire de Larouche. Par contre, le policier qui avait été atteint devant l'école était décédé durant son transport à l'hôpital.

Le lieutenant s'informa ensuite du sort de Madden. Prince le rassura : après le départ de Harvey en ambulance, il avait laissé l'ermite aux bons soins de Louis et repris le chemin malgré le temps exécrable. Il voulait savoir pourquoi Harvey était revenu à l'UM en catastrophe. Il avait trouvé Madden et Sneak non loin de l'éboulis. Le maître-chien, qui dégouttait de partout, lui avait expliqué la situation. Le retour vers l'UM s'était fait à basse vitesse, Madden assis à l'arrière de Prince avec Sneak dans les bras.

— Après leur arrivée, reprit Louis, j'ai lancé l'appel aux renforts et puis on s'est amenés, nous aussi, avec l'UM. Il ne servait plus à rien de rester là-bas.

— Madden est demeuré au poste de Roberval, conclut Prince. Il ne voulait pas quitter Sneak, pour s'assurer que le chien était bien traité.

Une ambulance passa à grande vitesse dans le village, suivie quelques instants plus tard d'un corbillard qui ne payait pas de mine. La Compagnie funéraire Naud & Frères avait eu vent du passager à transporter et avait envoyé un vétuste corbillard Cadillac qui ne servait plus qu'à charroyer du matériel de conciergerie. Simard aurait quand même droit à un ultime voyage sur quatre roues, pensa Duval.

— Et Vincent ? demanda-t-il.

— Il souffre d'une fracture à la cheville, d'inanition et de déshydratation, expliqua Larouche. L'enflure à sa main, probablement causée par l'incrustation d'un dard de frappe-à-bord, a nécessité la prise d'antibiotiques, mais les ambulanciers m'ont dit qu'il n'était pas si mal vu les événements.

— Oui. C'est un garçon qui a du cran, souligna le lieutenant. Beaucoup de courage.

45

L'urgentologue qui avait reçu Vincent lui avait administré un léger sédatif avant de s'occuper de sa fracture, et le garçon s'était endormi, épuisé par l'épreuve qu'il venait de traverser. Après le plâtrage, on l'avait placé sous soluté et transporté dans une chambre, où il avait continué de dormir.

Assise dans l'ombre, Marie Hébert attendait que son fils refasse surface. Elle pleurait et se réjouissait malgré le deuil. On ne lui avait pas tout pris. Vincent allait survivre.

Dans ce grand écran gris qui plombait son horizon, un pan de ciel clair s'annonçait. Ces noces de brume n'auraient pas tout emporté. Mais pour l'heure, elle devait préparer les obsèques de son fils et de son père.

Vincent s'éveilla enfin, les paupières lourdes. Ne sachant trop où il se trouvait, il explora la chambre des yeux et vit sa mère assise dans le coin. Ses premiers mots furent pour la rassurer :

— Ça va aller, maman, murmura-t-il.

Marie Hébert se leva, serra la main de son fils dans les siennes et pleura.

46

L'arrivée de Duval et de ses hommes au poste de Roberval fut l'occasion de belles manifestations de joie. La collaboration entre les deux corps policiers avait été parfaite, chacun mettant son ego de côté. Le lieutenant, qui avait l'estomac vide, alla déjeuner avec ses collègues à l'hôtel Gagnon après avoir pris une douche dans la salle d'entraînement du poste de police. Un des policiers qui avait à peu près son gabarit, lui passa un gilet et un pantalon, les siens étant bons pour la poubelle après cette nuit d'enfer.

Le Champagne rouge d'Elzéar Plourde fut à l'honneur. Après avoir englouti trois œufs et six toasts, Duval téléphona à Laurence. Elle savait déjà que le garçon était sain et sauf. Puisqu'il devait rédiger son rapport et rencontrer Vincent pour sa déposition, il lui annonça qu'il ne rentrerait à la maison que le lendemain.

Elle le pria de ne pas revenir en moto. Il ne put rien lui promettre. Avec une nuit de repos, il serait en forme pour chevaucher Bella.

Laurence avisa Duval que l'ex-femme de Louis, Charlène, avait laissé un message pour lui sur le répondeur.

Puis le lieutenant se rendit à l'hôpital saluer Harvey, toujours aux soins intensifs. Le personnel médical l'autorisa à passer deux minutes avec le patient. Sous l'effet de la morphine, une jambe suspendue en traction, Harvey portait un large bandage autour de la tête. L'échange se limita à quelques mots et regards échangés. Avant de partir, Duval regarda une photo déposée sur la petite commode près du lit. On y apercevait les quatre jeunes enfants du Jeannois.

Duval descendit à l'étage voir Francis. Bien assis dans son lit, celui-ci écoutait *Comfortably Numb* dans le baladeur que lui avait acheté Adèle. Duval lui avait apporté un numéro du magazine *Chasse et Pêche*.

— Mon boss connaît bien ses hommes ! dit Francis en regardant l'énorme orignal photographié sur la couverture.

Il obtiendrait au début de la semaine suivante son
congé de l'hôpital. Francis savait que sa saison de
pêche ne serait pas compromise, mais il pesta à l'idée
de ne pas être au huitième congrès du PQ, pendant
lequel la question de l'indépendance allait être débattue
pour en faire un sujet parmi tant d'autres. Ce fils spi-
rituel de Menaud, maître-draveur, ne l'entendait pas
ainsi.

— Les tabarnaks, ils ont besoin de nous laisser
croire en notre rêve.

Duval sourit et salua son ami.

◆

Plus tard, en fin d'après-midi, Duval alla rendre
visite à Vincent. Si le garçon était disposé, il prendrait
sa déposition. Il voulait avoir sa version des faits, mais
surtout rencontrer le jeune rescapé.

Il allait entrer dans la chambre quand il croisa Marie
Hébert dans le corridor. Elle fondit en larmes en voyant
le lieutenant, le remerciant d'avoir ramené son fils.

— Madame Hébert, Vincent doit sa survie à lui-
même. Il s'est battu pendant une semaine pour rester
en vie.

Duval frappa sur la porte entrouverte. Le garçon
tendit le cou pour voir de qui il s'agissait. En recon-
naissant l'enquêteur, il sourit.

— Je peux te voir, Vincent ?

D'un geste affirmatif de la tête, Vincent l'invita à
venir.

— Comment va la cheville ?

— J'en ai pour six semaines, mais je vais pouvoir
marcher sur mon plâtre après quinze jours.

— Ta main ?

— Les antibiotiques font effet, dit Vincent en montrant l'enflure, qui avait diminué de moitié.

— T'as su ce qui était arrivé à Simard ?

— Oui. Le docteur m'en a parlé.

— Qu'est-ce que ça te fait ?

Le garçon réfléchit. Il se revoyait frappant Simard avec son bâton, mais oubliant de ramasser l'arme près de lui.

— J'aurais aimé qu'il vive assez longtemps pour qu'il m'entende raconter le supplice qu'il a fait endurer à mon frère et à mon grand-père, pour qu'il pourrisse en prison…

— Tu sais, Vincent, Simard était considéré comme un pédophile sans émotions. Il n'aurait pas bronché en écoutant ton récit, il n'aurait manifesté aucun repentir. Tu aurais été encore plus choqué.

Le garçon hocha la tête pour dire qu'il comprenait.

— Serais-tu prêt à faire ta déposition aujourd'hui ? reprit le lieutenant. Sinon, je peux repasser, si tu veux.

— Non, je suis prêt.

Vincent se redressa dans son lit, appuya son dos sur deux oreillers.

Duval vérifia le magnétophone qu'on lui avait prêté au poste de Roberval. Il sortit son crayon et demanda à Vincent de raconter ce qu'il avait vécu depuis le vendredi fatidique. Le garçon réfléchit. Il allait tout dire. Mais il ne mentionnerait pas qu'il avait été agressé sexuellement. Il refusait que sa mère ait à vivre avec une souffrance qu'il porterait seul sur ses épaules. Elle aurait à traîner assez longtemps ses deuils. Quand il pensa à sa mère, l'expression « Marie des Sept Douleurs » traversa son esprit.

— Avant de commencer, Vincent, j'aimerais que tu me parles du Couguar radiant. Pourquoi ce nom ?

À ces mots, le visage du garçon s'illumina.

— Un jour, mon grand-père…

47

Quand la population avait pris connaissance du passé trouble de Joey Simard, elle avait été en mesure de porter un regard différent sur le criminel. Être le fruit de l'accouplement d'un père et d'une sœur ne pouvait que pourrir la vie d'un enfant. Des voisins témoignèrent des sévices qu'il avait endurés. Battu comme un animal par son père, dépersonnalisé, agressé sexuellement, il avait fini par désapprendre le langage à la suite d'un traumatisme : des coups de cintre à la tête et au visage. Le public avait aussi appris avec consternation qu'il avait bénéficié d'une libération conditionnelle douteuse alors qu'il était considéré par les psychiatres de Pinel comme un cas limite. Mais un directeur de prison et des commissaires aux libérations conditionnelles avaient décidé d'étirer la limite un peu plus. L'équilibre budgétaire d'une prison avait prévalu sur la sécurité publique, mise en péril une fois de plus par des considérations politiques et le laxisme des autorités.

Duval avait récupéré sa moto la veille, mais il avait retraversé le parc très tôt le matin. Il s'était rendu directement à son bureau afin de terminer les rapports de l'enquête et, un peu avant l'heure du dîner, il prit le temps de téléphoner au numéro que Charlène avait laissé sur le répondeur. Elle était retournée à Sorel, où elle avait un jour rencontré le patrouilleur Louis Harel. Elle lui demanda si cette histoire de baptême était vraie, puis félicita Duval.

Après quelques maladroits échanges de politesse, elle voulut vérifier si Louis allait vraiment être le parrain de Louis-Thomas. Elle parut surprise.

— Y mérite pas ça, Dan.

— …

— Y a eu de la misère à s'occuper de ses propres filles.

— …

— Es-tu sûr de ton coup ?

— …

— Tu donnes son nom à ton fils. Sais-tu ce que tu fais ?

Duval l'avisa que Louis avait beaucoup changé, qu'il n'était plus le même après avoir frôlé la mort. Elle ne paraissait pas convaincue, marmonnait des « ouain », des « peut-être » et des « pas sûre de ça, moé ». Finalement, elle autorisa « exceptionnellement » ses filles Linda et Nathalie à assister au baptême, mais à la condition qu'elles logent chez son interlocuteur. Duval rayonna, accepta l'entente en se disant que Louis, qui vivait dans un appartement, n'avait pas la place nécessaire de toute façon pour les recevoir. Pour ne pas froisser le Gros, il n'aurait qu'à dire à Louis qu'il avait pris cette initiative et qu'il lui laissait sa maison pour la fin de semaine.

Avant de raccrocher, Charlène demanda à Duval s'il connaissait un enquêteur du nom de Gérard Gendreau.

Duval voyait déjà poindre le dilemme.

— Oui, je le connais de nom. Pourquoi tu me demandes ça ?

— Je peux pas te répondre.

Impatient de connaître le fond de l'affaire et l'implication de ce ratoureux de Gendreau, Duval ouvrit le bottin à l'Agence de détectives Gerry Gendreau. Il composa le numéro et la secrétaire le mit en attente après lui avoir demandé son nom.

— Salut, mon « Dandy man ». On parle de toi dans tous les journaux à matin. J'augmente mon offre si tu veux.

— Moi, je t'appelle pour savoir ce que t'as fait pour que les filles de Louis viennent au baptême de mon garçon.

— Écoute, l'agence de l'oncle Gerry respecte toujours ses engagements. J'avais promis à Loulou que ses filles assisteraient à son triomphe comme parrain de ton fils. J'ai tout essayé jusqu'au jour où je me suis demandé si elle déclarait la pension de Loulou à l'impôt. Je lui ai laissé entendre que si elle ne permettait pas à ses filles d'aller au baptême de ton kid, elle aurait le fisc sur le dos. À voir la réaction prime qu'elle a eue, je me suis rendu compte que j'avais pesé sur le bon bouton, termina Gendreau en éclatant de rire et en toussant.

— Écoute, Gerry, il ne faut pas conter à Louis tes manigances, ça briserait sa journée. Tu lui dis que ses filles ont pris elles-mêmes la décision de venir.

— T'en fais pas, ma guidoune, tout est arrangé. Personne n'est au courant des entourloupes du détective Gérard. Je me suis entendu avec leur môman. Inquiète-toi pas, mon Dan, c'est secret. Pis quand est-ce que tu viens faire de l'argent chez mon'oncle Gerry ?

— À ma préretraite.

— Salut, mon pourri ! Ça sonne sur l'autre ligne… Encore une cocue ! dit Gerry en raccrochant.

Duval sortit de son bureau pour annoncer la nouvelle à Louis qui, dans son cubicule, levait des poids dans chaque main, assis sur sa chaise, les pieds allongés sur son bureau, ce qui exaspéra Duval qui se tapait soixante-quinze kilomètres de jogging par semaine pour ne décrocher qu'une septième place à Cancún.

— Louis, je viens d'avoir un appel de Charlène et je voulais te dire que tes filles seront au baptême.

— Va ch... Tu me contes des histoires, dit Harel en déposant ses haltères.

— Non, c'est vrai. Comme elles vont être hébergées chez nous, je te prêterai la maison pour la fin de semaine.

Louis releva la tête, ému, sanglotant. Avec peine, il finit par se ressaisir.

— Je savais que Charlène ne pouvait pas avoir aussi peu de cœur, déclara Louis en chignant puis en retrouvant sa contenance.

Le lieutenant se gratta la tête, l'air soucieux.

— Mais j'ai un petit problème. Comme on a été virés des cours baptismaux pour absentéisme, j'ai pas de prêtre.

— Je t'organise ça, Dan. Considère que le curé, c'est pas un problème, tabarnak ! Je peux te faire venir un cardinal si y faut... J'ai tellement hâte de revoir mes deux belles fifilles. Tu me jures que t'as rien à voir avec ça ?

— Je te jure que non. Elle a appelé chez nous parce qu'elle a encore de la réticence à te parler.

— En tout cas, je te remercie de recevoir mes filles.

— Ça me fait plaisir !

Duval salua Louis et retourna dans son bureau. Il avait bouclé l'enquête, mais il lui restait du travail. Il lui fallait remettre son article à la secrétaire de l'escouade pour qu'elle le tape. Il souhaitait maintenant qu'elle soit capable de déchiffrer son écriture. Certaines lettres avaient été un vrai dilemme, d'autres un inconvénient. Il relut le titre, parut satisfait : *Vingt ans de service à la SQ en vingt lettres*. Il devait le titre à Mimi. À sa suggestion, il avait laissé tomber six lettres. Finalement, il avait dédié l'article à Vincent Parent et à la mémoire de Sébastien Parent et de Gilles Hébert.

ÉPILOGUE

Les funérailles de Gilles Hébert et de Sébastien Parent furent célébrées à l'église de Giffard en toute intimité[1]. Le message fut entendu et les journalistes, à part deux ou trois, respectèrent la requête. Malgré ses nombreuses fractures et une commotion cérébrale légère, le lieutenant Harvey fit le voyage pour assister aux funérailles en compagnie de ses collègues de Québec. Duval appréciait ce garçon de dix ans son cadet. Il aurait aimé l'avoir dans son service. En prévision de la retraite de Bernard Prince, il pensait à une façon de l'intégrer dans son équipe.

---

[1] Les citoyens du Lac-Saint-Jean, touchés par ce drame, renommèrent un lac en mémoire des enfants. Quelques mois plus tard, la dénomination du lac des Deux frères était acceptée par la Commission de toponymie.

49

Le baptême fut célébré sur le belvédère de la falaise du cap Tourmente. Un baptistère céleste avec soleil levant sur les gris-bleus du ciel et du fleuve confondus. Il n'y avait pas d'oies pour blanchir la rive et se déployer en nuées comme des rafales de neige, mais les battures regorgeaient de goélands et les Appalaches au loin étaient baignées par la douce lumière du matin.

Le sympathique curé, décoiffé par le vent qui agitait son étole en tous sens, attaqua la dernière partie de la célébration. Il mettait du zèle à chaque étape, tout comme Louis qui l'avait recruté. Tous faisaient cercle autour du célébrant. Le lieutenant Jérémie Harvey, en fauteuil roulant, était venu assister à la cérémonie avec sa famille.

Pendant que la sœur de Laurence tenait l'enfant tout emmailloté de blanc, Louis plongea le vase dans l'eau qui avait été recueillie dans une petite chute au flanc de la falaise. L'eau baptismale fut bénie par le curé. D'une main assurée, il versa trois fois l'eau sur la tête de l'enfant en traçant une croix. L'eau coula sur son visage. Le bébé trouva l'onction glaciale, mais ses pleurs cessèrent rapidement, son regard étant fasciné par le vol d'une buse qui planait sur les courants chauds ascendants du cap. Duval le regarda. « Bientôt, mon fils, tu verras ici neiger les oies comme une vraie poudrerie d'hiver. »

Le prêtre prononça les paroles du baptême.

— Joseph Antoine Louis-Thomas Duval, je te baptise en ce 16 août à Cap-Tourmente…

Bébé se mit à pleurer. La marraine le passa à son père et les pleurs cessèrent aussitôt. Louis, encadré par ses filles, lut un texte de saint Augustin, qui avait mené comme lui une vie dissolue avant de se racheter.

La marraine récita un poème de Félix-Antoine Savard. Le prêtre demanda ensuite un instant de recueillement. Le lieutenant fixa le large. Mimi et un ami guitariste avaient choisi d'interpréter une chanson de circonstance, *Beautiful Boy*, de John Lennon.

> *Close your eyes*
> *Have no fear*
> *The monster's gone*
> *He's on the run and your daddy's here*

Cap-Tourmente : un lieu prédestiné pour recevoir le sacrement divin, pensa Duval en tenant Louis-Thomas bien au chaud. La vie n'est-elle qu'un cap tourmenté ? un parcours fracturé ? Le corps et l'esprit sont-ils pareils à des caps érodés par les séismes du quotidien ? Des corps réduits jusqu'à devenir des carcasses hideuses et l'esprit ravagé par la dure réalité ? Le parcours d'un enfant est imprévisible. Le petit homme qu'il réchauffait dans ses bras serait un jour la proie des tourments, du tumulte.

> *Beautiful boy...*

Ses bras protecteurs ne l'en protégeraient qu'un temps. L'être cher échappe un jour à notre bienveillance. Parfois contre notre gré. La loi des probabilités ne garantit pas le bonheur. La prière non plus. Duval souhaita que son fils soit protégé par la vie, qu'il se joue du noir destin, celui pour lequel on frappait à sa porte. C'est tout ce qu'il exigea dans sa prière profane.

Quand le prêtre bénit l'assemblée, « Au nom du Père, du Fils et du Saint-Esprit... », Daniel Duval refusa de se signer, dépassé par tant de mystères.

Par l'insoluble.

L'insondable question.

D'un refuge final.

REMERCIEMENTS

D'abord, j'exprime toute ma gratitude à la Direction des études du Cégep de Sainte-Foy et à Jacques Léveillé pour leur soutien indéfectible grâce auquel j'ai pu participer à des événements littéraires au Québec et à l'étranger alors que les sessions étaient en cours.

Je tiens à remercier Daniel Naud qui m'a parlé du Lac-Saint-Jean, de ses expressions et du Champagne rouge d'Elzéar Plourde. En sa qualité de thanatologue, il m'a aussi renseigné sur l'apparence et les types de brûlures des tissus humains. Mes remerciements à Marc Richard, de la Commission de toponymie du Québec, pour les cartes géographiques de la région.

Merci à Valérie pour avoir lu et relu mon manuscrit, ainsi qu'à mes filles Rose et Simone, qui venaient parfois m'extirper de cette sombre histoire pour m'entraîner dans leurs jeux d'enfants.

Tous mes hommages à Jean Pettigrew, le meilleur directeur littéraire du Québec, et à Louise Alain, pour leur entêtement rebelle à faire de la littérature de genre un succès au Québec.

Sources

Je veux aussi mentionner l'apport de certaines lectures et de documentaires : *Les Chiens mènent l'enquête* (Jean-Pierre Fabre, Anne Carrière, 1996), *Scènes de crime* (Richard Platt, HMH, 2004), *La Sûreté du Québec depuis*

1870 (lieutenant Raymond Proulx, 1987), *Tout le monde dehors!* (Yves Thériault, Libre Expression, 2005), *Le Soleil* du 23 juillet au 9 août 1981, l'émission *Pare-chocs à pare-chocs*, *Les véhicules de service*, Canal Historia (l'anecdote sur le « dépatchage » de motards criminels par des policiers avant la Charte des droits et libertés), *La Route des Hell's* (William Marsden et Julian Sher, L'Homme, 2006). Pour en savoir plus sur le marathonien Gérard Côté, deux sites Internet sont incontournables : www.club-athletique.com/gerard_cote.html, www.david blaikie.com/david_blaikie/boston/baa_1940.htm.

Les informations géographiques sur la région du Lac-Saint-Jean proviennent du magistral ouvrage de la Commission de toponymie du Québec : *Dictionnaire des noms et lieux du Québec* (Publications du Québec, 2006).

Cette histoire est vaguement inspirée d'un fait divers. Les Jeannois me pardonneront les quelques libertés romanesques que je me suis permises.

L'auteur invite cordialement ses lecteurs à faire un don à l'AFPAD, l'Association des familles de personnes assassinées ou disparues du Québec (www.afpad.ca).

JACQUES CÔTÉ...

... vit à Québec. Il enseigne la littérature au Cégep de Sainte-Foy. En 2000, il publie un premier roman policier, *Nébulosité croissante en fin de journée. Le Rouge idéal* (2002), second volet de la série, reçoit le prix Arthur-Ellis 2003, puis *La Rive Noire* (2005) remporte le prix Saint-Pacôme 2006. En 2003, il fait paraître *Wilfrid Derome, expert en homicides* (2003). Grand Prix *La Presse* de la biographie, ce récit fait connaître le pionnier des sciences judiciaires et de la médecine légale en Amérique. Jacques Côté a été conférencier invité de l'École de criminologie de Montréal, de la Société médicale de Québec et du Laboratoire de sciences judiciaires et de médecine légale, de la Sûreté du Québec à Montréal, mais aussi de plusieurs écoles et bibliothèques du Québec. En 2004, il a participé à la réalisation d'un documentaire sur la vie de Wilfrid Derome présenté à canal D.

EXTRAIT DU CATALOGUE

Collection « Romans » / Collection « Nouvelles »

VOUS VOULEZ LIRE DES EXTRAITS
DE TOUS LES LIVRES PUBLIÉS AUX ÉDITIONS ALIRE ?
VENEZ VISITER NOTRE DEMEURE VIRTUELLE !

www.alire.com

Le Chemin des brumes
est le cent trente et unième titre publié
par Les Éditions Alire inc.

Ce deuxième tirage
a été achevé d'imprimer
en juillet 2008 sur les presses de

IMPRESSION
IMPRIMERIE GAGNÉ

IMPRIMÉ AU CANADA